A Imagem Inconsciente do Corpo

Coleção Estudos
Dirigida por J. Guinsburg

Equipe de realização – Tradução: Noemi Moritz Kon e Marise Levy; Revisão: Kiel
Pimenta e Sílvia Cristina Dotta; Produção: Ricardo W. Neves, Sergio Kon e Juliana Sergio.

Françoise Dolto

A IMAGEM INCONSCIENTE
DO CORPO

Título do original francês
L'image inconsciente du corps

Copyright © Editions du Seuil, 1984.

Dados Internacionais de Catalogação na Publicação (CIP)
(Câmara Brasileira do Livro, SP, Brasil)

Dolto, Françoise.
    A imagem inconsciente do corpo / Françoise Dolto ;
[tradução Noemi Moritz e Marise Levy]. – 3. ed., 1ª
reimpr., – São Paulo : Perspectiva, 2017. – (Estudos ; 109 /
dirigida por J. Guinsburg)

    Título original: L'image inconsciente du corps.
    Bibliogafia.
    ISBN: 978-85-273-0244-6

    1. Doenças mentais 2. Imagem do corpo 3.
Inconsciente 4. Mente e corpo 5. Personalidade em
crianças 6. Psicanálise I. Guinsburg, J.. II. Título. III.
Série.

04-6924   CDD-150.195

Índices para catálogo sistemático:
1. Psicanálise : Psicologia   150.195

3ª edição - 1ª reimpressão
[PPD]

Direitos reservados em língua portuguesa à
EDITORA PERSPECTIVA LTDA.
Av. Brigadeiro Luís Antônio, 3025
01401-000 São Paulo SP Brasil
Telefax: (011) 3885-8388
www.editoraperspectiva.com.br

2019

Sumário

1. ESQUEMA CORPORAL E IMAGEM DO CORPO.......   1

O Esquema Corporal não é a Imagem do Corpo   9
Imagem do Corpo: Pulsões de Vida e de Morte   24
Os Três Aspectos Dinâmicos de uma Mesma Imagem
do Corpo   37

2. AS IMAGENS DO CORPO E SEU DESTINO:
AS CASTRAÇÕES   49

A Noção de Castração Simbolígena   62
A Castração Umbilical   72
A Castração Oral   79
A Castração Anal   86
O Espelho   120
A Castração Primária Dita por Vezes Castração
Genital não-Edipiana   134
Complexo de Édipo e Castração Genital Edipiana
(Interdição do Incesto)   153
A Contribuição Narcísica da Castração Edipiana como
Liberadora da Libido   164

3. PATOLOGIA DAS IMAGENS DO CORPO E
CLÍNICA ANALÍTICA 173

Primeiros Riscos de Alteração da Imagem do Corpo 173
O Período Oral Anterior à Idade da Marcha e da Fala.
O Desmame, seus Fracassos 177
Idade Oral, Anal e Períodos Ulteriores até a Castração
Primária 191
Patologia da Imagem do Corpo na Fase de Latência
(após um Édipo que Foi, no entanto,
Resolvido a Tempo) 275
Histeria e Psicossomática 294
De Engendradores a Engendrados: o Sofrimento.
De Imaginário a Realidade: as Dívidas e as Heranças ... 307

CASOS CLÍNICOS DE PERTURBAÇÕES
DA IMAGEM DO CORPO 315

ALGUNS TEMAS ANEXOS ABORDADOS. 317

1. Esquema Corporal e Imagem do Corpo

No início da minha prática em psicanálise de crianças (1938), orientada por Sophie Morgenstern[1], primeira psicanalista desta faixa etária na França, eu apresentava às crianças – desejosas por compreender, comigo, aquilo que provocava nelas, à sua revelia, dificuldades de viver que conheciam – papel, lápis de cor; depois, mais tarde, acrescentei massa de modelar.

Desenhos, cores espalhadas, formas são, desde logo, meios de expressão espontâneos para a maioria das crianças. Elas gostam de "contar" aquilo que suas mãos traduziram de seus fantasmas, verbalizando, assim, o que desenharam e modelaram a quem as escuta. Isto, às vezes, não tem relação lógica (para o adulto) com aquilo que o adulto acreditaria estar vendo ali. Porém, o mais surpreendente foi o que se impôs, pouco a pouco, a mim. É que as instâncias da teoria freudiana do aparelho psíquico ("Isso", "Eu", Super"Eu")* são assinaláveis em qualquer composição livre, quer ela seja gráfica (desenho), plástica (modelagem) etc. Estas pro-

---

1. Suicidou-se em 1940, na ocasião da entrada dos alemães em Paris.

* A tradução tradicional das instâncias psíquicas freudianas para o português é Ego, Id e Superego. Vários trabalhos acerca de uma outra possível versão para tais conceitos psicanalíticos, como por exemplo, aquela levantada por Bruno Bettelheim em sua obra *Freud e a alma humana*, assim como também por alguns tradutores de Lacan para o português, sugerem a tradução, respectivamente, Eu, Isso e Supereu.

A IMAGEM INCONSCIENTE DO CORPO

duções da criança são, assim, verdadeiros fantasmas representados, de onde são decodificáveis as estruturas do inconsciente. Eles só são decodificáveis, enquanto tais, pelos dizeres da criança que antropomorfiza, que dá vida às diferentes partes de seus desenhos, a partir do momento em que fala a este respeito à analista. É o que há de particular na análise de crianças: aquilo que nos adultos é derivado a partir de suas associações de ideias sobre um sonho contado, por exemplo, pode ser ilustrado, nas crianças, por aquilo que dizem sobre os grafismos e as composições plásticas, suportes de seus fantasmas e de suas fabulações em sua relação de transferência.

O mediador destas três instâncias psíquicas ("Isso", "Eu", Super"Eu") nas representações alegóricas fornecidas por um sujeito, mostrou ser específico. Eu o chamei de imagem do corpo.

Exemplo 1 – Dois desenhos de uma criança, com graves tiques, de aproximadamente onze anos.

Primeiro desenho: um cavalo, cuja cabeça não cabe no quadro do papel, sobre o qual há um cavaleiro a lutar contra um inimigo que não é totalmente visível, mas cuja espada aparece vinda do alto, à esquerda no campo do desenho, ameaçando a cabeça do cavaleiro, ao mesmo tempo em que se pode ver, na parte baixa e à direita do desenho, uma serpente venenosa que vai, diz a criança, picar o cavalo do cavaleiro. Neste desenho, o cavalo não tem cabeça, mas o cavaleiro tem, sim.

Segundo desenho (em outra sessão): ele se apresenta como uma variante do motivo anterior. A cabeça do cavaleiro não figura inteiramente no campo da folha; a do cavalo sim, mas não há lugar para a cauda aparecer na folha. A serpente é substituída por uma cabeça de tigre que surge à esquerda, embaixo, e que está pronta para atacar o cavalo. Na realidade esta cabeça de tigre apresenta-se no lado onde deveria estar a cabeça do cavalo, mas aparece em um nível inferior.

O garoto que, a convite da psicanalista, narra seus dois desenhos, pode colocar-se no lugar de todos os personagens e, a partir de cada uma destas posições, imaginar e dizer aquilo que sentiria.

Um complicador a mais da tradução do francês para o português é a existência de dois pronomes pessoais em francês (*Moi* e *Je*) para o pronome pessoal Eu. Quanto à manutenção da diferença em português (e suas diferentes significações conceituais) destes dois pronomes e a escolha que fizemos em traduzir *Moi* por "Eu" e *Je* por "eu" ver asterisco, p. 131, capítulo 2. (N. da T.)

Aparecem, assim, sucessivamente, uma cabeça a significar a devoração oral, a do tigre; uma cabeça de domínio da musculatura anal, que a cabeça do cavalo pode representar; e uma cabeça de domínio do cavaleiro, que representa o ser humano. Estas três cabeças são suscetíveis de se permutarem uma pela outra, sem que as três possam existir simultaneamente no campo do desenho. No mais, existe sempre um perigo para o cavaleiro, que é representado, seja pela oralidade que faz parte de um corpo (o tigre), seja pela serpente venenosa que, por trás, figura as forças telúricas e anais que podem se vingar do indivíduo e, ao mesmo tempo, a espada de um superior hierárquico humano que o visa.

Ulteriormente, nos últimos desenhos desta criança, o perigo é representado por um raio fulminante que destruiria ao mesmo tempo o cavaleiro, o cavalo e, provavelmente, os animais que ali estavam; e que estava em conflito, com estas instâncias vivas, conflito figurado pelo ataque.

A explicitação destes diferentes perigos pôde levar a descobrir, através das livres associações sobre os inimigos, as tempestades, os perigos do veneno, os perigos do devoramento, que tais temas figurativos estavam ligados a um drama familiar.

A morte do avô paterno do garoto foi seguida de conflitos familiares ligados à herança, e o pai do menino fora testemunha da tentativa de assassinato de um dos irmãos, pelo primogênito da fratria. A criança tomara conhecimento do fato verbalmente, ao surpreender uma conversa entre os pais, quando, em casa dos avós, dormia com eles num mesmo quarto. Tudo se encaixou para ela, a avidez oral pela herança, o tabu do assassinato e o espanto de assistir à conivência de seus pais falando em voz baixa, na cama conjugal, para dar razão ao assassino, que, felizmente, apenas ferira o outro (falou-se de um acidente de caça), e para esconder o fato. A criança desencadeara seus tiques na volta do funeral do avô.

Vemos como, graças aos desenhos sucessivos, a análise das lembranças e das associações que ali estavam inconscientemente figuradas, permitiu liberar aquilo que se apresentava como contradições insolúveis para este menino, que não podia, simultaneamente, manter a cabeça, a vitalidade muscular e o domínio da conduta. O garoto verificou ser testemunha silenciosa e, portanto, cúmplice de uma conversa parental de alcance desumanizante em relação ao código da Lei. Mas, o importante, aquilo que permite compreender a possibilidade de se fazer psicanálise infantil, é que a própria criança traz os dados da interpretação pelo que ela diz de seus desenhos fantasmagóricos; é ela, ela – a ser-

4 A IMAGEM INCONSCIENTE DO CORPO

pente que pensa assim, ela – a cabeça de tigre que representa a mãe perigosa (seu pai a chamava de sua tigresa) com a qual a criança se identifica e que é perigosa para o cavalo que representa o pai neste caso; ao mesmo tempo que a espada de Deus, substituída pelo raio do céu vem condenar a criança, ferir sua humanização a partir do momento em que, ao julgar seu pai, cúmplice de seu tio, ela se apresenta culpada aos olhos da Lei. Pois, o que ouviu através das palavras dos pais é que eles – sobretudo o pai, a mãe menos, angustiada por estar sabendo do segredo – se apresentavam no desejo denotado tão transgressores da Lei quanto uma criança incestuosa, ela, que, no caso presente, era testemunha circunstancial do colóquio dos pais na cama conjugal, na casa da linhagem paterna.

Exemplo 2 – Trata-se de um menino de dez anos, totalmente inibido, quase sem voz, cujo rosto mostra um sorriso angustiado e fixo. Ao pedido de desenhar a fim de expressar-se, já que não pode contar nada e que, supostamente, não sonha, põe-se a representar graficamente "batalhas de tanques". De fato, todos os desenhos de suas primeiras sessões são representações deste mesmo tema, de tal maneira que manifesta claramente a amplitude de sua inibição na sua relação com o outro. Em um de seus desenhos, por exemplo, há um tanque de grafia pálida e trêmula no meio da página, e, somente na extremidade direita do papel, a ponta do canhão de outro tanque. Desta boca de canhão não sai nenhum obus; só existe obus disparado no canhão do tanque visível, mas em uma direção tal que, aparentemente, não resultaria em nenhum estrago para o tanque invisível.

De sessão para sessão, prossegue, do mesmo modo, este combate impossível entre dois tanques, que são, ulteriormente, substituídos por pugilistas, vistos de perfil, com apenas um braço visível, a uma respeitável distância um do outro. Confirma-se, portanto, o problema da rivalidade sob forma do impossível corpo a corpo. Pois, estes boxeadores não têm, segundo os primeiros desenhos sucessivos que o menino faz, ou cabeça, uma vez que não figuram por inteiro no espaço do papel, dado o volume de seu corpo, ou pés. Dando-se conta do fato, o garoto desenha-os novamente, com os joelhos dobrados; estão, ambos, de joelhos, um diante do outro, mas seus braços, ainda que estendidos, não conseguem se tocar.

Quando enfim, após várias sessões, põe os dois pugilistas em pé, um de frente para o outro, o que aparece é que um tem um calção listado e o outro não. A criança seria o primeiro, se estivesse no desenho, responde ela à minha pergunta. Ora, este calção listado, conforme revelaram as associações, lembrava o pulôver de um colega de classe que, ao voltar da escola com nota baixa, sofrera um castigo do pai.

Então, diante de minha pergunta: "Você gostaria que seu pai o castigasse? – Ah! Não é isto que eu quero dizer, mas o pai dele cuida dele".

De fato, esta criança tinha um pai totalmente indiferente a ela; em última análise, este pai não havia reconhecido seu filho como alguém válido. Toda a inibição da criança pôde exprimir--se em uma autodestruição de sua libido viril, por ausência de identificação possível com um pai que não se reconhecia como tal e que não reconhecia no filho um menino de valor, já que a criança não lhe despertava nenhum interesse. Existia ali a inversão da situação edipiana, era o pai que tinha ciúmes de seu filho e que não lhe permitia construir-se tendo a si como referência, elaborando as instâncias da psique ("Eu", Super "Eu", Ideal do "Eu") sendo que este pai não era, nem um Super "Eu" inibidor da não-observância da lei do trabalho (que é uma sublimação de pulsões anais) nem um interlocutor de seu filho. Ele só sabia dizer: "Cale-se", "Saia daqui", "Deixe-me em paz". Isto quer dizer que ele não suportava o "Eu" Ideal de um menino fálico oral, que tem direito tanto à palavra dirigida a seu pai, quanto às trocas faladas com seu pai. A criança se sentia, portanto, um grande perigo para seu pai, pelo fato de que este tinha medo dela. Pelo menos, seu pai, ao negá-la, agia como se sentisse medo dela.

Foi a interpretação, através dos desenhos, que revelou esta autofrenagem da libido devido à falta de segurança do pai em relação ao filho, combinada, para a criança, com refúgio em uma vida pueril de não-rivalidade, e, portanto, de não-criatividade, por estar toda a libido bloqueada pelo perigo que a criança sentia ser para o pai. O "Eu" desejado era ser um menino que tivesse um pai forte, capaz de controlar a inibição do filho no trabalho, suscitando assim a formação de um Super "Eu" inibidor da preguiça, um pai que teria sido um "Eu" Ideal. Seu sonho era ser como o colega de pulôver listado. Então, o pai teria interesse em tudo o que interessasse ao filho, como o pai do colega de pulôver listado que o recompensava quando este tirava as boas notas. Foi a mãe deste colega que tricotara, para o filho, o belo pulôver listado; existia, portanto, nesta família, uma mãe que tinha a possibilidade de amar o filho sem tornar inexistente o marido; este continuava a ser o pai que controla e, ao mesmo tempo, sustenta a energia do filho para que ele se torne um ser social, armado para a vida.

6 A IMAGEM INCONSCIENTE DO CORPO

É através dos volumes representados no espaço, volumes que são o suporte de uma intencionalidade, que a criança se expressa. De início, ela parece desenhar uma cena; mas na realidade, pela maneira como ela própria interpreta, fala de seu desenho, prova que por meio desta encenação gráfica ela mediatiza pulsões parciais de seu desejo, em luta com pulsões parciais de seu desejo em um outro nível. Tais níveis da psique são os que Freud descreveu como: "Eu", "Eu" Ideal e Super "Eu". E a energia que é posta em jogo nos cenários imaginários que são estes desenhos ou estas modelagens, nada mais é senão a libido que se expressa por seu corpo, quer passiva, quer ativamente – passivamente em seu equilíbrio psicossomático, ativamente em sua relação com os outros.

Daremos o exemplo de uma situação onde a modelagem constitui o suporte representativo.

Exemplo 3 – Um rapazinho, estudante de oitava série, com catorze anos, aluno brilhante, porém "muito nervoso", me foi trazido para uma consulta: queixam-se na escola de que ele dá pontapés compulsivos nas carteiras, até despregá-las do chão. A mãe, que acompanha o filho, também apresenta as pernas machucadas, ulceradas ao nível das tíbias. Além das pernas, ela me conta que são igualmente visados por esta ação insólita o pé da cama conjugal do lado onde ela se deita, assim como o pé da mesa familiar do lado onde costuma sentar-se.

Por ocasião deste primeiro contato, a única coisa que o menino pôde dizer de seu procedimento, foi: "Não posso agir diferentemente, é mais forte do que eu... – Mas, como se explica que você vise sempre, com este ato, sua mãe e não seu pai? – Eu não sei, não faço de propósito".

Dizendo não poder desenhar, escolhe a massa de modelar e constrói um poço à antiga, reproduzido de modo muito artístico. Observo neste momento: "Um poço, o que você poderia dizer disto? – Bem, tem água no fundo, é um poço de uma época antiga, agora, não há mais poço. – Sim. O que mais se diz ainda, às vezes, que se esconde no poço?". E juntos acabamos, assim, falando do poço e da verdade nua que se supõe poder sair dali. Terminada a sessão, ao tratarmos do encontro seguinte, o rapazinho, apesar de parecer desembaraçado, me diz: "Ah, é preciso perguntar à mamãe. – Por que perguntar à sua mãe, você mesmo não sabe de seus dias livres? – Não, é preciso perguntar à mamãe".

A mãe entra e senta-se à esquerda do filho. Enquanto me fala dos dias possíveis para as sessões seguintes, o rapazinho pega na mão esquerda a mão direita da mãe e conduz o indicador dela a acariciar o interior do poço modelado, sem que ela, que continua a falar comigo, pareça se dar conta do fato. Em vez de deixá-lo sair com a mãe, digo a ela: "A senhora poderia esperar um pouco, quero conversar ainda com seu filho". Ela sai e eu pergunto ao garoto: "O que quer dizer o gesto que você fez com o indicador de sua mãe em sua modelagem? – Eu? Como? Eu não sei…" (Ele parecia surpreso, até mesmo aturdido). Ele responde, pois, como se tivesse esquecido, como se não tivesse se dado conta de nada. Eu lhe descrevo então o que o vi fazer. E acrescento: "Em que o faz pensar, o dedo de sua mãe no buraco deste poço? – Bem… Eu não posso ir ao banheiro, mamãe não me permite ir ao banheiro do colégio porque é preciso que ela veja, que ela controle sempre meu cocô. – Por quê? Você tem desarranjos intestinais há muito tempo? – Não, mas ela quer, e ela me faz cenas se faço cocô no colégio. – Vá buscar sua mãe".

A mãe retorna, e fica confirmado que ela, tampouco, havia notado o jogo com seu dedo no poço. Eu lhe digo que o filho (sempre presente) me falou da necessidade que ela tinha de verificar seus excrementos. "Bem, senhora, não é o dever de uma mãe manter o bom funcionamento do corpo de seus filhos? Mesmo ao meu filho mais velho (um moço de vinte e um anos), eu massageio o ânus a cada vez que ele evacua. – Ah, sim, e por quê? – Foi o médico que me mandou fazer isto. Quando meu filho mais velho tinha dezoito meses, teve prolapso do reto, e o doutor me disse que eu lhe massageasse o ânus após cada evacuação, para fazer entrar este prolapso".

Foi em torno deste problema que se organizou, com a pré--puberdade, e depois na própria puberdade, a doença, pretensamente nervosa, deste garoto de catorze anos, cuja mãe não suportava que seu funcionamento vegetativo se tornasse autônomo.

O garoto traduzia, assim, seu ciúme com respeito ao irmão mais velho, que tinha direito às prerrogativas da massagem anal da mãe, enquanto que ele a mãe impunha apenas um controle visual dos excrementos: a ele, que não tivera a "sorte" de ter um prolapso do reto quando pequeno.

O poço era a projeção de uma imagem parcial do corpo anal; ele representava o reto do garoto, o qual associava a verdade da sexualidade do corpo da mulher ao gozo do excremento. Ele permanecera, em suma, em uma sexualidade anal fixada como tal pelo desejo perverso de uma mãe inocentemente incestuosa em relação aos filhos, sob a cobertura da medicina e do "dever" de uma mãe no tocante ao "bom funcionamento" do corpo-objeto de seus filhos.

Este fato permite também compreender o significado do sintoma motor de agressão por pontapés. A motricidade que, na medida em que adaptada à sociedade, é uma expressão do prazer anal sublimado, estava, neste garoto, alterada. Seus dois membros inferiores chegavam ali e agiam em seu sintoma como substituto do terceiro membro inferior: o membro peniano. É com o pé que ele batia nas pernas de sua mãe, por não poder penetrar a sua vagina com o pênis.

Vemos, enfim, como se dava o jogo de rivalidade com o irmão mais velho, um primogênito que só de maneira imperfeita podia constituir a figura do "Eu" Ideal, sendo mais um modelo regressivo cujo lugar, o mais novo, tal como um bebezinho, gostaria de tomar.

Exemplo 4 – Trata-se ainda de um exemplo de modelagem. É uma criança de oito anos que, durante a sessão, construiu uma poltrona. Pergunto-lhe: "Onde ela estaria? – No sótão. – Mas ela parece muito sólida, e a gente não coloca poltronas muito sólidas no sótão. – Sim, é verdade. – Bem, quem seria esta poltrona, se fosse alguém? – Seria o avô… Porque dizem que ele está velho e que não quer morrer. – E é incômodo que ele não morra? – Bem, sim, porque não há lugar em casa e então somos obrigados a ficar em um quarto com papai e mamãe porque vovô não quer que ninguém durma com ele no outro quarto".

Eis portanto um velho incômodo, que os pais da criança haviam aceito em casa na esperança de que morresse logo, um velho paralítico, que estava sempre sentado em uma poltrona, e que as pessoas da casa gostariam de bom grado, de pôr junto com os objetos quebrados no sótão. A poltrona representava o corpo estorvante do velho, com demasiada saúde ainda, que atrapalhava a vida de uma família mal alojada em um estreito espaço. Por certo, a criança não poderia jamais contar a história de outro modo, exceto este, por este fantasma, que ilustrava uma fixação anal ao assento, literalmente falando, que convertia, aliás, a criança em encoprética. Foi por causa desta encoprese que o garoto viera a consultar para uma psicoterapia.

Aqui ainda, cabe observar como uma criança, por meio de uma elaboração plástica, antropomorfisa aquilo que Freud ressaltou como sendo as instâncias psíquicas. O avô, no caso, encarnava um Super"Eu" anal (culpabilidade pelo fazer, pelo agir dinamizante, progressivo). O problema era como "dejetar" este homem guardando-o e respeitando-o. É esta a razão, provavelmente, pela qual a criança tinha retenções anais que eram evacuadas pelo não-controle esfincteriano, ao mesmo tempo em que fracassava nas sublimações das pulsões orais e anais, as manipulações mentais que a escolaridade representa para uma criança.

O interesse de tais exemplos é o de nos mostrar como, em qualquer composição livre se representa, se diz, a imagem do corpo: as associações que a criança fornece atualizam ali a articulação conflitual das três instâncias do aparelho psíquico.

Nas crianças (e nos psicóticos) que não podem falar diretamente sobre seus sonhos e seus fantasmas como o fazem os adultos nas associações livres, a imagem do corpo é para o sujeito uma mediação para dizê-los e, para o analista, o meio de reconhecê-los. E, portanto, um dito, um dito a ser decodificado, e cuja chave o psicanalista sozinho não possui. São as associações da criança que trazem a chave: daí porque, em última análise, a criança é ela mesma o analista. Pois é ela que chega a perceber-se, ela mesma, como o lugar de contradições inibidoras para o poder mental, afetivo, social e sexual de sua idade.

Sendo mais clara: *a imagem do corpo não é a imagem que é desenhada ali, ou representada na modelagem; ela está por ser revelada pelo diálogo analítico com a criança.* É por isso que, ao contrário do que se acredita em geral, o analista não poderia interpretar de imediato o material gráfico, plástico, que lhe é trazido pela criança; é esta que, associando sobre seu trabalho, acaba por fornecer os elementos de uma interpretação psicanalítica de seus sintomas. Ainda aí, não diretamente, mas associando sobre as palavras que diz (por exemplo, o pulôver listado do boxeador). Levando-se em conta que falar da imagem, da imagem do corpo, não quer dizer que esta seja somente da ordem do imaginário, já que também é da ordem do simbólico, sendo signo de um certo nível da estrutura libidinal como alvo de um conflito, que deve ter seu nó desfeito através da palavra da criança. É preciso ainda que ela seja recebida por quem a escuta através dos acontecimentos da história pessoal da criança.

O ESQUEMA CORPORAL NÃO É A IMAGEM DO CORPO

Os exemplos anteriores permitem insistir nestes dois termos: não se deve confundir imagem do corpo e esquema corporal.

Em todos os casos que acabam de ser relatados, trata-se de crianças saudáveis quanto a seu *esquema* corporal; é apenas o funcionamento deste que se achava onerado por *imagens* pató genas do corpo. O utensílio, o corpo, ou melhor, o mediador organizado entre o sujeito e o mundo, se posso dizer assim, estava potencialmente em bom estado, desprovido de lesões; mas sua utilização funcional adaptada ao consciente do sujeito encontrava-se impedida. Tais crianças eram o teatro, em seu corpo próprio, de uma inibição do esquema corporal nos dois primeiros casos (doença de tiques, total inibição ideativa e motora com mutismo e sorriso fixo), de um não-controle do esquema corporal nos dois seguintes (pontapés não-controláveis, encoprese). A utilização adequada de seu esquema corporal via-se anulada, entravada por uma libido associada a uma imagem do corpo inapropriada, arcaica ou incestuosa. Libido barrada pela falta das castrações que os adultos deveriam ter feito às pulsões arcaicas da criança e das sublimações que os adultos responsáveis por sua humanização (educação) deveriam ter lhe permitido adquirir.

Esta invalidação de um esquema corporal saudável por uma imagem do corpo perturbada reaparece, por exemplo, no caso da criança que desenhou dois tanques que não chegavam a combater-se "pra valer". Ao esquema corporal não-invalidado teriam correspondido, ao contrário, um traço não-trêmulo, canhões que visariam o adversário. Ou, nos desenhos seguintes, pugilistas que teriam cada um dois braços e que não se apresentariam de joelhos para boxear. Poderíamos quase dizer que, a despeito de um esquema corporal são, integrado[2], é a imagem do corpo que faltava um braço, é ela que estava de joelhos (testemunhando, neste sentido, a impotência do garoto para sustentar as potencialidades da posição "em pé" e as situações de rivalidade). É, no quarto caso, esta parte ou estas partes ausentes de sua imagem do corpo, impedidas de manifestar agressividade em relação ao avô estorvante, sentido assim por seus pais, que impediam a criança de identificar-se com um menino que fosse bem-sucedido, na medida em que este colega tinha uma mãe e um pai não em conflito um frente ao outro, como seus pais (em função da presença do avô), e contribuindo cada um para sustentar a existência humanizada do filho e seus esforços escolares.

O esquema corporal é uma realidade de fato, sendo de certa forma nosso viver carnal no contato com o mundo físico. Nossas experiências de nossa realidade dependem da integridade do organismo, ou de suas lesões transitórias ou indeléveis, neurológicas, musculares, ósseas e também, de nossas sensações fisiológicas viscerais, circulatórias – também chamadas de quinestésicas.

---

2. O garoto era corpulento e fisicamente forte.

ESQUEMA CORPORAL E IMAGEM DO CORPO

Sem dúvida, golpes orgânicos precoces podem provocar perturbações do esquema corporal, e estas, por falta ou interrupção das relações "linguageiras"*, podem conduzir a modificações passageiras ou duráveis, por toda a vida, da imagem do corpo. No entanto, é frequente que o esquema corporal enfermo e uma imagem sã do corpo coabitem em um mesmo sujeito. Consideremos as crianças acometidas de poliomielite, ou seja, de paralisia motora mas não sensitiva. Se a doença ocorre após a idade de três anos, depois que a criança começa a andar e adquire a continência esfincteriana e o saber referente à sua pertinência a um único sexo (castração primária), o esquema corporal, ainda que possa ter sido, em parte, duradouramente atingido, permanece compatível com uma imagem do corpo quase sempre intacta, como se pode observar nos desenhos destas crianças.

O esquema corporal é, em contrapartida, sempre atingido, pelo menos em parte, quando a poliomielite é muito precoce, na criança de berço, na idade do aleitamento, sobretudo antes da experiência da marcha. Mas mesmo se estas crianças não recuperam um esquema corporal são, íntegro do ponto de vista motor e neurológico, a enfermidade pode não afetar sua imagem do corpo: para tanto é necessário que, até a ocasião da moléstia ao longo desta e mais tarde, durante a convalescença e a reeducação, a relação com a mãe e o ambiente humano tenha permanecido flexível e satisfatória, sem muita angústia de parte dos pais; que ela seja adaptada a suas necessidades, que deveriam ser sempre comentadas como se pudessem satisfazer isto por si mesmas, muito embora o insulto muscular decorrente da doença e suas sequelas as tornam incapazes de fazê-lo. Quando uma criança é atingida por uma enfermidade, é indispensável que seu déficit físico lhe seja explicitado, referido a seu passado não-enfermo ou, desde que seja o caso, à diferença congenital entre ela e as

* O termo *langagier*, aqui traduzido por um galicismo "linguageiro", é um adjetivo que expressa em Dolto o sentido de "falar-se", "comunicar-se", nesse momento específico, "imagem falante do corpo". Optamos pela utilização de tal galicismo, como uma forma de marcar um código muito particular da autora (ainda mais que o termo *langagier* não é de utilização frequente), opção que se multiplica no decorrer de toda a obra fazendo com que muitas vezes o texto em português cause uma estranheza ou soe mal. Essa opção deriva da tentativa das tradutoras de se manter a versão para o português a mais fiel possível ao discurso tão particular de Dolto.

Gostaríamos, com esta nota, de frisar para os leitores o sentido mais geral de *langagier* e agora "linguageiro", estendendo para outras expressões que aparecem ao longo do texto (como, por exemplo, asterisco, p. 168, do cap. 2) esta nossa tentativa de manter uma forma de escrever que por vezes soa dura, concreta, o que poderia dar a impressão de uma tradução malcuidada. A ideia é trazermos para o português um texto tão próximo quanto possível do original de Dolto, mesmo que com isso percamos em sonoridade, fluência, em nossa língua. (N. da T.)

outras crianças. E mistério também que ela possa, pela linguagem mímica e pela palavra, expressar e fantasmar seus desejos quer sejam eles realizáveis ou não, segundo este esquema corporal enfermo.

Assim uma criança paraplégica[3] tem necessidade de brincar verbalmente com a mãe, falando sobre atividades como correr, saltar, coisas que sua mãe sabe, assim como ela mesma, que jamais poderá realizar. Ela projeta, desta maneira, uma imagem sã do corpo, simbolizada pela palavra e pelas representações gráficas, em fantasmas de satisfações eróticas, na troca de sujeito para sujeito. Que seus desejos sejam assim falados a alguém que aceita com ele este jogo projetivo, permite ao sujeito integrar na linguagem tais desejos, apesar da realidade, da enfermidade de seu corpo. E a linguagem lhe traz as descobertas de meios pessoais de comunicação. Uma criança com focomielia, nascida sem membros inferiores ou superiores, possui um esquema corporal enfermo. No entanto, sua imagem do corpo pode ser inteiramente sã e permitir uma linguagem de comunicações inter-humanas tão completas e tão satisfatória para ela quanto as de um indivíduo não-enfermo. É o caso de Denise Legrix, mulher-tronco, autora do livro *Née comme ça*[4], a qual, doente de nascença, foi amada por seu pai, sua mãe e seu meio social.

Uma criança que só tem um braço pode, com este braço, chegar à manipulação dos objetos que lhe são necessários. O que torna a criança mal socializada, até mesmo caracterial, com uma imagem do corpo malsã, não castrável no momento do desmame oral, mais tarde, da castração anal (agir autônomo) em relação à sua mãe, e que a deixa dependente em relação a esta, em fixação fílica ou fóbica, é que sua mãe jamais quis lhe falar de sua enfermidade, enquanto que a criança observa a diferença entre seu corpo e o de outras crianças.

A evolução sã deste sujeito, simbolizada por uma imagem do corpo não-enfermo, depende, portanto, da relação emocional de seus pais com a sua pessoa: trata-se de informações verídicas, em palavras, que lhe são dirigidas muito precocemente, relativas a seu estado físico de enfermo. Estas trocas humanizantes – ou, pelo contrário, sua ausência desumanizante – provêm do fato de terem ou não os pais aceito a enfermidade do corpo de seu filho. Estarão eles sentindo-se culpados em sua genitalidade? Estarão eles sentindo-se angustiados? Essa criança estará narcisada por

3. Paralisia neurológica dos membros inferiores.
4. Paris, Ed. Kent-Segep, 1972.

ser amada tal como é ou, ao contrário, desnarcisada em seu valor de interlocutora que, enquanto enferma, não é amada, cuja enfermidade não é nem reconhecida nem comentada? Na condição de enferma, estará sendo rejeitada por seus pais, ao invés de ser reconhecida inteiramente como filho ou filha na provação, considerada como um ser humano de pleno direito na sua enfermidade? Se é reconhecida como sujeito de seus desejos, símbolo da palavra conjuntamente outorgada pelos entes humanos tutelares, responsáveis por seu nascimento e que a amam nesta realidade sua, que não procuram fazê-la esquecer, seus pais (mais tarde, seus educadores) poderão dar às suas questões, por intermédio da linguagem e de modo para eles inconsciente, a estrutura de uma imagem sã do corpo. "Se você fosse um pássaro, você poderia voar". "Se tivesse pés, mãos, você poderia fazer como este garotinho... você é tão esperto quanto ele".

Vemos estas crianças, sem braços nem pernas, chegar a pintar com a boca tão bem quanto aquelas que têm mãos; e aquelas que só têm pés chegar a ser tão hábeis com seus pés quanto outros o são com mãos. Mas isto só pode acontecer se elas são amadas e apoiadas nos meios que lhes restam para se tornarem criadoras, meios que são representantes de suas pulsões nas trocas com o outro.

Um ser humano pode não ter estruturado a imagem do corpo ao longo do desenvolvimento de seu esquema corporal. Este fato pode, por vezes, dever-se, como acabamos de ver, a enfermidades, a doenças orgânicas neurovegetativas ou musculares precoces; isto também ocorre às vezes em virtude de doenças neonatais, sequelas de acidentes obstétricos ou de infecções que destruíram as zonas de percepção sutil na primeira infância (surdez, anosmia, lábios leporinos, cegueira etc.).

Mas, é possível aventar a hipótese de que a não-estruturação da imagem do corpo é, em grande parte, devida ao fato de a instância tutelar, desorientada por não receber as respostas habitualmente esperadas de uma criança desta idade, não procurar mais comunicar-se com ela de outro jeito exceto em um corpo a corpo, para a manutenção de suas necessidades, e abandonar sua humanização. É mais do que provável que um tal ser humano, já que seu corpo sobrevive, seria capaz, cedo ou tarde, de elaborar uma imagem "linguageira" do corpo segundo as modalidades que lhe seriam particulares, por intermédio de referenciais relacionais de caráter sensorial e de sua cumplicidade afetiva com alguém que o ama, que o introduz em uma relação triangular, e que lhe permite assim alcançar a relação simbólica.

14 A IMAGEM INCONSCIENTE DO CORPO

Em crianças precocemente atacadas pela poliomielite, por exemplo, que apresentam, portanto, um esquema corporal mais ou menos gravemente enfermo, é bem possível que venha a revelar-se uma imagem do corpo perfeitamente sã, desde que não tenham sido neurotizadas antes da poliomielite e que tenham sido apoiadas durante o período agudo da moléstia, pela mãe e pelo pai, em sua relação com outrem e consigo mesmas. Elas desenham então corpos que não oferecem nenhuma das disfunções ou faltas tais como as suas.

Imagem do Corpo e Esquema Corporal: Como Distingui-los.

Retornemos agora, de outro modo, à nossa distinção essencial.

O esquema corporal especifica o indivíduo enquanto representante da espécie, quaisquer que sejam o lugar, a época ou as condições nas quais ele vive. É ele, o esquema corporal, que será o intérprete ativo ou passivo da imagem do corpo, no sentido de que permite a objetivação de uma intersubjetividade, de uma relação libidical "linguageira" com os outros que, sem ele, sem o suporte que ele representa, permaneceria para sempre um fantasma não-comunicável.

Se o esquema corporal é, em princípio, o mesmo para todos os indivíduos (aproximadamente de mesma idade, sob um mesmo clima) da espécie humana, *a imagem do corpo, em contrapartida, é peculiar a cada um: está ligada ao sujeito e à sua história.* Ela é específica de uma libido em situação, de um tipo de relação libidinal. Daí resulta que o *esquema corporal é, em parte, inconsciente, mas também pré-consciente e consciente, enquanto que a imagem do corpo é eminentemente inconsciente,* ela pode se tornar em parte pré-consciente, e somente quando se associa à linguagem consciente, que utiliza de metáforas e metonímias referidas à imagem do corpo, tanto nas mímicas "linguageiras" quanto na linguagem verbal.

A imagem do corpo é a síntese viva de nossas experiências emocionais: inter-humanas, repetitivamente vividas através das sensações erógenas eletivas, arcaicas ou atuais. Ela pode ser considerada como *a encarnação simbólica inconsciente do sujeito desejante* e, isto, antes mesmo que o indivíduo em questão seja capaz de designar-se a si mesmo pelo pronome pessoal Eu e saiba dizer Eu. Quero dar a entender que o sujeito inconsciente desejante em relação ao corpo existe desde a concepção. A imagem do corpo é, a cada momento, memória inconsciente de todo o vivido relacional e, ao mesmo tempo, ela é atual, viva, em situação dinâmica, simultaneamente narcísica e interrelacional: camuflável ou atualizável na relação aqui e agora, por qualquer expressão "linguageira", desenho, modelagem, invenção musical, plástica, assim como mímica e gestos.

É graças à nossa imagem do corpo sustentada por – e que se cruza com – nosso esquema corporal que podemos entrar em comunicação com outrem. Todo o contato com o outro, quer o contato seja de comunicação ou para evitá-la, é subtendido pela imagem do corpo; pois é *na imagem do corpo, suporte do narcisismo,* que o tempo se cruza com o espaço, e que o passado inconsciente ressoa na relação presente. No tempo atual sempre se repete em filigrana algo de uma relação de um tempo passado. A libido é mobilizada na relação atual, mas pode encontrar-se ali, desperta, ressuscitada, uma imagem relacional arcaica, que permanecera reprimida e que retorna, então.

Aproveitemos a questão para assinalar que o esquema corporal, que é a abstração de uma vivência do corpo nas três dimensões da realidade, estrutura-se pela aprendizagem e pela experiência, ao passo que a imagem do corpo se estrutura pela comunicação entre sujeitos e o vestígio, no dia a dia, memorizado, do gozar frustrado, reprimido ou proibido (castração no sentido psicanalítico, do desejo na realidade). É nisso que cumpre referi-la, exclusivamente, ao imaginário, a um intersubjetivo imaginário marcado de pronto no ser humano pela dimensão simbólica.

Dizendo-o de outra forma: *o esquema corporal reporta o corpo atual no espaço à experiência imediata. Ele pode ser independente da linguagem* entendida como história relacional do sujeito com os outros. O esquema corporal é inconsciente, pré-consciente e consciente. O esquema corporal é evolutivo no tempo e no espaço. *A imagem do corpo reporta o sujeito do desejo a seu gozar, mediatizado pela linguagem memorizada da comunicação entre sujeitos.* Ela pode tornar-se independente do esquema corporal. Ela se articula com ele pelo narcisismo, originado na carnalização do sujeito na concepção. *A imagem do corpo é sempre inconsciente, sendo constituída pela articulação dinâmica de uma imagem de base, de uma imagem funcional e de uma imagem das zonas erógenas onde se expressa a tensão das pulsões.*

Em Psicanálise, o Papel do Divã

Dentro da técnica psicanalítica, é justamente por ser o esquema corporal neutralizado pela posição alongada do paciente, que o desdobramento da imagem do corpo vem a ser possibilitado. A imagem do corpo é acionada, ao mesmo tempo em que a visão do corpo – e sobretudo da expressão do rosto – do analista se faz impossível, o que provoca no analisando uma representação imaginária do outro e não uma apreensão de sua realidade visível. Há, portanto, neste sentido, uma ausência do gozar das pulsões escópicas, e uma frustração do gozar das pulsões auditivas (pois é o analisando que fala, e o analista, muito pouco). De certa forma, Freud utilizou-se, sem o saber, da imagem do corpo, e até mesmo, utilizou-se mais ainda do que o fazemos atualmente, já que frustrava seus pacientes de qualquer satisfação genital durante o tempo do tratamento.

Busca de desejo e defesa contra os desejos são processos "linguageiros" construtivos para a imagem do corpo com o fito de proteger a integridade do narcisismo ao mesmo tempo que a integridade do esquema corporal, ou seja, o próprio corpo enquanto conjunto carnal coeso que deve permanecer íntegro para sentir. Assim, em uma dor demasiado intensa, todo o organismo (todo o psiquismo?) pressente que o encontro com um obstáculo do corpo a sofrer neste ou naquele lugar, machucado ou dolorido, poderia provocar uma não-segurança e levaria à proteção de si mesmo através de uma distância mantida em relação aos outros. Este fato procede do esquema corporal conscientemente imaginado, não se tratando aqui da imagem do corpo.

Pode ocorrer também que processos afetivos de denegação do prazer-desprazer, ou ainda processos ideativos de denegação do objeto erótico pela linguagem do corpo ou pela linguagem verbal, visem proteger o sujeito de uma experiência repetida da qual ele só pode esperar o desagradável[5]. É interessante, para o psicanalista, captar a dinâmica do desejo inconsciente em seus diferentes níveis: existe, inicialmente, o nível do corpo-coisa, depois os níveis revelados pela imagem do corpo de cada fase em seu aspecto trinitário inconsciente: linguagem mímica, visceral ou gestual inconsciente.

No caso da modelagem do poço que citei[6], vimos como a imagem do corpo parcial anal podia estar atualizada em uma vivência relacional. Demos ainda como ilustração o caso de uma menina que, em sua primeira sessão, desenha, estando

---

5. Um exemplo banal deste fato seria a timidez, sua linguagem do corpo: "enrubescer", "suar". A eritrofobia seria a neurose decorrente, porém a timidez não é neurótica.

6. Cf. p. 6.

sozinha comigo, um belíssimo vaso de flores desabrochadas, indicando o nível da água onde estão imersas as hastes. Em seguida, tenho uma entrevista com a mãe na presença da garotinha. Ora, esta faz, durante conversa, um segundo desenho, o de um minúsculo vaso de flores, sem a representação do nível d'água, contendo um minúsculo buquê de flores murchas. Vemos aqui a diferença da imagem do corpo da menina, tal como é sentida inconscientemente, conforme se encontre ou não na presença da mãe. Em relação a esta, ela se sente mísera e fanada ao passo que, quando é a única interlocutora da analista que a escuta, ela se sente no direito de desabrochar e de existir em sua sedutora beleza narcísica.

O esquema corporal desta menina não é modificado pela presença da mãe; esta presença conduz, em contrapartida, a uma modificação na imagem do corpo e, consequentemente, em sua representação projetiva. Esta modificação permite compreender as relações atualmente perturbadas entre mãe e filha. Os sintomas, motivos da consulta, são assim ilustrados. A criança expressa, graças a seus dois desenhos, o que é sentido por um narcisismo ferido em sua relação com a mãe, e que só pode ser desatado, decodificado, graças ao trabalho psicanalítico. Esta decodificação deve ser feita, não somente com respeito ao desejo da menina em sua relação com o desejo da mãe e vice-versa, mas também no tocante ao desejo de cada uma em sua relação triangular edipiana – atual para a criança, passada para a mãe – ou seja, com respeito ao objeto de seu desejo genital: para a menina, seu pai, dito de outra forma, o cônjuge de sua mãe.

A situação que a analista faz emergir por sua simples presença, situação triangular da mãe falando com a analista, coloca a criança em uma situação inferior de flor[7] envelhecida e que não é mais vitalizada, enquanto que a situação dual da criança com a analista fora narcisada. (A analista, ainda que mulher neste caso, parece estar no lugar do pai). Este desenho expressa o sentimento doloroso da castração genital experimentado pela menina que imagina estar, por causa de sua mãe, em lugar não desejável para seu pai.

É graças à observação e à escuta das crianças, por um lado em suas relações reais, familiares e amigáveis e, por outro, na relação transferencial em sessão analítica, que pude compreender

---

7. Flor: projeção da zona erógena da imagem do corpo oral-anal passiva, lugar portador dos frutos das plantas, criaturas vivas individuadas, porém não-animadas e móveis.

o papel maior da imagem do corpo do paciente, da sua própria imagem, e da sua projeção sobre o outro em qualquer fantasma existencial de presença para si mesmo e para o mundo.

Técnica da Análise Adaptada às Crianças

Propor à criança que se encontra em sessão analítica que desenhe ou modele não significa brincar com ela. A regra, para o psicanalista, é de não partilhar ativamente do jogo da criança, ou seja, não misturar ativamente seus fantasmas aos da criança em tratamento; o que subentende que o analista não erotiza sua relação com o paciente, assim como não visa qualquer reparação. Trata-se de um trabalho, de um colocar em palavras fantasmas da criança, tais como vemos, frequentemente, nas primeiras entrevistas, exprimindo-se apenas através de olhares e não por uma brincadeira. Não mais que os adultos, as crianças não vêm distrair-se, divertir-se, no psicanalista. Elas vêm expressar-se verdadeiramente. Muitas crianças que tiveram a oportunidade de vivenciar um tratamento psicanalítico não puderam obter nenhum fruto deste, devido ao fato exclusivo que as sessões de psicoterapia lhes haviam sido significadas nos seguintes termos: que elas iriam brincar com um senhor ou uma senhora que gosta de crianças. O resultado é uma relação erotizada submissa, a continuação de um estado de "ser o brinquedo de outro".

O papel do psicanalista é, justamente, não o de substituir um desejo supostamente são ao desejo supostamente patológico dos pais, nem o de "raptar" a criança dos genitores ou educadores que, teoricamente, foram, ou são, ou seriam, maus para ela; mas, ao contrário, permitir à criança, através de gestos, sinais linguageiros, aos quais acrescentamos palavras dirigidas à sua pessoa (em presença dos pais ou não), saber que o analista tem a confiança dos pais, os quais permanecem, tais como o são, responsáveis por sua tutela, para que ela advenha à sua própria compreensão daquilo que a faz sofrer. Ela pode, então, reencontrar-se como sujeito desejante no triângulo inicial da cena primitiva e se, de fato, ela sofre, aceitar, ao menos a título de tentativa, o contrato que lhe é proposto: não o de brincar por seu prazer, mas o de exprimir-se junto ao analista através de seu brincar, na medida em que não pode ainda dizer com palavras seus pensamentos, seus sentimentos, seus fantasmas. Seus desenhos e modelagens são destinados a serem falados, são na transferência, como o são para a técnica psicanalítica dos adultos os sonhos, fantasmas e associações livres.

Acrescentarei que tenho por princípio, em face das crianças que ainda não abordaram o Édipo, mesmo que não sejam autistas graves ou fóbicos graves, qualquer que seja sua idade, vê-las inicialmente diante dos pais, mais tarde ver frequentemente os pais sozinhos e, a cada vez que a criança o desejar, deixá-los assistir às sessões e até mesmo participar delas.

Sempre me recusei a brincar com a criança durante a sessão analítica. Da mesma forma que no caso de um paciente adulto nós não entramos em conversação, do mesmo modo com a criança não devemos misturar nossos fantasmas com os seus, mas estar na escuta, através de seu comportamento, daquilo que ela tem a dizer, do que ela sente e do que pensa, e que *a priori* é totalmente aceito por nós.

A partir de seu desenho, a criança, por meio de associações de ideias, chega a falar de seu pai, de sua mãe, de sua frátria, de seu meio, de mim mesma em relação a ela e das interpretações às quais eu a submeto. Isto porque tais "interpretações" são, como no caso dos adultos, questões referentes à revivência de tal ou qual fantasma e sobretudo aproximações entre suas associações referentes a este ou aquele período perturbado de sua vida.

Entretanto, desenhos e modelagem não lhes são propostos com o objetivo de fazê-la falar sobre o pai, a mãe... Eles, assim como os sonhos e os fantasmas dos adultos, são testemunhas do inconsciente. Qualquer desenho, qualquer representação do mundo, já é uma expressão, uma comunicação muda, um dizer para si mesmo ou um dizer para outrem. Em sessão, é em um convite para a comunicação com o analista, convindo acrescentar a isso que, quando a criança fala na sessão (aliás, exatamente como o adulto), se ela fala do pai, da mãe, dos irmãos, ela não fala destas pessoas em sua realidade, mas deste pai nela, desta mãe nela, de seus irmãos nela; ou seja, já de uma dialética de sua relação com estas pessoas reais que, em seus dizeres, já são fantasiados.

Acreditando que a criança fala destas pessoas em sua realidade, ela fala de fato destas pessoas tais como as representa para si mesma, com respeito à sua própria subjetividade, sendo estas experiências o resultado de superposições ao longo de sua história em sua relação com os adultos. Daí decorre a possibilidade de projeção desta vivência relacional na representação plástica que já descrevemos sob o ângulo de antropomorfização. A minha pergunta: "Quem seria o sol?", pergunta que coloca no condicio-

20 A IMAGEM INCONSCIENTE DO CORPO

nal a possibilidade de fazer associações acerca do sol, a criança pode responder: "O sol seria papai, a grama seria Fulano...". Eu poderia ainda lhe perguntar: "Se você estivesse em seu desenho, onde é que estaria?", não esquecendo que a criança pequena só pode entrar em relação através da projeção. É, de fato, tão-somente com a castração edipiana e a entrada na ordem simbólica da Lei, a mesma para todos, que a relação direta e real se tornará possível. Até então um senhor é referido ao pai, presente ou ausente, uma senhora à mãe presente ou ausente. É, portanto, através da observação de suas interpretações projetivas – "a avó seria a xícara", "o avô seria a poltrona" – que podemos ver até que ponto uma criança empresta uma parte ou a totalidade de sua imagem do corpo a objetos, a animais, pessoas, etc.; e, é no momento em que se faz esta projeção, que ela comunica sua vida inconsciente.

Uma criança de dezessete ou dezoito meses está à janela, observa o céu. Pela primeira vez, é atraída pela visão de uma estrela no céu ainda claro. Sua mãe vem fechar as persianas. "Espere, espere, olhe!", diz ela. A mãe lhe explica: "É uma estrela, é a estrela d'Alva, a primeira estrela que vemos no céu". E ela acrescenta: "Está fazendo frio, é preciso fechar a janela". Deixando, então, o lugar com pesar, a criança diz: "Adeus, princesa!", com um gesto de adeus à estrela. Não dizemos adeus às princesas dos contos de fadas, mas dizemos adeus a uma estrela que brilha como o olhar da mãe, associada à princesa do coração da criança, à princesa que a mãe é para ela...

Colhido ao vivo, este exemplo permite ter uma ideia daquilo que pode representar o céu no desenho da criança. Basta observar que a criancinha que olha o adulto de baixo para cima, vê a cabeça de seus pais delinear-se no céu, quando estão ao ar livre, e associa, portanto, o rosto deles à pessoa representada como ocupante do céu, ou seja, a seu Deus ou a seu Rei na realidade espacial de seu desenho: a seu Deus "na realidade imaginária" (a onipotência fantasiada parental), o da onipotência cósmica e divina, e à onipotência reinante sobre seu comportamento, que é simbolizada pelas palavras "Rei" ou "Rainha", meio de encontrar no céu infantil a instância do Super"Eu" ou o "Eu" ideal[8].

---

8. O "Eu" Ideal é uma instância que toma um ser da realidade (um você) como referencial idealizado (modelo), para o pré-sujeito que é "Eu" tendo por referência Você. Modelo mestre, com direito de dizer "eu". Após o Édipo, o sujeito é ele próprio o sujeito "eu", assumindo o "Eu", seu comportamento marcado pela lei genital tanto quanto o são os adultos; e o Ideal do "Eu" não tem mais referência em alguém, mas

ESQUEMA CORPORAL E IMAGEM DO CORPO

A imagem do corpo – antes do Édipo – pode projetar-se em toda representação, qualquer que seja, e não apenas nas representações humanas. E deste modo que um desenho ou uma modelagem de coisa, vegetal, animal, ou humano é, simultaneamente, imagem daquele que desenha ou modela, e imagem daqueles que ele desenha ou modela, tais como ele os desejaria, em conformidade com aquilo que ele se permite esperar deles.

Todas estas representações são simbolicamente ligadas às emoções que marcaram sua pessoa ao longo da sua história, e dão conta das zonas erógenas que sucessivamente prevaleceram nela. Sabe-se que a prevalência, a eletividade das zonas erógenas se modifica, se desloca à proporção do crescimento do sujeito e do desenvolvimento de seu esquema corporal tal como o permite o sistema neurológico da criança (inacabado por ocasião do nascimento, rematando-se por volta dos vinte e sete ou trinta meses). Esta evolução da erogeneidade não é apenas o desenrolar de um programa fisiológico, ela é estruturada pelo teor da relação inter-psíquica com o outro, sobretudo a mãe, e é deste fato que a imagem do corpo é testemunha.

Relação intrapsíquica significa que a necessidade não é a única questão, ou que não se trata somente de uma relação corpo a corpo. Por exemplo, quando a criança pede um bombom à sua mãe, o prazer que ela antecipa é articulado ao prazer desaparecido do contato de sua boca com o bico do seio ou à mama, mas é destacado do nutritivo da lactação tanto quanto do olfato do odor materno. Receber o bombom é uma prova de que a pessoa que lhe dá o doce a ama, que ela pode sentir-se amada e reconhecida em seu desejo. E uma doação de amor[9]. Em suma, se recusamos acolher o pedido do bombom, reconhecendo o fato de que a criança pede com isso a alguém uma relação com ela, e se este alguém se interessa então pela pessoa da criança, fala e se comunica com ela, isto faz prova para a criança de que é amada, embora lhe seja recusada uma gratificação do corpo. Este amor que lhe é dado, ainda que não tenha sido uma resposta a seu prazer de boca, proporciona-lhe um prazer de valor humano largamente compensador.

Será apenas, como já dissemos, com a entrada na ordem simbólica, da castração edipiana, que a relação verdadeira na

em uma ética que serve ao "Eu", de sustentação imaginária para a ascensão à idade adulta.

9. Infelizmente, isto nem sempre prova, na prática, que ela é amada por sua pessoa; pois o bombom é, por vezes, o meio de se livrar de seu pedido de relação; procura-se fazê-la calar-se dando-lhe o bombom.

22 A IMAGEM INCONSCIENTE DO CORPO

palavra poderá expressar claramente aquele que fala, enquanto sujeito responsável pelo agir de seu "Eu", que seu corpo se manifesta. Até então, o desejo próprio da criança, quer seja olfativo, oral, anal, uretral (no menino) ou genital (no menino ou na menina) não pode exprimir-se diretamente de forma linguageira autônoma, referida (e dependente) como está principalmente às instâncias tutelares: as quais, focalizando o desejo, definem o mundo relacional da criança. Ela só pode expressar seu desejo através de desejos parciais, através das projeções representadas que ela lhes dá. Daí a importância teórica e prática – na psicanálise – desta noção de imagem do corpo para as crianças de idade pré-edipiana. O desejo da criança exprime-se diante de qualquer homem ou mulher – inclusive o analista – com a prudência defensiva necessária para que seja preservada a estruturação em curso. Ela não mobiliza na relação com uma pessoa extrafamiliar as de suas pulsões eróticas que devem permanecer engajadas na situação emocional asseguradora do espaço familiar, situação inconscientemente erótica em face dos dois genitores. Ocorre que, em sua realidade, estas pessoas parentais são os fiadores de sua coesão narcísica, situados, no tempo, em sua cena primitiva, e no espaço, em sua relação atual de dependência com respeito a eles, para sobreviver. Seu desejo estruturante incestuoso (inconsciente, é claro), homossexual e/ou heterossexual, é e deve, portanto, permanecer engajado no tocante ao pai e à mãe. Por conseguinte, as emoções devidas à situação erótica atual da criança, em curso evolutivo para o posicionamento (colocação) completo do Édipo[10] em cima dos pais, não podem ser transferidas, sem perigo para a coesão narcísica da criança, em cima do psicanalista, assim como de qualquer outra pessoa feminina ou masculina. O perigo vem do risco de que a criança só possa transferir projetivamente as emoções não-castradas, não-simbolizadas, ligadas a pulsões arcaicas: e o risco é maior se, como é frequente, os pais regridem, eles mesmos, em função do tratamento do filho, a posições libidinais não menos arcaicas, por exemplo, numa atitude de confiança incondicional ou de desconfiança irracional para com o analista de seu filho. A criança está então envolvida em uma situação sem saída na qual deve fazer face a comportamentos inconscientes arcaicos, erotizados e erotizantes, de seus pais. Estes, embora continuem sempre responsáveis pela educação do filho, não podem mais ser represen-

---

10. Cf. *Au jeu du désir*, Paris, Ed. du Seuil, 1981, "Le complexe d'OEdipe, ses étapes structurantes et leurs accidents".

tantes do "Eu" Ideal no masculino e no feminino, a partir do momento em que comportamentos dependentes de uma libido arcaica se põem a dominar seu comportamento de adultos animados por desejo genital um em relação ao outro.

Quando uma criança está em tratamento, mais ainda do que para qualquer criança em curso de evolução, na família, no sentido do Édipo e da castração do desejo incestuoso genital, é importante que os pais assumam o seu lugar de responsáveis pela criança e por sua castração, afirmando seu desejo autônomo de adultos, com sua confiança em si mesmos tais como se sentem, adultos dentre os adultos de sua idade, enfim, este narcisismo que lhes é necessário manter.

A regressão possível dos adultos tutelares, pais, bem como qualquer adulto, em face dos desejos arcaicos da criança, explica porque *é impensável formar psicanalistas que sejam apenas psicanalistas de crianças. Um analista de crianças deve ser, obrigatoriamente, de início e também, ainda, psicanalista de adultos.*

Daí a necessidade para nós, analistas, de assumir em certos casos, a escuta do discurso (ou do silêncio) de determinada criança e o trabalho da sessão na presença de um dos pais, por tanto tempo quanto ela tiver o desejo de uma presença protetora em relação à pessoa adulta que somos. Uma vez que ela aceita vir ao analista e permanecer na sessão, é porque ela quer ser ajudada, mas não em detrimento de sua relação com os pais, durante, o tempo em que não está em total segurança frente a nós; ou seja, enquanto não está segura de que respeitamos nela a criança de seus pais e, através dela, os pais que são os seus, tais como são, sem visar absolutamente a separá-los dela quando está fixada neles, nem a modificá-los em seus comportamentos para com ela.

A necessidade de ser psicanalista de adultos se impõe no tocante à decisão de aceitar ou não para tratamento uma criança trazida por causa de sintomas que preocupam seu médico, seus pais ou seus educadores, enquanto que ela mesma não sofre ainda nada pessoalmente, sem dúvida, graças, justamente, a tais sintomas. As sessões preliminares com os pais, juntos ou em separado, sem a presença do filho, podem por si mesmas melhorar consideravelmente o estado da criança, o que leva a compreender que são os pais, em sua relação, ou um ou outro dos pais, angustiado por uma neurose pessoal, que provocavam, por não falarem destas angústias, a síndrome reativa da criança. O sujeito a ser tratado, oito vezes em dez, não é a criança, mas sim uma das pessoas de seu meio, o irmão mais velho ou um dos pais, em relação ao qual a criança é, sem o seu próprio conhecimento e o da própria família, o "reagente" que alertou a família.

No caso em que uma criança é pessoalmente atingida por perturbações irreversíveis e pelas quais sofre, o importante é que os pais continuem sendo seus educadores, no dia-a-dia, animados por um projeto pedagógico e por um desejo de direcionamento com respeito a ela. O papel do psicanalista é completamente diferente: ele não se ocupa diretamente da realidade, mas apenas daquilo que ele capta da criança, atualmente, referida a toda sua história passada libidinal.

O interesse em decodificar a imagem do corpo através das ilustrações gráficas e plásticas que a criança fornece desta, é o de compreender como ela pode entrar em comunicação linguageira, exprimir-se verdadeiramente, com um adulto, sem, no entanto, falar com ele. Um adulto reage, amiúde, diante de uma criança que não lhe dirige a palavra: "Você perdeu a língua?", sem compreender que– especificamente esta criança não pode conversar com ele ou ela. Mesmo sem desconfiança (se os pais não a experimentam), a criança, no caso, não se sente ainda em segurança com um adulto a cujo respeito ela não sabe como ele conhece ou desconhece, respeita ou não, o livre jogo tanto das relações entre seus pais quanto das suas próprias relações entre si.

Uma pessoa que exige que ela fale, embora a criança não a conheça e esteja ainda engajada na primazia de sua relação com os pais, esta pessoa é sentida como violadora, raptora, em relação ao desejo da criança e às palavras que ela não tem para lhe dizer. O adulto ratificaria estas impressões ainda mais se, por sedução, quisesse "brincar" com a criança ou se, sem que ela esteja consciente do "papel" do adulto para quem seus pais a levam, tal pessoa se comportasse como se tivesse direitos sobre a pessoa da criança: tudo isto ocorre sob o pretexto de que seus pais desejam que a criança entre em relação com este adulto, que lhe é ainda desconhecido e a respeito do qual ela não entendeu nem como nem a que ele está a serviço de sua própria pessoa.

IMAGEM DO CORPO: PULSÕES DE VIDA E DE MORTE

A imagem do corpo é, a cada instante, para o ser humano, a representação imanente inconsciente em que se origina seu desejo. Assim como Freud, penso que as pulsões que visam a realização de desejo são de vida e de morte. As pulsões de vida, sempre ligadas a uma representação, podem ser ativas ou passivas, enquanto que as pulsões de morte, repouso do sujeito, não têm nunca representação, nem ativas, nem passivas. Elas são vividas em uma falta de ideação. As pulsões de morte prevalecem durante o sono profundo, as ausências, o coma. Não é o desejo de morrer, mas o de repousar.

As pulsões de morte se caracterizam por serem despidas de representação residual de relações eróticas com o outro. Elas são a evidência de um corpo não-alertável pelo desejo. As pulsões de morte incitam regularmente o sujeito a retirar-se de qualquer imagem erógena, como no sono profundo, como no desmaio que se segue a uma emoção muito forte, como também na enurese ou encoprese secundária, que aparece em uma criança já continente, cujo esquema corporal haja adquirido a continência natural de qualquer mamífero, e que, confrontado com um estado emocional inassimilável para sua imagem do corpo e a ética a isto relacionada, um estado em que seu narcisismo não pode representar-se e chega à introdução no sono ou de uma imagem de funcionamento, ou de uma imagem de zona erógena, no caso a zona erógena uretral ou anal.

Ela dorme então, não mais como a criança de três anos que é, mas como a criança que fora antes da continência diurna e noturna, de um esquema corporal de três anos. Ela pode, portanto, perder, por pulsão de morte, ao longo da vida de vigília ou do sono, esta continência que é, no entanto, como já afirmei, espontaneamente adquirida por qualquer mamífero; pode perdê-la em consequência de um desejo que ela se proíbe, que a faz retornar, durante o sono, a uma imagem do corpo arcaica. Durante o sono, porque é aí que seu esquema corporal continente pode estar neutralizado pela revivescência de um período relacional libidinal de sujeito para sujeito em que a pequena criatura homem fora por muito tempo imatura neurologicamente e, por isso, incontinente. O sono, na verdade, é marcado pela prevalência das pulsões de morte e pelo adormecimento – literalmente – das pulsões de vida (salvo no sonho[11]).

A imagem do corpo é sempre imagem potencial de comunicação em um fantasma. Não há nenhuma solidão humana que não seja acompanhada da memorização de um contato passado com um outro antropomorfizado, se não real. Uma criança solitária está sempre presente para ela mesma através do fantasma

---

11. No sonho, o sujeito não se comunica com o objeto em sua realidade, mas sim com o objeto fantasiado ou com o objeto introjetado. O sonho é o guardião do sono.

de uma relação passada, real e narcisante, entre ela e um outro, outro com o qual houve na realidade uma relação que ela introjetou. Ela fantasia esta relação, tal como o bebê que sozinho em seu berço, presentifica sua mãe através de suas lalações, acreditando repetir os fonemas que ouviu dela e assim, engodado, não se sente mais sozinho, mas ele mesmo, para ela e com ela.

A visão do mundo da criancinha é conforme à sua imagem atual do corpo e depende desta. Será, portanto, por intermédio desta imagem do corpo que poderemos entrar em contato com ela.

Desde o nascimento, são palavras e fonemas que acompanharam os contatos captados pelo corpo da criança. As palavras, com as quais pensamos, estiveram na origem das palavras e dos grupos de palavras que acompanharam as imagens do corpo em contato com o corpo do outro. Estas palavras serão entendidas e compreendidas pela criança diferentemente seguindo o estágio ao qual ela chegou. É, pois, necessário que nós, psicanalistas, compreendamos que as palavras empregadas com as crianças sejam palavras que correspondam a uma experiência sensorial já simbolizada ou em via de sê-lo. É evidente que a palavra "amar" não expressa a mesma coisa em uma criança de seis meses, na fase oral, e em um adulto na fase genital. A criança, cuja imagem do corpo é a do estágio oral, só compreende as palavras de prazer de boca e de corpo a ser carregado, aquelas que têm relação com o funcionamento e a erótica oral, para um corpo cujo esquema corporal não é ainda autônomo.

Uma menininha de cinco ou seis anos chega para uma consulta, uma vez que, já há dois anos, não pega nada com as mãos: as pulsões parciais de morte haviam absenteizado a imagem do corpo funcional de seus membros superiores. Quando um objeto lhe é apresentado, ela retrai os dedos sob a mão e a mão sob o antebraço, o antebraço sob o tórax, de maneira que suas mãos não toquem o objeto que se aproxima. Esta criança procede do mesmo modo com a comida dos pratos, quando vê um alimento que lhe agrada. Eu lhe estendo a massa de modelar, dizendo-lhe: *"Você pode pegá-la com sua boca de mão"*. Imediatamente, a massa de modelar é apanhada pela mão da criança e levada à boca. Ela pode compreender "sua boca de mão", porque se trata de palavras concordes com sua erótica oral. Ela não reage se lhe estendo a massa de modelar. Não teria reagido se eu lhe tivesse dito: "Pegue a massa de modelar em sua mão", ou "Faça alguma coisa com a massa", pois são palavras que implicam uma imagem do corpo da fase anal que ela perdeu. Estas palavras, não sendo mais para ela portadoras de uma referência da imagem do corpo ao esquema corporal, teriam permanecido vazias de sentido. De certa forma, eu lhe proporcionei a mediação fantasmiada da boca, zona erógena guardada para engolir e sobreviver, o que lhe permitiu o uso do braço. Na medida em que só tinha mãos na boca, eu lhe pus através da palavra uma boca na mão, dando-lhe novamente um braço que ligava sua mão de braço-boca à sua boca-mãos de rosto, este também perdido. Seu esquema corporal e sua imagem do corpo haviam regredido quanto a "pegar" (mas não a "andar") em uma época em que não estavam ainda cruzados ao nível do agir, do fazer, que pertencem à erótica anal. Sua ética baseava-se no comível/não-comível, continente/conteúdo, agradável/desagradável, bom/mau. A noção de forma palpável apresentava-se pelo aspecto táctil, labial, auditivo, visual, olfativo, percepção da fase oral; a percepção de volume vem apenas com a fase anal.

A imagem do corpo é aquilo onde se inscrevem as experiências relacionals da necessidade do desejo, valorizantes e/ou desvalorizantes, ou seja, narcisantes e/ou desnarcisantes. Estas sensações valorizantes ou desvalorizantes manifestam-se como uma simbolização das variações de percepção do esquema corporal e, mais particularmente, daquelas que induzem os encontros inter-humanos, dentre os quais o contato e os dizeres da mãe são predominantes.

A Imagem do Corpo e o "Isso"

Assinalemos: *a imagem do corpo está do lado do desejo, não deve ser vinculada unicamente à necessidade*. A imagem do corpo que pode preexistir a qualquer expressão do sujeito, mas que coexiste com ela, testemunha a falta de ser que o desejo pretende preencher, ali onde a necessidade visa saturar uma falta de ter (ou fazer) esquema corporal. *O estudo da imagem do corpo enquanto substrato simbólico poderia contribuir para o esclarecimento do termo "Isso".* Deve-se acrescentar que se trata de um "Isso" sempre em relação, e primeiramente, em relação com um objeto parcial necessário à sobrevivência do corpo, em relação associativa com uma precedente relação com um objeto total, relação esta que foi transferida deste objeto para um outro, parcial ou total[12]. A ima-

---

12. Denomino "objeto total" um ser vivo em sua inteireza, árvore, animal, ser humano. Denomino "objeto parcial" uma parte representativa deste objeto total, pela qual o sujeito pode entrar em relação mediada com este objeto total.

28 A IMAGEM INCONSCIENTE DO CORPO

gem do corpo é um "Isso" já relacional, um "Isso" não-fetal, mas já tomado em um corpo situado no espaço, autonomizado enquanto massa espacial, um "Isso" do qual uma parte constitui um pré-"Eu": o de uma criança capaz de sobreviver temporariamente separada do corpo do outro. As pulsões, que emanam do substrato biológico estruturado sob forma de esquema corporal, só podem efetivamente passar para a expressão no fantasma, assim como na relação transferencial, através da imagem do corpo. *Se o lugar, fonte das pulsões, é o esquema corporal, o lugar de sua representação é a imagem do corpo.* Entretanto, a elaboração desta imagem do corpo só pode ser estudada na criança, ao longo da estruturação de seu esquema corporal, em relação com o adulto educador: pois aquilo que chamamos de *imagem do corpo é em seguida recalcado, particularmente pela descoberta da imagem escópica do corpo e, mais tarde, pela castração edipiana.* Na criança, ao longo dos três (ou quatro) primeiros anos, ela se constitui em referência às experiências olfativas, visuais, auditivas, tácteis, que têm valor de comunicação à distância, sem corpo a corpo, com os outros: a mãe, inicialmente, mas também as outras presenças de seu meio. A partir do momento em que não há ninguém ali, quando existe uma nova experiência sensorial na ausência de testemunho humano, trata-se, teoricamente, apenas do esquema corporal. Mas, praticamente, esta experiência sensorial é, para o próprio sujeito, recoberta pela lembrança de uma relação simbólica já conhecida.

Fantasma, Desejo. Realidade, Necessidade

Por exemplo, uma criança que esbarra em uma mesa, acredita que esta é má, e espera que a mesa a console do mal causado pelo esbarrão. Ela projeta sobre o móvel uma imagem do corpo. E apenas através da palavra da mãe que ela passará a discriminar as coisas das pessoas. As pessoas são para ela, até então, massas nas quais ela pode esbarrar, mas que podem consolá-la; um móvel é uma massa na qual ela esbarra, mas que não a consola, que não reage, ainda que a criança berre e bata nela. Em contrapartida, quando existe uma testemunha humana, real ou memorizada, o esquema corporal, lugar da necessidade, que constitui o corpo em sua vitalidade orgânica, se cruza com a imagem do corpo, lugar do desejo. É esta trama de relações que permitirá à criança estruturar-se como ser humano. Mais tarde, as relações humanas assim introjetadas, permitirão a relação narcísica consigo mesma (narcisismo secundário).

Para retomar o exemplo anterior, quando, mais tarde, a criança esbarra em um móvel, é com sua própria mão que ela se toca e se acaricia, e é ela que cuida do corpo dolorido; ela não supõe mais que as coisas tenham comportamentos intencionais. Introjeta a experiência da diferença entre uma coisa e um corpo vivo, neste caso, o seu; a coisa, o corpo de sua mãe e o objeto mesa. Transferiu para a sua mão a capacidade de ação salvadora e reconfortante que apenas a mãe podia realizar para ela, quando era pequena e se machucava ao se esbarrar nas coisas. Esta introjeção lhe permite se automaternar.

É na medida em que a imagem do corpo se estrutura assim na relação intersubjetiva, que qualquer interrupção desta relação, desta comunicação, pode ter efeitos dramáticos. O lactante que espera a mamãe que partiu há duas semanas, a espera tal como ela o deixou. Quando ela retorna, após quinze dias, ele a vê como outra, e ele também se tornou outro, dentro de sua realidade. É aqui que um autismo pode instalar-se, porque ele não encontra com o outro a sensação do ele de há quinze dias, ele não encontra em sua mãe nem a mesma mãe de antes, nem o mesmo ele. E esta a mudança que pode, ainda, ser traumática aos olhos da mãe que retorna da maternidade com um bebê; ela não tem mais o bebê em seu ventre, como ao partir; ora, é isto que o primogênito espera, sem o saber: ele não espera vê-la com um lactante. Sabendo através das palavras ditas que nasceu um irmãozinho ou uma irmãzinha, ele espera que ela retorne com uma criança de sua idade.

O fantasma que ele tem daquilo que espera não corresponde ao que se passa na realidade. O efeito, por vezes patogênico, desta discordância entre o imaginário e a realidade, é onde opera a psicanálise. Qualquer criança deve, constantemente, ajustar o fantasma, que deriva de suas relações passadas, à experiência imprevisível da realidade atual, a qual difere, completamente, ou em parte, do fantasma. Este ajuste permanente acompanha o crescimento contínuo do esquema corporal da criança diante da realidade dos adultos em sua forma que lhe parece perfeita, imutável (toda mudança aí é insólita) e desejável. Trata-se, na imagem do corpo, como já afirmamos, de desejo e não somente de necessidade.

A repetição permanente das modalidades da necessidade, seguida do esquecimento quase total das tensões que a acompanham, ressalta o fato de que o ser humano vive muito mais nar-

30 A IMAGEM INCONSCIENTE DO CORPO

cisicamente as emoções de desejo, associadas à sua imagem do corpo, do que as sensações de prazer e de sofrimento, ligadas às excitações de seu esquema corporal (salvo, é verdade, nos casos limites onde sua vida está em perigo, ou quando, na criança, a região em causa na tensão é narcisicamente superinvestida por fantasmas partilhados com o adulto tutelar, sobretudo se permanecem não expressos tanto por uma parte como pela outra).

Existe apenas o desejo que procura se satisfazer, sem jamais se saciar, nas expressões, teoricamente sem limites, que permitem a palavra, as imagens e os fantasmas. A necessidade, por sua vez, só pode ser "adiada" pela palavra, por algum tempo; ela deve ser satisfeita no corpo. Com prazer ou não, ela precisa ser obrigatoriamente e efetivamente saciada para que a vida do corpo possa continuar. É pelos dois processos, quais sejam, tensões de dor ou de prazer no corpo, por um lado, palavras vindas de um outro para humanizar estas percepções, por outro, que o esquema corporal e a imagem do corpo se acham em relação.

Edificada na relação linguageira com o outro, a imagem do corpo constitui o meio, o ponto de comunicação inter-humano. É o que explica, inversamente, que o viver em um esquema corporal sem imagem do corpo seja um viver mudo, solitário, silencioso, narcisicamente insensível, nos limites da miséria humana: o sujeito autista ou psicótico permanece cativo de uma imagem incomunicável, imagem animal, vegetal, ou imagem de coisa, onde só pode manifestar-se um ser-animal, um ser-vegetal ou um ser-coisa, que respira e pulsa, sem prazer nem dor. Podemos observar este fato em crianças que, mudas e voltadas para si mesmas, parecendo ignorar suas sensações e seus pensamentos, só podem expressar-se emprestando a voz a uma boneca, um gato, uma marionete[13].

É por meio da palavra que desejos findos puderam organizar-se em imagem do corpo, que lembranças passadas puderam afetar zonas do esquema corporal, tornadas, consequentemente, zonas erógenas, ainda que o objeto do desejo não esteja mais ali. Faço questão de insistir no fato de que, *se não houve palavras, a imagem do corpo não estrutura o simbolismo do sujeito, mas faz deste um débil ideativo relacional.*

Neste caso, existe, de qualquer forma, "algo" de imagem do corpo, porém tão arcaica, imagem sensorial fugaz, imprecisa e sem palavras para representá-la, que não há possibilidade de se

---

13. Cf. "Cure psychanalytique à l'aide de la poupée-fleur", *Au jeu du désir, op. cit.*

comunicar com uma pessoa. Um tal sujeito está à espera de simbolização. Ele nada pode exprimir de sua imagem do corpo, ele não pode "mimificar" nada. Ele só pode expressar uma estupefação simplória ou alarmada, à espera de sentido. O sentido é dado pela linguagem, que recobre a partilha de emoções entre dois sujeitos dos quais um, pelo menos, fala de suas emoções, é uma pessoa. Estes dois sujeitos se comunicam através de suas imagens do corpo e acham-se em relação complementar. Se isto falta, qualquer que seja a razão desta falta, o sujeito permanece aparentemente débil, porque sua imagem do corpo não tem mediação linguageira.

A Debilidade em Questão. A Esquizofrenia em Questão

Talvez seja exagero falar apenas de debilidade, pois quanto à debilidade efetiva, não temos certeza de que isto exista. O que existe é a interrupção da comunicação por motivos que, em cada história, restam a ser decifrados. Mesmo quando existem palavras, sons… se estes não significam para o sujeito-criança comunicação de uma pessoa com sua pessoa, pode existir uma espécie de brecha na simbolização, capaz de resultar na esquizofrenia.

Nos casos dos débeis de aparência clínica, a potencialidade de simbolizar a imagem do corpo está adormecida. No caso dos esquizofrênicos, esta potencialidade de simbolizar a imagem do corpo foi interrompida em uma certa época, e como não existiam palavras provenientes da pessoa com quem a relação era estruturante, na relação de amor, a criança simboliza por si mesma tudo o que vive, em um código que não é mais comunicável. Este fato decorre daquilo que jamais foi falado à sua pessoa, ou então o que lhe foram ditas, ou o que ele ouviu, palavras que não eram sentidas, quero dizer, que não estavam de acordo com as emoções que supostamente deveriam expressar, palavras-barulhos, sem valor emocional verídico, não carregadas humanamente de intenção capaz de comunicar a vida e o amor (ou o ódio) do sujeito que falava à criança e a quem a criança falava. Todas as outras percepções, sejam elas palavras, exemplos de comunicação, não vindos do objeto cúmplice esperado, são sentidas como ruídos de palavras, percepções sensoriais desprovidas de sentido para a imagem do corpo e, novamente ela é reduzida, assim como antes da existência de qualquer conhecimento, a um esquema corporal, o do momento em que a criança se torna esquizofrênica. Este esquema corporal, separado da imagem do corpo, cria como que uma ruptura do espaço e do tempo, uma falha, poderíamos dizer, onde a criança cai no imaginário de um desejo dissociado de sua possível realização. Não existe mais para seu desejo uma representação com uma meta reconfortante, com credibilidade para o narcisismo de um sujeito em comunicação com um outro sujeito.

Assim um ruído do exterior lhe parece ser uma resposta a um "sentir" atual de seu corpo, o mundo inteiro das coisas conversa com ele, mas o dos humanos não, pois a relação com o outro se tornou um perigo, pelo fato de um largar a mão do outro ou dele, dos dois, mas quem começou? Ele não mais se encontra ali, nem se compreende mais ali. Ele se retira para si mesmo e estabelece consigo mesmo um código de linguagem, para nós delirante, enquanto que, para ele, este código dá sentido àquilo que ele vive; ou ele "desfala", emitindo fonemas que não são conjuntos de palavras dotados de sentido.

Compreende-se porque um grupo de mímicos que se formou em um hospital psiquiátrico, diante de um público em cujo meio se achavam psicóticos, sentiu-se melhor compreendido do que por um público habitual.

A Imagem do Corpo e a Inteligência da Linguagem dos Gestos, das Palavras

O mímico que mediatiza imagens do corpo é imediatamente inteligível para o psicótico, para o esquizofrênico, justamente porque ele não decifra linguisticamente o espetáculo do mímico, não coloca, como o faz o público habitual, palavras sobre aquilo que vê. O espetáculo do mímico fala diretamente à sua imagem do corpo[14].

De maneira geral, a compreensão de uma palavra depende simultaneamente do esquema corporal de cada um e da constituição de sua imagem do corpo, associada às trocas vivas que acompanharam, para ele, a integração, a aquisição desta mesma palavra. A palavra tem, certamente, um sentido simbólico em si

14. Observemos que os mímicos nem sempre interessam às crianças saudáveis, ao contrário dos palhaços, que sempre as interessam. Ocorre que os comportamentos mimificados dos palhaços referem-se às imagens do corpo arcaicas, orais e anais, enquanto que os comportamentos mimificados dos mímicos referem-se frequentemente a sentimentos e a comportamentos de uma erótica humana castrada anal e genital, ou seja, referindo-se a uma imagem do corpo pós-edipiana e a uma ética em harmonia com a moral social. Não é o caso dos palhaços que esperam de um Senhor da Lei o sinal de "pare" para suas elocubrações erótico-lúdicas fantasmáticas, orais e anais.

mesma, ou seja, ela reúne, além do espaço e do tempo, em uma comunicação através da linguagem falada, registrada, escrita, seres humanos que, mesmo sem experiência adquirida em comum, podem transmitir-se assim, se confiam um no outro, os frutos linguageiros adquiridos por eles no cruzamento de sua imagem do corpo com seu esquema corporal. Mas aquele que não tem, seja a imagem do corpo, seja o esquema corporal correspondente às palavras emitidas, ouve a palavra sem compreendê-la por não existir a relação corporal (imagem sobre esquema) que permite dar um sentido a ela.

Um cego de nascença pode, por exemplo, falar das cores, pronunciar as palavras "azul", "vermelho", "verde" – palavras que farão imagem, que tomarão sentido para um interlocutor que enxerga (pois nele, as sensações escópicas contribuíram para a constituição da imagem do corpo); isto não impede que o cego de nascença ignore o sentido de suas palavras; mais exatamente, os significantes das cores não podem reunir para ele uma imagem do corpo de alguém que enxerga a um esquema corporal que é cego. Cada um de nós, verdade seja dita, tem, assim, uma relação narcisada (atravessada pelo narcisismo) com elementos sensoriais em ressonância com palavras do vocabulário[15].

Ninguém pode saber, mesmo dentre aqueles que enxergam, quando alguém fala de azul, de que azul se fala. E somente quando dois interlocutores buscam, dentre os azuis, o azul de que cada um fala, que eles podem se dar conta de que falam ou não de um azul diferente.

O cego de nascença não tem imagem do corpo no que se refere a seus olhos, mas tem o esquema corporal destes; ele sabe que tem dois olhos-órgãos, mas não tem imagem relacional para a visão. Isto não o impede de falar utilizando significantes da visão. Tive cegos como estes em análise, que diziam sempre: "Eu a vi…", "Eu não a vi…"; "O que você quer dizer por 'tê-lo visto'? – Sim, esta pessoa veio em casa. – Mas você a ouviu. Por que você diz 'Eu a vi'? – Mas, porque todo mundo fala assim". Ainda que não possa se representar uma cor, o cego ouviu as pessoas falarem das co-

---

15. Assim podemos compreender a maneira pela qual o analisando reage às interpretações do analista, recusando-as, dizendo que são incompreensíveis. É verdade que os termos empregados pelo analista podem se referir a imagens do corpo que o paciente recalcou, obrigando-o, ao mesmo tempo, a afastar uma explicação, uma pergunta ou uma intervenção que faz referência a este fato, e isto mesmo se o analista utilizar os termos empregados pelo analisando, porque estes termos não recobrem as mesmas articulações mentais ou afetivas do analista. É esta, por vezes, a razão de uma ruptura brusca da relação de transferência, irrecuperável na relação analítica e que impõe a mudança de analista.

res, das cores frias, das cores quentes, da intensidade, do belo, do triste, do alegre, que aqueles que enxergam associam à sua visão das cores. Ele se faz uma representação auditiva e emocional das cores em sua relação com os outros. Auditiva, e também táctil, calórica.

O mesmo ocorre com a criança, que ao falar de sua professora, diz: "Ela não é boazinha, ela é verde! Aqueles da classe do lado tem uma professora azul, eu gostaria mais de estar com eles!" (ao passo que as duas professoras usam uma blusa branca!).

O caso do cego de nascença nos faz compreender indiretamente o que isto é para uma criança que, em consequência de um esquema corporal ainda imaturo não pôde registrar, pelo encontro de percepções efetivas e de sua imagem do corpo, a experiência sensorial subjacente a certas palavras pronunciadas pelos adultos. Tais palavras a criança ouve e repete a convite dos adultos. Apesar de alguma semelhança com a linguagem do adulto, a criança não possui, como o adulto possui, a respeito do que diz, uma imagem do corpo fantasiada, remanescências de experiências pessoalmente vividas, correspondendo ao sentido que as palavras têm para o adulto.

As palavras, para tomarem sentido, devem, primeiro, tomarem corpo, serem, ao menos, metabolizadas em uma imagem do corpo relacional. E o caso do adulto que, por ter em princípio passado pela castração edipiana genital, fala de um campo de experiência associado a seu corpo, sexualmente adulto, a seu esquema corporal e às percepções inter-relacionals tais como ele as conhece: tudo isto é ainda incognoscível para a criança. Quando esta retoma em sua linguagem as palavras do adulto que ela ouve, estas são para ela representativas de outras erogeneidades do que aquelas às quais o adulto podia estar aludindo.

Imagem do Corpo e Caso Particular do Nome

De todos os fonemas, de todas as palavras assim ouvidas pela criança, existirá um dentre eles que assumirá uma importância primordial, assegurando a coesão narcísica do sujeito: é seu prenome. Desde o nascimento, o nome – ligado ao corpo e à presença do outro – contribui de forma determinante para a estruturação das imagens do corpo, sendo aqui também incluídas as imagens mais arcaicas. O prenome é o ou os fonema(s) que acompanham o sensório da criança, inicialmente em sua relação com os pais, mais tarde com o outro, do nascimento à morte. Mesmo no sono profundo, é a proferição de seu prenome que pode despertar um sujeito. Se ele estiver em coma e for chamado pelo prenome, abre os olhos. Seu prenome é o primeiro e último fonema que está em relação com sua própria vida e com o outro, e que a sustenta, pois foi também, desde o nascimento, o significante de sua relação com a mãe, desde que esta, é claro, não tenha constantemente chamado a criança de "meu docinho", "fofinho", "nenê". Se o prenome acompanha o sujeito além da castração edipiana e é retomado por todos em sociedade, o apelido eventualmente dado pela mãe a seu bebê deveria ser abandonado ao mesmo tempo em que o desmame ou que a higiene esfincteriana.

Tudo isso explica porque não se pode, sem graves riscos, trocar o prenome de uma criança.

Caso de Frédéric

Tratei do caso de uma criança que, abandonada após o nascimento por seus pais, foi recolhida em um orfanato e adotada na idade de onze meses. Nesta idade, portanto, os pais adotivos lhe deram um novo prenome: Frédéric, diferente daquele que possuía até então, mas tal não foi relatado pela mãe nas entrevistas iniciais do tratamento.

É aos sete anos que Frédéric me é trazido para consulta, com sintomas de aparência psicótica. O início do tratamento psicanalítico revela que ele é hipoacúsico. Colocou-se um aparelho na criança e, com a ajuda do trabalho psicoterapêutico, sua inteligência desperta, uma incontinência esfincteriana se resolve.

Ele se adapta totalmente à sua faixa de idade, mas, na escola, se recusa a ler e é incapaz de escrever. Observo, no entanto, que ele utiliza as letras e principalmente a letra A, que espalha por toda a parte, escrita em todos os sentidos, em seus desenhos. "Será um A?". Ele faz sinal afirmativo. Eu repito a pergunta: "E este?" (um A ao contrário). Ele responde um "sim" aspirando, enquanto que em geral fala emitindo um som expirando.

A professora me relata que ele participa de todas as atividades, mas se recusa a aprender a escrever, a aprender a ler.

Eu procuro quem poderia estar sendo designado por esses A, pois não há, em sua família, nenhum nome que comece por tal letra. A interpretação de que poderia se tratar da secretária do consultório, cujo nome se inicia por A, permanece sem efeito. A mãe adotiva me revela então aquilo que não sabíamos: que a criança usava, quando foi adotada, o prenome Armand. Isto me permite interpretar para a criança que talvez seja Armand que ele representa em seu desenho, por todos aqueles *A*; que, sem dúvida, ele sofreu com esta mudança de prenome no momento da adoção, a respeito da qual, aliás, ele foi informado muito cedo. Mas a interpretação não traz nenhum resultado.

É então – e este fato revela a importância da imagem do corpo do analista, já que a sequência não foi nem mesmo raciocinada por mim mesma – após um momento de espera silenciosa, durante a qual a criança estava ocupada em desenhar ou modelar, e eu, em refletir, que me ocorre a ideia de chamá-lo como se eu estivesse fora de cena, sem olhá-lo, ou seja, não me dirigindo à sua pessoa ali presente por seu corpo colocado diante de mim, mas com uma voz alta, de tom e intensidade diferentes, minha cabeça virando em direção a todos os pontos cardeais, para o teto, sob a mesa, como se eu chamasse alguém, no espaço, sem saber onde está: "Armand...! Armand...! Armand...!". As testemunhas presentes à minha consulta de Trousseau veem a criança me ouvir aguçando o ouvido em direção a todos os cantos da sala. Sem me olhar, tanto quanto eu não o olhava. Eu mimifico a busca de um "Armand", e chega o momento em que os olhos da criança encontram meu olhar e eu lhe digo: "Armand era teu nome quando você foi adotado". Percebi, então, em seu olhar, uma excepcional intensidade. O sujeito Armand, desnominado, pôde reatar sua imagem do corpo à de Frédéric, o mesmo sujeito nomeado assim aos onze meses. Houve um processo completamente inconsciente: ele precisava ouvir este prenome dito não com uma voz normal, a minha, que ele conhecia, que se dirigia a ele em seu corpo, ali, hoje, no espaço da realidade atual, mas dito com uma voz sem lugar, por uma voz de cabeça, uma voz *off*, como se diz hoje, chamando-o de fora da cena. Era este tipo de voz de "maternidades" desconhecidas que ele tinha ouvido quando se falava dele ou quando o chamavam, no orfanato enquanto esperava a adoção. É este reencontro na transferência em relação a mim, sua psicanalista, de uma identidade arcaica, perdida desde a idade de onze meses, que lhe permitiu ultrapassar, na quinzena seguinte, suas dificuldades em ler e escrever.

Esta pregnância dos fonemas mais arcaicos, dos quais o pronome é o exemplo típico, mostra que *a imagem do corpo é o traço estrutural da história emocional de um ser humano. Ela é o lugar inconsciente (e presente onde?) de onde se elabora qualquer expressão do sujeito; o lugar de emissão e recepção das emoções inter-humanas linguageiras.* Ela tira o que tem de durável sua coesão, da atenção e do estilo do amor prodigalizados à criança. Daí vem, consequentemente, que ela depende do comércio afetivo com a mãe e os familiares. E uma estrutura que decorre de um processo intuitivo de organização dos fantasmas, das relações afetivas e eróticas pré-genitais. Fantasma significa aqui memorização auditiva, olfativa, gustativa, visual, táctil, barestésica e cinestésica de percepções sutis, fracas ou intensas, sentidas como linguagem de desejo do sujeito em relação a um outro, percepções que acompanharam as variações de tensões substanciais sentidas no corpo e, principalmente, dentre estas últimas as sensações de apaziguamento e tensão devidas às necessidades vitais.

OS TRES ASPECTOS DINÂMICOS DE UMA MESMA IMAGEM DO CORPO

Já que a imagem do corpo não é um dado anatômico natural, como pode ser o esquema corporal, mas que, ao contrário, se elabora na história do sujeito, *cumpre-nos estudar de que maneira ela se constrói e se remaneja ao longo do desenvolvimento da criança*. Este fato nos conduzirá a distinguir três modalidades de uma mesma imagem do corpo: *imagem de base, imagem funcional e imagem erógena, as quais, em conjunto, constituem e asseguram a imagem do corpo vivente e o narcisismo do sujeito a cada estágio de sua evolução*. Elas são associadas entre si, a todo momento, mantendo-se coesas através daquilo que denominaremos: *imagem (ou melhor, substrato) dinâmica*, designando com isto a metáfora subjetiva das pulsões de vida[16] que, originadas no ser biológico, são continuamente sustentadas pelo desejo do sujeito de se comunicar com um outro sujeito, por meio de um objeto parcial sensorialmente significado.

Imagem de Base

O primeiro componente da imagem do corpo é a imagem de base. A imagem de base é o que permite à criança sentir-se em uma "mesmice de ser", ou seja, em uma continuidade narcísica ou em uma continuidade espaço-temporal que permanece e vai se preenchendo desde o nascimento, apesar das mutações de sua vida e dos deslocamentos impostos a seu corpo e, a despeito das provas a que ele é levado a submeter-se. É assim que *eu defino o*

---

16. Ativas e passivas.

narcisismo: *como a mesmice de ser, conhecida e reconhecida, in--do-devindo para cada um no espírito de seu sexo.*

É desta mesmice, intensa ou tenuamente perene, que vem a noção de existência. O sentimento de existir de um ser humano, que sustenta seu corpo em seu narcisismo, sentimento que é evidente, provém desta convicção, sem dúvida ilusória, de continuidade. É por isso também que, inversamente, as eclipses de narcisismo são a abertura a numerosas aberrações do equilíbrio de um ser humano. Aqui se situam os desarranjos, os desregramentos funcionais, que podem ser interpretados como verdadeiras "quedas" ou falhas do narcisismo, suscetíveis de provocar, através de pulsões de morte localizadas em regiões do corpo, ataques de órgãos tais como o enfarte ou as úlceras, sofridos no momento de choques emocionais.

Mas se o narcisismo é continuidade, ele não deixa tampouco de ter uma história, não deixa de ser suscetível a remanejamentos, o que obriga a distinguir nele diferentes momentos. E, já que eu falo, neste momento, da imagem de base, devo acrescentar que ela é fundamentalmente "referida a", "constitutiva de" aquilo que denomino *narcisismo primordial*. Entendo, neste sentido, o narcisismo do sujeito enquanto *sujeito do desejo de viver, preexistente à sua concepção*. É isto que anima o chamado para viver em uma ética que sustenta o sujeito a desejar. É neste sentido que a criança é herdeira simbólica do desejo dos genitores que a conceberam. *Esta ética, a do feto*, é articulada ao gozo de aumentar, todos os dias, sua massa carnal, *é uma ética adicional vampírica*, uma ética do "armazenar", do "tomar"; e é por se tratar do sangue placentário que esta ética equivale, *après coup*, na lembrança fantasiada, a um período vampírico[17].

Este narcisismo primordial constitui de certa forma, uma intuição vivenciada do estar-no-mundo para um indivíduo da espécie, ou seja, desprovido de qualquer meio expressivo, como é ainda a criança *in utero*. Este significante é o que dá o sentido da identidade social, simbólica. Ali residem, como já assinalamos, o valor e a *importância do prenome* que, no momento da passagem do feto ao lactante, é recebido pelo sujeito, das instâncias tutelares, ligado a seu corpo visível por um outro, e certifica para ele, na realidade, sua perenidade existencial; *prova, quando ele*

---

17. Vampírico de um pretenso outro, cujo feto seria parasita. Ora, a placenta é sua, elaborada pelo óvulo fecundado, ele próprio, assim como os invólucros amnióticos. As expressões linguageiras como "pegar para si", para sair de um estado de fraqueza, ou "entrar em si mesmo", para reencontrar uma pacificação coesiva, são referências inconscientes a esta ética.

se reconhece nos fonemas desta palavra, do domínio de suas pulsões de vida sobre suas pulsões de morte.

A imagem de base não pode ser atingida, não pode ser alterada, sem que surjam logo uma representação, um fantasma, que ameaçam a própria vida. Este fantasma não é, no entanto, o produto das pulsões de morte, pois estas são inércia vital e, sobretudo, são sem representação. Quando a imagem de base é ameaçada, aparece um estado fóbico, meio específico de defesa contra um perigo sentido como persecutório, sendo a própria representação desta persecutoriedade fantasiada, ligada à zona erógena atualmente prevalecente para o sujeito. Este reagirá, portanto, àquilo que põe em perigo sua imagem de base, por um fantasma de perseguição visceral, umbilical, respiratório, oral, anal – rebentar, explodir também, conforme o momento traumático sentido como o primeiro em sua história.

Daí decorre que cada estágio vem a modificar as representações que a criança pode ter de sua imagem de base; dito de outra forma, *existe uma imagem de base própria a cada estágio.* Surge assim, após o nascimento, *inicialmente uma imagem de base respiratória-olfativa-auditiva* (cavum e tórax); é a primeira imagem aérea de base. *Ela é seguida de uma imagem de base oral* que compreende não somente a primeira, respiratória-olfativa-auditiva, mas também toda a zona bucal, faringo-laringe, que, ao cavum e ao tórax, associa a imagem do ventre, a representação do cheio ou do vazio do estômago (que tem fome ou que está saciado) a qual pode estar em ressonância com as sensações fetais de fome e de repleção estomacal.

A terceira imagem de base, que é a imagem de base anal, acrescenta às duas primeiras o funcionamento de retenção ou de expulsão da parte inferior do tubo digestivo, e acrescenta também seu meio circundante de massa que constitui a bacia, com uma representação táctil das nádegas e do períneo.

Teremos de reexaminar a questão do que é uma verdadeira arquitetura relacional, mas que o é somente se a mãe alimentadora fala ao longo de seus cuidados: arquitetura centrada pelos lugares erógenos de prazer (em particular os buracos do corpo, mas não apenas isso), os quais são sempre articulados com um lugar funcional onde a percepção é esperada, por vezes chamada através de gritos, expectativa esta satisfeita ou recusada pela mãe-alimentadora.

Não há lugar melhor do que ao nível da imagem de base e do narcisismo primordial para se captar o conflito a opor as pul-

40 A IMAGEM INCONSCIENTE DO CORPO

sões de vida e as pulsões de morte[18], podendo estas últimas permanecer, por muito tempo, prevalecentes em um bebê, quando a mãe (ou o meio) trata o lactante como um pacote, como um objeto de cuidados, sem falar com a pessoa do bebê.

Gostaria de ilustrar o fato acima descrito através de um exemplo:

Caso de Gilles, o instável

Gilles é um garoto de oito anos, levado para consulta em virtude de uma enurese e cujo sintoma principal é a extrema instabilidade, a impossibilidade de permanecer em um mesmo lugar, dificilmente suportado na família e na escola. Não é uma criança má. Não tem amigos, mas tampouco inimigos. Censuras, punições, tudo parece passar deslizando sobre ele.

Quando está em sessão, não para de olhar para todos os cantos da sala. Seus olhos inquietos mal se detêm, apenas o tempo de desenhar, e quando se mexe, volta a olhar para toda parte a seu redor. Apresentando melhoras em virtude do tratamento e tendo sua enurese cessado, combino com ele que iremos encerrar sua psicoterapia. Na ocasião da sessão prevista para ser a última, ele me diz: "Agora, posso dizer onde está o perigo – Por que você vai embora? – Sim."

Ele me explica, então, utilizando seus desenhos, que os ângulos internos e externos, os ângulos dos muros e dos móveis, eram por ele fantasiados como se lançassem flechas. As bissetrizes dos ângulos eram portadoras de flechas e o problema era que, se ele se achasse no encontro de três flechas, em sua interseção, correria o risco de ser trespassado e de morrer na hora. Antes de seu tratamento, este perigo estava em toda parte. Mais tarde, somente no consultório da analista.

Pudemos compreender, ulteriormente, pois ele decidiu comigo continuar durante algumas sessões, que esta obsessão dos ângulos assassinos estava associada ao *significante anglais**. Esta

---

18. Aproveito esta ocasião para indicar que cometemos um erro ao confundir as pulsões de morte com as pulsões agressivas, ativas ou passivas. Nas pulsões de morte, não se pode incluir nenhuma pulsão agressiva, quer seja ela ativa ou passiva. Pois as pulsões ativas ou passivas, qualquer que seja a imagem do corpo na qual elas são vivenciadas, estão sempre a serviço da libido, portanto, do desejo de viver de um sujeito em relação com o mundo exterior, visando satisfazer a realização completa das pulsões sexuais do estágio em curso. Ao longo da existência, pulsões de morte disputam com as pulsões de vida, um pouco como a noite se altera com o dia, e elas triunfam juntamente em nosso sono natural onde cada um está submetido à primazia das pulsões de morte, graças a que o corpo, enquanto anônimo, repousa das exigências do desejo do sujeito.

* Em francês, o termo *angle* (ângulo) tem a grafia e o som semelhantes à palavra *anglais* (inglês). (N. da T.)

ESQUEMA CORPORAL E IMAGEM DO CORPO 41

criança parisiense tinha três anos por ocasião da retirada inglesa de 1940. Nesta oportunidade – primeira prova real para seu esquema corporal – sofreu um acidente com a família, no carro dirigido pelo pai, que ia se refugiar com os seus na região do Midi. Pouco depois, à beira-mar, ele quase se afogou, ao escapar das mãos do pai que tentava ensiná-lo a nadar (ele foi reanimado através de respiração artificial). A psicanálise da criança reconduzia, assim, a acontecimentos esquecidos por todos, mas cuja exatidão os pais, surpresos com sua memória, confirmariam. A partir destes acontecimentos, portanto, Gilles não mais suportava ser separado da mãe, estava sempre "colado" a ela, constantemente grudado a suas saias. Ele estava realmente ao lado da mãe, em uma cabine telefônica, por ocasião de uma conversa ao telefone que sua mãe teve com um irmão dela, conversa dramática onde o irmão, após o Chamado de Dezoito de Junho, dizia que estava de partida para a Inglaterra a fim de reunir-se a Gaulle em Londres. Para a mãe aquele momento era o de um "sentir" carregado de angústia; era muito apegada ao irmão, e ele corria sérios riscos. Ela temia, além do mais, que o filho, tendo ouvido a conversa, pudesse repetir o teor a alguém, mesmo porque o trabalho do pai devia levá-lo a retornar com toda a família para a Zona Ocupada. De fato, a partir deste instante, todo o não-dito da família e as preocupações dos pais giravam, para a criança, em torno das palavras *anglais*, *Angleterre* (*angle-taire*)*: perigo de morte, se os alemães, que ocupavam dois quartos na casa, o soubessem; e a criança os encontrava frequentemente.

Foi, portanto, na sessão por nós prevista como sendo a última, que todos estes elementos que eu desconhecia, totalmente esquecidos pelos pais, puderam aparecer; foi ali que pôde revelar--se como a imagem do corpo de base desta criança, tão fóbica e angustiada, havia sido erotizada até no olfato, sob as saias da mãe, de seu odor de angústia, enquanto que ela falava com o padrinho da criança que o menino adorava, e que percebia a emoção que esta separação causava à sua mãe, ainda que esta, ao sair da cabine telefônica, julgara ser de melhor alvitre não dizer nenhuma palavra ao filho com respeito ao que fora dito entre ela e seu irmão, na esperança, pois, de que o menino de três anos não tivesse entendido nada.

Este momento tinha deixado nele as palavras *anglais*, *Angleterre**, como significantes de grandes emoções e perigo, tanto para o corpo como para o *dire à taire* (dizer a calar). De perigo,

---

* *Angle-taire* significa "ângulo-calar". (N. da T.)

em uma época onde, em função dos dois incidentes sucessivos com o pai (acidente automobilístico e ameaça de afogamento), o "Eu" Ideal efetuara uma regressão em direção à mãe, que era a então única imagem adulta de segurança protetora, e a uma perda secundária de continência esfincteriana. Este momento intenso de sua história de criança em curso de organização edipiana, ameaçada pelos dois homens de sua mãe, o pai e o tio materno, permaneceu enquistada, sob a forma de ameaça proveniente das bissetrizes dos ângulos, os quais estavam armados de flechas vetoriais (imagem da zona sexual anal e uretral), perseguidoras fantasmáticas para a imagem do corpo de base da criança. Seu corpo, em sua massa espacial, por sua instabilidade motora (imagem do corpo funcional anal), procurava dominar a fobia devida às pulsões sexuais, sendo a zona erógena uretro-anal representada no espaço pelos *Anglais* e suas supostas flechas, em vez de estar no lugar do ânus primeiro, depois do pênis, mestre da continência do jato urinário e assumindo ereções tornadas proibidas pelo fato de que, se aninhar no regaço da mãe era seu único refúgio, pelo menos imaginariamente (nos fantasmas quase alucinatórios de viver no interior da terra e dormir ali, em um país denominado por ele a "Lifie").

Imagem Funcional

O segundo componente da imagem do corpo, após a imagem de base, é a imagem funcional.

Enquanto que a imagem de base tem uma dimensão estática, a imagem funcional é a imagem estênica de um sujeito que visa a realização de seu desejo. O que passa pela mediação de uma demanda localizada no esquema corporal em um lugar erógeno onde se faz sentir a falta específica, é o que provoca o desejo. É graças à imagem funcional que as pulsões de vida podem, após serem subjetivadas no desejo, tender a manifestar-se para alcançar prazer, objetivar-se na relação com o mundo e com o outro.

Assim, a imagem funcional anal do corpo de uma criança é, de início, uma imagem de emissão expulsiva, na origem em relação à necessidade defecatória que ela sofreu, que sente passivamente, e que toma, ou não, sentido de linguagem com a mãe; depois, secundariamente, ela assume a forma de uma imagem que expressa a expulsão estênica agradável de um objeto parcial nem sempre substancial, e que pode ser, por deslocamento, transferido

---

* Idem. (N. da T.)

para um objeto parcial sutil do corpo próprio. Por exemplo, a expulsão pelo prazer da coluna de ar pulmonar, modificando a forma de abertura e a emissão dos sons, o que permite a sublimação da analidade no dizer das palavras e na modulação da voz cantada. Deve-se compreender que a elaboração da imagem funcional realiza, com respeito ao acionamento das zonas erógenas, um enriquecimento de possibilidades relacionais com o outro. A mão, por exemplo, que é, a princípio, zona erógena de preensão oral, mais tarde de expulsão anal, deve integrar-se em uma imagem funcional braquial, dando à criança a liberdade esqueleto-muscular que lhe permite chegar a seus objetivos, serve à satisfação de suas necessidades e à expressão de seus desejos através de seus jogos. Inversamente, quando a imagem funcional se acha denegada total ou parcialmente, por exemplo quando ocorre uma intervenção fisicamente repressiva ou verbalmente castradora que se opõe ao agir da criança ("Não mexa nisso"), esta pode escolher como saída um funcionamento de recolhida, para que a zona erógena não entre em contato com o objeto proibido, objeto perigoso, nem seu desejo em conflito com o desejo do adulto tutelar.

Veja-se o exemplo da menininha fóbica ao toque das coisas que conseguiu retomar o uso da preensão através destas palavras ditas por mim: "Pegue com tua boca de mão". Por meio delas, eu havia como que "fintado" a imagem táctil; a criança pegara o objeto, o apreendera e o levara imediatamente à boca, com o braço, que, em vez de permanecer recolhido junto ao corpo, pudera estender-se e permitir à mão pegar, o que a garota não mais sabia fazer há meses, como se ignorasse que possuía mãos. Eu lhe devolvera a possibilidade de uma imagem funcional oral-anal e o interesse oral pelas coisas anais, que é a possibilidade do corpo de uma criança da idade de vinte meses. Ora, esta criança contava aproximadamente três anos e meio, e havia sido, no dizer daqueles que a conheciam, uma criança travessa e comunicativa até os dois anos e meio, período no qual tivera de vivenciar uma série de traumatismos psíquicos desrealizantes.

Imagem Erógena

O terceiro componente da imagem do corpo é a imagem erógena.

Apenas para apresentá-la, direi que ela é associada a determinada imagem funcional do corpo, lugar onde se focaliza o prazer ou o desprazer erótico na relação com o outro. Sua repre-

44 A IMAGEM INCONSCIENTE DO CORPO

sentação é referida a círculos, formas ovais, côncavas, bolas, palpos, traços e buracos, imaginados como dotados de intenções emissoras ativas ou receptoras passivas, com fins agradáveis ou desagradáveis.

O importante é descrever como estes três componentes da imagem do corpo se metabolizam, se transformam e se remanejam, levando em conta as provas que o sujeito enfrenta e as limitações que ele encontra, nomeadamente sob a forma das castrações simbolígenas[19] que lhes são impostas; descrever, portanto, como as vicissitudes de sua história permitem, na melhor das hipóteses, que sua imagem de base garanta sua coesão narcísica. Para isto, é necessário: 1. que a imagem funcional permita uma utilização adaptada do esquema corporal; 2. que a imagem erógena abra ao sujeito o caminho de um prazer partilhado, humanizante naquilo que tem como valor simbólico e pode ser expresso não apenas através de mímica e agir, mas com palavras ditas por outrem, memorizadas na situação pela criança que as utilizará com conhecimento de causa quando vier a falar.

Como indicamos anteriormente, *a imagem do corpo é a síntese viva, em constante devir, destas três imagens: de base, funcional e erógena, ligadas entre si através das pulsões de vida, as quais são atualizadas para o sujeito naquilo que denomino imagem dinâmica.*

A Imagem Dinâmica

A imagem dinâmica corresponde ao "desejo de ser" e de perseverar em um advir. Este desejo, enquanto fundamentalmente abalado pela falta, está sempre aberto para o desconhecido. *A imagem dinâmica não tem, portanto, representação que lhe seja própria, ela é tensão de intenção*; sua representação seria a palavra "desejo", conjugada como um verbo ativo, participante e presente no sujeito, na medida em que encarna o verbo ir, no sentido do indo-desejando, ligado a cada uma das três imagens de comunicação atual ou potencial com as duas outras. *A imagem dinâmica expressa em cada um de nós o Sendo, chamando o Advir: o sujeito no direito de desejar, eu gostaria de dizer "em desejância".*

Se quiséssemos "decifrar" uma esquematização representativa desta imagem dinâmica, seria sob a forma virtual de um *traço pontilhado, que partindo do sujeito*, pela mediação de uma zona erógena de seu corpo, *iria para o objeto*; mas esta repre-

---

19. Ver o capítulo seguinte, p. 62.

ESQUEMA CORPORAL E IMAGEM DO CORPO

sentação é muito aproximativa. A imagem dinâmica corresponde a uma intensidade da expectativa de atingir o objeto, e ela aparece indiretamente nas imagens de balística que as crianças representam com fuzis ou canhões, mostrando que, deste fuzil ou destes canhões, partem pontinhos para atingir o objeto do alvo. E o trajeto do desejo dotado de sentido, "indo em direção a" um objetivo.

Ela aparece ainda sob uma outra forma virtual, e isto, muito precocemente no desenvolvimento das crianças (nove a dez meses): quando uma imagem lhes interessa, realizam um *pequeno redemoinho* (denominado, mais tarde, por elas, caracol), sobre todas as partes da representação gráfica que lhes interessam, depois viram a página, procuram outra coisa. E isto é *a imagem do sujeito sentindo-se dinamizado*, *ou seja*, *sentindo-se em estado desejante*. Estes traços gráficos pontuam o seu ritmo.

Ainda que possamos encontrá-la sob uma ou outra destas duas formas gráficas, não deixa de ser verdade que a imagem dinâmica como tal não tem representação, sendo, consequentemente, inacessível a qualquer evento castrador. Ela pode apenas ser subtraída do sujeito através de um estado fóbico, sendo que o objeto fóbico vem então a obstruir a imagem dinâmica em seu trajeto desejante, ameaçando-o em seu direito de sê-lo.

Podemos falar de imagem dinâmica oral que, com respeito à necessidade, é centrípeta e, com respeito ao desejo, é simultaneamente centrípeta e centrífuga. Podemos falar de uma *imagem dinâmica anal* que é, em relação à necessidade, centrífuga e, em relação ao desejo, centrífuga ou centrípeta (sendo este último caso o da sodomia consumada sobre o outro ou sofrida em contrapartida de parte do outro nos homossexuais).

A imagem dinâmica genital é, na mulher, uma imagem centrípeta, em relação ao objeto parcial peniano e, no homem, uma imagem dinâmica centrífuga. No parto, existe uma imagem dinâmica centrífuga expulsiva, com respeito à criança que é sujeito, portanto objeto total, ainda que seja, este corpo de feto a nascer, objeto parcial para as vias genitais da parturiente, mulher e em breve, em relação ao sujeito, mãe, aceitante ou rejeitante para com a criança, tal como ela é na ocasião de seu nascimento.

Especificaremos o que queremos dizer retornando ao caso da imagem dinâmica oral-anal. Esta imagem completa do corpo digestivo deveria ser conforme ao esquema corporal, uma imagem sempre centrípeta, no sentido do percurso peristáltico que vai da boca até o ânus. Quando existem inversões do peristaltismo – no caso do vômito – é que a imagem oral (e não anal) é invertida, ou seja, ela é "analisada", ela opera a rejeição do objeto parcial ingerido. Ela é invertida na relação com o outro, alguém presente, imaginário ou real, ou no tocante a um objeto sentido como perigoso no estômago[20].

Tal exemplo revela de fato a vitalidade da imagem dinâmica que, ligada ao desejo, pode chegar a inverter o trajeto do objeto parcial da necessidade. Acrescentemos a este fato um caso de um alcance regressivo de uma imagem dinâmica genital. Trata-se de um adolescente que, sentindo-se impotente, incapaz de relações com garotas, torna-se um masturbador obsessivo. No lugar do desejo pelo objeto, é o substituto deste desejo em uma regressão a uma imagem do corpo funcional (a mão masturbando seu pênis) que se lhe torna suficiente para imaginar o fantasma de um objeto desejado, o qual não tem mais nada a ver com uma realidade de pessoa existente. Ele entra, então, em uma espécie de autismo relativo à relação genital, que, na realidade, o torna cada vez mais inibido e fóbico no tocante aos encontros que o tirariam de seu isolamento. A imagem dinâmica é sempre a de um desejo em busca de um novo objeto. Neste sentido ela é completamente contraditória ao autoerotismo, o qual vem apenas a título de encobrir a ausência do objeto real adequado ao desejo.

É situável, em outro nível, nos inícios da sucção do polegar, que aparece aos três meses na criança com a qual não "se conversa" após o mamar. Pois, se conversamos com ela após a mamada, colocando-lhe objetos nas mãos, nomeando-lhe todos aqueles que ela leva à boca, se a mãe, objeto total, lhe nomeia todas suas sensações tácteis, bucais e visuais das coisas que ela toca, pega e, depois, atira, a criança tem um real prazer, partilhado com a mãe e a seguir, cansada, adormece. Após algumas mamadas, ela não suga mais o polegar. O polegar não era mais que o substituto táctil do mamilo, representante parcial da mãe, objeto total a quem a criança desejaria comunicar o quanto a deseja. Dado o fato de a mãe desaparecer rápido demais como objeto de desejo após a satisfação da necessidade, e, de o mamilo não existir mais, a criança, devido ao desenvolvimento de seu esquema corporal que lhe permite doravante colocar a mão na boca, e pelo fato de contar com muitas potencialidades dinâmicas provenientes de suas pulsões libidinais, estando à procura de um encontro com o outro através de quem ela se sente ser, advir, ter e fazer, ela as sacia desta maneira ilusória e masturbatória oral: sugar o dedo.

---

20. "Ele 'me' vomitou sua mamadeira", "Ele 'me' devolve tudo o que lhe dou", (palavras de mães); "Um espetáculo de 'vos' causar náuseas".

Anulado o lugar da falta e de sua expressão pelo grito, a criança não alerta mais a mãe através de seus chamados e, pouco a pouco, chega a nada mais esperar da presença do outro. Cada vez que experimenta um impulso libidinal na ausência do objeto, contenta-se com esta transferência, denominada, justamente, auto-erótica, para um objeto parcial, seu punho, seu polegar, um artifício do seio, do mamilo; uma parte de seu corpo se torna o suporte ilusório do artifício do outro. Ela entra assim em um sintoma compulsivo de estilo obsessivo, onde seu desejo se utiliza da imagem do corpo, funciona por funcionar. E a repetição de uma mesma sensação corporal sempre acompanhada de fantasmas diferentes, mas não de contatos relacionais entre sujeitos pela relação sensorial de objetos parciais diferentes na realidade, e, ainda menos, de relações emocionais inter-relacionais e, a cada dia, como novidades a serem descobertas.

2. As Imagens do Corpo e seu Destino: as Castrações

A Evolução das Imagens do Corpo

A respeito da evolução das imagens do corpo, pode-se dizer que as dificuldades que ela encontra são sempre redutíveis a um mesmo cenário. O *desejo, agindo na imagem dinâmica, busca realizar-se graças à imagem funcional e à imagem erógena, em que se focaliza* para atingir um prazer por apreensão de seu objeto. Mas o desejo encontra, em sua busca, obstáculos à sua realização, seja porque o sujeito não tem um desejo suficiente, seja porque o objeto está ausente, ou ainda porque o objeto é proibido.

Ora, cumpre dizer que, foi de início o jogo de presença-ausência do objeto de satisfação do desejo, enquanto que este não estava ainda esgotado, que instituiu esta ou aquela zona como erógena.

De fato, como o desejo transborda sempre a necessidade, os elos de percepções sutis do cavum, da audição, da visão, mais tarde do ânus, da vagina, do pênis, tornam-se zonas erógenas, por um lado, em consequência de seu contato com um objeto parcial de apaziguamento em relação à mãe (mais tarde um parceiro sexual), por outro, da ausência mediada pela linguagem, no caso de haver a falta do objeto parcial. Daí a importância primordial, eminente, da mãe, objeto total *e* sujeito que se expressa por uma linguagem gestual, mímica, auditiva e verbal, em intercomunicação com seu filho (enquanto que este elabora suas imagens de base, funcional e erógena). É a mãe que, através da palavra, falando ao filho sobre aquilo que ele gostaria, mas que ela não lhe dá, lhe mediatiza a ausência de um objeto ou a não-satisfação de uma demanda de prazer parcial, valorizando, pelo próprio fato de falar disto, portanto, reconhecendo-o como válido, este desejo que se acha – situação da qual ela se compadece – denegado em sua satisfação. A zona erógena só pode ser introduzida na linguagem da palavra após ter sido totalmente privada do objeto específico pelo qual ela fora iniciada na comunicação erótica. Isto só é possível se o mesmo objeto total (a mãe) vocaliza os fonemas de palavras que especificam esta zona erógena: "O seio de sua mãe lhe é proibido agora", "Não, acabou, nada de mamar". Palavras que permitem que a boca e a língua retomem seu valor de desejo. E isto, porque o objeto parcial erótico é evocado pelo objeto total (mãe) que priva a criança do seio que ela deseja, mas uma criança cuja fome e sede já foram apaziguadas por um outro meio, que não "precisa" mais dele.

É a palavra que, em virtude da função simbólica, acarreta mutações de nível do desejo: da satisfação erótica parcial à relação de amor que é comunicação de sujeito para sujeito ou, antes, do pré-sujeito (lactante) ao sujeito que é a mãe, objeto total para seu bebê, a quem ela serve de referência em relação ao mundo e a ele mesmo.

Isto significa dizer que em um processo normal de elaboração subjetiva das imagens do corpo, existem palavras compartilhadas; é o que permite a simbolização dos objetos de gozo completo.

Daí que os fonemas transicionais de pré-linguagem verbal têm algo de paranormal. Pois o objeto parcial transicional, qualquer que seja ele, substancial ou sutil, é simultaneamente coisa perene e linguagem confusa da relação criança-mãe ou criança-pai: linguagem materializada, fantasma de palavras indizíveis, conjugadas inconscientemente com um ter sensorial que parece responder com um estando ao estado passivo que conduziria passivamente ao ser sujeito.

Palavras cujo vocabulário esta criança não possui, o objeto transicional é, talvez, o léxico, não-decifrável, designado a representar a inteireza do sujeito que se intui na sua relação de objeto-corpo potencialmente erógena e em sua relação funcional ainda fusional com "a mãe" (o adulto de quem a sobrevivência da criança depende).

As crianças que contam com palavras suficientes de amor e de liberdades lúdicas motoras não têm necessidade de objetos transicionais. Qualquer que seja seu desejo de assegurar-se, possuem bastante inventividade motora associada à mãe e palavras suficientes com a mãe, ela está suficientemente presente, para que as crianças renovem seu "estoque" de palavras vocalizadas, objetos transicionais sonoros, talvez, antes que se articulem com situações e atuações para se tornarem verdadeiras palavras que as crianças guardam na memória no curso de seus momentos de solidão e de adormecimento.

O objeto transicional é um objeto que articula as crianças às imagens tácteis das zonas de base, funcional e erógena, oral e olfativa, e às imagens manipuladoras funcionais anais da época em que, antes de serem autônomas através do andar, elas são "deambuladas" pelo adulto. As crianças deslocam para os objetos transicionais, a relação passada com adultos para eles, quando, em face destes adultos, elas se sentiam objetos parciais.

Os objetos transicionais lhes são necessários quando há um perigo que ameaça separá-las do lugar de segurança materna e quando perdem a imagem funcional anal, portanto a motricidade e a deambulação, ou seja, quando são colocadas na cama (por vezes também quando mudam de lugar).

Necessitam então deste objeto dito transicional, um dentre vários, que representa a relação rememorada por elas mesmas, quando eram pequenas, com o adulto reassegurador: adulto de quem retirou o papel de onipotência potencial diante desta coisa que é o objeto transicional, fetiche antiperigo. Fetiche, para o sujeito, de sua comunicação com o outro reassegurador no espaço, durante o tempo necessário à vinda do sono profundo em que o desejo de comunicar se desvanece, cabendo o lugar deixado pelas pulsões do desejo às pulsões de morte.

Digamos de uma maneira muito geral que, se a mãe dá assistência ao filho, a angústia deste é humanizada por meio de percepções sutis e palavras. Esta troca reasseguradora com a mãe, com *sua* mãe, é para a criança a prova de uma relação humana durável, para além da ferida da imagem funcional ou da ameaça de ataque à imagem de base ou, ainda, para além da sensação de distúrbios nas trocas a serviço de necessidades substanciais quando, perturbada, a criança sente-se "doente". Ela reencontra com este objeto perene sua imagem do corpo olfativa, táctil etc., oral e anal: reencontro de um conhecimento de si mesma, narcísico primordial, que é a própria base de sua saúde. O "vaso comunicante" imaginário com a mãe genitora e nutriz é restabe-

lecido, associado aos fantasmas da simbiose primeira: Eu-minha-
-Mamãe-o-mundo reencontrado.

A imagem do corpo da criança assim restabelecida em sua
integridade guarda, do sofrimento passado, uma experiência
simbolizada de suas pulsões de vida de sujeito coexistencial a seu
corpo, as quais conseguiram prevalecer sobre as pulsões de morte
(adormecimento, doença). A criança, enquanto assistida pela
mãe, devido ao fato de sentir-se objeto eleito em seus braços
reencontrados após a prova, vacina-se contra a angústia que, na
próxima prova, a reencontrará melhor armada do que o bebê até
então não perturbado por incidente algum. A medicina leva em
consideração as desordens orgânicas da criança e permite avaliar
as condições materiais e higiênicas de um bom funcionamento
fisiológico, desempenhando o seu papel para qualquer indivíduo
humano (puericultura, pediatria). A psicanálise permitiu descobrir o que são as trocas, sutis mantenedores do narcisismo indispensável ao reencontro da saúde afetiva, que fundamentam o
prognóstico psicossocial do futuro de determinada criança em
particular, nascida de determinados pais, e salva de perigos físicos. Como se vê, o narcisismo que, no início da vida, parece estar associado à euforia de uma boa saúde, está de fato, desde o
nascimento, cruzado com a relação sutil linguageira, criadora do
sentido humano, originada na mãe e alimentada por ela – relação
que não pode ser, no início da vida, por muito tempo interrompida, sem perigo.

Caso de Agnès

É o que se passa com esta menininha alimentada ao seio
durante cinco dias e cuja mãe teve de ser hospitalizada por causa
de um incidente febril grave, necessitando de uma intervenção
ginecológica. Durante os dias que se seguiram a este fato, o bebê
não quis mais nada daquilo que seu pai, que ficou sozinho com
a criança, ou sua tia, presente na casa desde seu nascimento, lhe
davam: não aceitava nem mesmo água na colher, nem mamadeira; recusa total de alimentação. A conselho do pediatra, de-
sarmado diante de tal situação e, que me conhecia, o pai me
telefonou. Devo dizer que tudo isto se passou durante a guerra,
no interior, e levar a criança a mim era, por isso mesmo impensável. Eu simplesmente respondi a este pai preocupado: "Vá ao
hospital, traga de lá a camisola que sua mulher está usando, mas
faça isto de tal modo que a roupa conserve todo o odor de sua
esposa. O senhor vai em seguida pôr a peça em torno do pescoço

do bebê e lhe apresentará a mamadeira". A mamadeira foi tomada imediatamente!

É o trabalho sobre a noção da imagem do corpo que me havia permitido conceber esta ideia e fazer esta sugestão. O que faltava a este bebê devido à ausência de sua mãe, para saber engolir? Ele não estava doente mas perdia peso – tinha fome. Havia mamado por três ou quatro dias, só se podia pensar que a imagem olfativa da mãe, repentinamente ausente, era o que lhe faltava. O narcisismo fundamental do sujeito (que permite ao corpo viver) está enraizado nas primeiras relações repetitivas que acompanham simultaneamente a respiração, a satisfação das necessidades nutritivas e a satisfação de desejos parciais, olfativos, auditivos, visuais, tácteis, que ilustram, poder-se-ia dizer, a comunicação de psiquismo a psiquismo do sujeito bebê com o sujeito-sua-mãe.

No fundo desta indiferenciação de zonas corporais neste lugar real que é o corpo da criança, certos funcionamentos corporais são eleitos pela repetição de sensações que ela experimenta destes, e tais lugares servem de centro ao narcisismo primário. São os lugares de seu corpo em que a criança reconhece, dia após dia, de tensão-privação a relaxamento-satisfação, pela fome-sede seguida de saciedade, uma mesmice sentida como o reencontro com o ser e o funcionar. Mas, ao mesmo tempo em que existem estes funcionamentos substanciais, estas aplicações e desaplicações substanciais às zonas erógenas corporais de dominante cardiorrespiratória, oral, víscero-uro-anal, existe ao mesmo tempo a audição, olfato, tato e visão que, no espaço e no tempo, acompanham as satisfações da criança nestas zonas erógenas e preenchem seu narcisismo. Quando uma separação entre a criança e aquela que a alimenta sobrevém, o desejo é frustrado, mas a criança só se dá conta do fato quando a necessidade abraçada ao desejo reaparece, vendo-se a necessidade então satisfeita por qualquer pessoa sem que o desejo possa reconhecer o som, a imagem, e o odor da pessoa que acompanhava anteriormente tais satisfações. O lugar onde a tensão do desejo e a da necessidade se confundem tornou-se lugar do gozar prometido, esperado, satisfeito ou não. E este lugar onde a falta é experimentada, lugar de busca não apenas substancial (sustentáculo do viver para o corpo, ou seja, da necessidade), mas tão sutil (busca de coração a coração, do outro si-mesmo no amor, ou seja, do desejo), este lugar no corpo é zona erógena. Mas, no espaço, o lugar onde, no tempo, se repete um encontro que responde a necessidades e desejos, torna-se espaço reassegurador para a criança. Por exem-

54 A IMAGEM INCONSCIENTE DO CORPO

plo, a criança ouve mais longe do que vê. Seu espaço de segurança auditivo é maior de que seu espaço de segurança visual. E seu espaço de segurança táctil é ainda mais reduzido do que seu espaço de segurança visual. O conjunto criado por este lugar de segurança é o espaço no qual o elo com a mãe é potencialmente reencontrável. Compreende-se que o seio e o mamilo, sentidos em conjunto com o odor da mãe, na boca sugadora do bebê e em sua mucosa pituitária, ao mesmo tempo em que ele se aninha nos vãos do braço contra o flanco daquela que o alimenta, tudo isto forma um *pattern* do desejo confundido, nesta realização, simultaneamente de necessidade e desejo, com o prazer de ser e a satisfação de viver e amar. A cada separação, segue-se o sono e, a cada momento de fome da criança, um reencontro, que faz com que continue a experimentar como erógeno o lugar e o conjunto de lugares que a ligam à mãe. As pulsões parciais do desejo continuam a focalizar-se na boca e no cavum do bebê na expectativa destes reencontros. Cada vez que o lactante está sobre tensão, qualquer que seja a razão desta, desejo ou necessidade, ele busca o meio de chegar a este objetivo que é o Nirvana da presença materna e da segurança aninhada em seu regaço. A privação por um certo tempo, quando o bebê está sob tensão, suscita todas as potencialidades substitutivas de que é capaz, associadas à sensorialidade substancial do objeto parcial, o seio, para um reencontro com o outro que ele dá um caráter de fantasma com qualquer sensorialidade liminar, associada aos encontros passados, e é isto que, talvez, seja uma promessa do outro. Neste sentido, uma sonoridade da voz materna à distância é uma promessa de um encontro que ele espera, com uma tensão no sentido de seu gozo que o faz desenvolver o reconhecimento auditivo desta voz.

Podemos, pois, dizer que, para além da distância do corpo a corpo entre o bebê e sua mãe-alimentadora, quando esta saiu de seu campo visual, são as percepções sutis de seu cheiro e de sua voz que continuam a ser, para a criança, o lugar – no espaço que a rodeia – onde ela espreita o retorno de sua mãe, ou seja, o lugar de seu elo narcisante com ela, e a continuação deste sentido de viver em segurança que ela experimenta com a mãe. Do mesmo modo, como a defecação em suas fraldas lhe traz, com o odor de excrementos, a tatilidade dos contatos de higiene com a mãe, seus excrementos presentes em seu traseiro são para ela uma promessa de que a mãe retornará em breve; daí o sentido da encoprese mais tarde: é, em situação de angústia, a maneira inconsciente que a criança maior usa para tentar o reencontro de um espaço de segurança materna. As novas vias de relação humana do bebê, vias sutis através do tempo, além da distância, e não mais relações substanciais de corpo a corpo, deverão ser preservadas, para que o sujeito não experimente demasiadas incisões em seu narcisismo: ou seja, para assegurar a segurança de sua mesmice, conhecida e reconhecida por estar em relação com este primeiro outro, o objeto total conhecido, sua mãe-alimentadora, que o faz reconhecer-se como humano, e amar-se como ser vivo. O fato é que, na primeira infância, é indispensável, para que a imagem do corpo se organize, que exista um contínuo de percepções repetidas e reconhecidas sobre o qual se alternam percepções, sucessivamente ausentes e presentes, e outras desconhecidas e novas que a criança descobre e que a questionam. Algumas a criança reconhece, outras a surpreendem. Diante das outras que a surpreendem, cor, forma, percepção, pessoa, espaço desconhecidos, é necessário que o adulto testemunha lhe dê, através de sonoridades, resposta à sua surpresa. É assim que o campo de variação das percepções sutis toleradas, vividas em segurança, pode estender-se. Percepções insólitas, inicialmente, mas associadas à presença da mãe que conserva sua aparência externa conhecida e nomeia as coisas, fala, depois a experiência da ausência da mãe, seguida de seu retorno, permitem à criança a memorização do elo que integrado a seu sensório, a une à mãe. Quando ela não está, é por seu intermédio que tudo aquilo que rodeia a criança e que a mãe humanizou com sua presença, com suas palavras, sua motricidade, sua manipulação, sua deambulação, testemunha no espaço daquilo que é segurança existencial para a criança, em seu ser, seus fantasmas, seu agir, através de sua confiança no próximo retorno daquela que a ama e que a criança ama.

A criança é, em virtude deste fato, em sua pré-pessoa em vias de estruturação, lugar deste elo relacional, deste elo interrompido e reencontrado. A pessoa primeira e ela mesma se acham por vezes algo diferentes, mas ela sempre a reconhece, mesmo que a criança leve um certo tempo para tanto, e mais tarde o elo é reencontrado. É o que me permite falar de objetos "mãeficados", isto é, de objetos que suscitam na criança, por associações de fantasmas, a presença reasseguradora memorizada de sua mãe. Dentre estes, pode-se contar os objetos usuais do quadro espacial habitual da criança, os brinquedos que a mãe lhe nomeia, os animais familiares e, sobretudo, as pessoas do meio circundante, com as quais a mãe se comunica através da linguagem e que, por conseguinte, se especificam para a criança como outros seres humanos deste primeiro outro eleito que é a mãe. A criança, graças a este elo introjetado, símbolo de seu narcisismo fundamental, está então, a todo momento, em seu corpo inteiro, "coesada".

Sua imagem do corpo, unida pela relação simbólica contínua, assume percepções que, se esta relação não existisse ou viesse a faltar por muito tempo, seriam para ela despedaçadoras. O despedaçamento fantasmático de si mesmo e do mundo ambiente decorre da imagem (metáfora) do funcionamento alimentar e da excreção (mandíbula e ânus) que o esquema corporal humano condiciona; este condicionamento está na origem da discriminação entre necessidade e desejo, ele é a referência comum da relação de comunicação com a mãe, comunicação de psiquismo a psiquismo, contaminada pelas percepções de comunicação substancial de objeto parcial oral e de objeto parcial de excreção, prazeres de ternura, que acompanham o corpo a corpo durante os cuidados de necessidade, trocas, alimentação e higiene. Quanto mais a relação com a mãe for continuamente vivente em relações sutis vocalizadas, visuais, olfativas, mímicas, animadas e lúdicas fora dos momentos de manipulação para o cuidado com o corpo da criança, menos os fantasmas de despedaçamento se estabelecem e perduram.

O fato de o narcisismo assegurar a continuidade do ser de um indivíduo humano não significa que o narcisismo não deva ser remanejado em função das provas com as quais se choca o desejo da criança. Tais provas, as *castrações* como as denominamos, vão permitir a simbolização e, ao mesmo tempo, vão contribuir para modelar a imagem do corpo, na história de suas sucessivas reelaborações.

Se partirmos da ideia (que especificaremos melhor adiante) que a castração é a proibição radical oposta à satisfação procurada e anteriormente conhecida, resulta que a imagem do corpo se estrutura graças às emoções dolorosas articuladas ao desejo erótico, desejo proibido depois que o gozar e o prazer foram conhecidos e repetidamente experimentados. O caminho é um dia definitivamente cortado na caça a um "cada vez mais" no prazer que proporciona a satisfação direta e imediata conhecida no corpo a corpo com a mãe e o apaziguamento da necessidade substancial. O quociente desta operação de ruptura é a possibilidade, para a criança, de colher *après coup* aquilo que se pode chamar de "frutos da castração".

Explicitando o que entendemos com a expressão, poderemos dar uma primeira ideia das castrações sucessivas, antes de reexaminá-las, em seguida, em detalhes.

O "Fruto" das Castrações. Seus Efeitos Humanizantes

O fruto da *castração oral* (desmame do corpo a corpo alimentador) é a possibilidade, para a criança, de chegar a uma linguagem que não seja apenas compreensível pela mãe: é o que vai lhe permitir não mais ser exclusivamente dependente dela.

O fruto da *castração anal* (ou ruptura do corpo a corpo tutelar mãe-criança) priva a criança do prazer manipulatório partilhado com a mãe. Ainda que ela tenha mais necessidade do adulto para lavar-se, vestir-se, comer, limpar-se, deambular, seu desejo sofre por ser privado do retorno a intimidades partilhadas em contatos corporais de prazer. Graças à linguagem verbal, fruto do desmame – se a castração deste foi suportada –, o desenvolvimento do esquema corporal permitiu associar a linguagem mímica e gestual à habilidade física, acrobática e manual. A castração anal, uma vez operada sem angústia pela mãe, que dá assistência verbal, tecnológica ao filho, "reassegura a criança prestes a assumir-se no espaço tutelar, a efetuar suas próprias experiências, a adquirir uma autonomia expressiva, motora, referente a suas necessidades e a numerosos desejos seus.

Para muitas crianças, largar-se da mãe é uma prova insuportável (e o que dizer então desta prova para certas mães!). No entanto, tanto quanto o desmame – proibição do mamar, de mucosa para mucosa, da cooperação do bebê boca-mãe alimento, em suma, proibição do prazer de captação canibal – a separação física, a proibição do prazer do corpo da criança ao prazer do corpo da mãe, esta castração dita anal é a condição da humanização e da socialização da criança de vinte quatro a vinte e oito meses.

A privação total da assistência física maternal é também o início da autonomia para a criança, com respeito ao que era uma tutela, onde ela dependia dos desejos de sua única mãe, prevalecente sobre todas suas outras relações. Esta decisão, vista como uma promoção, e preparada pela mãe através da entrega à criança de todos os meios técnicos referentes à manutenção de seu corpo, o uso prudente de sua liberdade de movimentos, sua iniciação progressiva por meio de respostas verídicas a tudo o que a questiona, esta decisão – afirmamos – abre para a criança a comunicação com todas as crianças de sua idade e com qualquer outro, nas trocas de palavras, em manipulações lúdicas ou utilitárias partilhadas com seu meio familiar e social próximo, do qual ela se sente promovida a ser auxiliar.

O fruto da castração anal, pondo fim à dependência parasitária para com a mãe, é também a descoberta de uma relação vivente com o pai, com as outras mulheres, com os amigos preferidos; é entrar no agir e no fazer de menino ou menina em sociedade, saber dominar seus atos, discriminar o dizer do fazer, o possível do impossível. Não ceder ao prazer de um agir que poderia prejudicar e si mesmo e àqueles que se ama.

É graças a esta autonomia conquistada em virtude da castração anal, autonomia da criança em relação à mãe, mas sobretudo de sua mãe em relação a ela, que a criança, menina ou menino, se sente humana e pode, como se diz, "colocar-se no lugar de um outro", sobretudo criança ou animal, ou de um fraco em relação aos fortes, e assim desenvolver as bases de uma ética humana: "Não fazer a outro aquilo que eu não gostaria que ele me fizesse", com, infelizmente, também este frequente corolário infantil impulsivo, a vingança.

É a linguagem que permite aquilo que não é mais um "adestramento": palavra que deveria ser banida quando se trata de um ser humano, cuja aprendizagem, desde as primeiras horas de sua "criação", já é educação.

A criança não pode proceder de outro modo senão o de imitar o que ela percebe, e depois identificar-se com os seres humanos que a rodeiam. Tais pessoas modelos, de quem depende para sobreviver, são para ela investidas do direito de limitar sua agressividade ou sua passividade em benefício de sua pertinência ao grupo familiar e social: objetivo cultural, utilitário, lúdico, para o qual ela concorre com os semelhantes ou diferentes dela. Falando com o meio circundante sobre suas observações, seus desejos, recebe respostas, aquiescências, denegações, julgamentos. É por ocasião dessas trocas de palavras com o pai, a mãe, os familiares, que a criança ouve, a proferição e reproferição das proibições. É assim que a castração simbolígena volta a dar-se de uma ou de outra maneira, por alguém em quem a criança deposita confiança devido à sua pertinência ao grupo. Por aceitação destas proibições, a criança assume valor de elemento vivente do grupo.

Neste momento, torna-se insubstituível para a criança a frequentação do mundo extrafamiliar – sem que, para tanto, ela seja arrancada de seu grupo e sobretudo de sua mãe que é a garantia de sua continuidade vivente. Sobretudo no caso de um filho único, é a frequentação das outras crianças que vai lhe permitir entrar saudavelmente no Édipo, com o conhecimento, por parte da criança, de seu sexo, masculino ou feminino, segundo a comparação que ela poderá efetuar pela observação de outras crianças de ambos os sexos. Ela necessita, então, de respostas justas concernentes às suas observações, tanto das diferenças sexuais quanto das diferenças raciais ou sociais, relativas àquilo que ela observa das aparências e dos procedimentos dos meninos, das meninas, dos homens e das mulheres encontrados.

A criança desenvolve uma identificação com as crianças mais velhas de seu sexo e a experiência mostra que, quando estas, assim como os adultos que frequenta, receberam, por sua vez, a castração das pulsões arcaicas, ela se desenvolve saudavelmente no sentido de um Édipo conforme a moral em curso em sua cultura. Ao contrário, apresenta sinais imediatos de angústia diante dos adultos e os irmãos mais velhos cujas pulsões arcaicas são mal castradas, portanto mal sublimadas e que, por consequência, são atraídos pelas crianças, porque não deram fim à sua própria infância. Os prazeres que esperam do encontro com crianças e que, estas, presas na armadilha, lhes deixam tomar ou trocar com elas, não apenas não fornecem uma educação à criança, no sentido de uma iniciação nas sublimações das pulsões em direção à criatividade adulta, mas "seduzem" as crianças no sentido de um bloqueio repetitivo do prazer narcísico, que não desemboca na lei do benefício, e isto não apenas para o indivíduo mas para o grupo social de que ele faz parte. Muitas neuroses de crianças provêm do fato de estas não serem informadas a tempo dos direitos limitados com respeito a elas de todos os adultos, inclusive seus pais, familiares, educadores, e da sociedade em geral. Tudo é diferente para a criança se ela pode falar com confiança e receber informação de que houve transgressão de seus direitos, pela qual um adulto se tornou culpado em relação a ela. Esta única afirmativa basta para dar à criança a ordem natural de uma ética humana, ou seja, jamais detida por si mesma na busca da repetição de prazeres conhecidos. A ética humana é uma procura constante de superação. Daí por que, após a castração anal, a criança aberta à frequentação da sociedade fora da família, tendo entrado na afirmação de seu sexo à porfia com as crianças mais velhas, luta pelos direitos e prazeres do adulto, parente (ou educador) de seu sexo, mãe ou pai, relativamente a seu objeto preferencial, o outro genitor (o ser amado do educador).

É que a interdição do incesto está proferida (e, se for educada por outros que não os seus pais, a proibição de relações sexuais adultos-crianças), mas trata-se também, e sobretudo, da impossibilidade real que experimenta de ser bem-sucedido em suas artimanhas sedutoras no tocante ao genitor do outro sexo, assim como em face do adulto rival homossexual, que levam a criança a receber a *castração edipiana*. O fruto desta castração é sua adaptação a todas as situações da sociedade. A mais, as pulsões orais, anais, uretrais, que já foram castradas no momento do desmame, depois no momento da autonomia do corpo, vão metaforizar-se na manipulação dos objetos sutis que são as palavras, a sintaxe, as regras de todos os jogos (o que não quer dizer que a criança aceite perder e que não tente "roubar"). Enfim, os signos representativos dos fonemas – a escrita, a leitura –, os signos que representam os números, são sublimações, ou seja, frutos de todas as castrações anteriores e que assumem seu sentido na orientação do menino e da menina para uma vida genital futura, esperada como uma promessa e preparada pelo prazer de adquirir conhecimentos e poderes, técnicas, curiosidade e prazeres. Ao final do Édipo, a criança vive não mais para agradar ao pai ou à mãe, mas para si mesma e seus companheiros, colegas, amigos.

Após o Édipo

É o período de latência no qual ela entra, com todas as promessas de futuro para o tempo em que, com a puberdade, a maturação genital chegará. Uma castração que tem todas as probabilidades de ser bem-sucedida (na simbolização das pulsões castradas que se seguirá) é aquela que é dada em tempo, nem muito cedo, nem muito tarde, à criança, por um adulto ou alguém mais velho que a estima e que ela ama e respeita não somente em sua pessoa, mas de tal modo que através dele a criança sente que seus genitores são respeitados.

Admitamos que, para uma criança, cada castração tenha sido dada a tempo, com um comportamento casto, por alguém cujas proibições são dignas de crédito devido ao próprio fato de que os comportamentos deste homem ou desta mulher proibidores estão conformes a seus dizeres.

Os frutos da recepção do dizer castrador, de início, sempre penoso de ser aceito, são, após a prova, a renúncia aos atos proibidos pelos quais a criança gostaria de obter um prazer ainda maior do que aquele que já havia experimentado, ainda que o fosse apenas na imaginação, em projetos. É o luto na realidade de sonhos de prazeres que a criança reconhece como irrealizáveis para ela que ama o adulto proibidor e que deseja se identificar com ele. É a renúncia às pulsões canibais, perversas, assassinas, bárbaras etc.

Se quero resumir o que chamo de "frutos da castração" em uma ou duas frases, direi que é o destino dado às pulsões que não podem satisfazer-se diretamente na satisfação do corpo a corpo, ou na satisfação do corpo com objetos eróticos incestuosos. Tais pulsões são mantidas como proibidas – e há aí o fato de realidade promocional – pelo modelo que editou o dito da proibição, no respeito da humanização da criança. A porfia do modo pelo qual os outros que são valorosos na sociedade as empregam, estas pulsões entram, após um momento mais ou menos longo de silêncio, de recalcamento, naquilo que denominamos processo de sublimação, ou seja, a cultura. Para o corpo próprio é a comodidade, a graça, a destreza, a habilidade esportiva e a autonomia total; para o nível mental, é a comunicação na linguagem e a inteligência sobre as coisas da vida. Para as coisas do sexo, independentemente do interesse pelo prazer dos lugares erógenos sexuais e das atrações sentimental-sexuais, aos três anos, o orgulho que a gente tem do nome, do sexo, da pertinência ao grupo familiar portador, do prazer de juntar-se às crianças da mesma idade, é o sinal de que houve uma boa castração oral e anal.

As sublimações das pulsões genitais que vão ocorrer após a castração edipiana recebida entre seis e nove anos, no mais tardar, vão desenvolver-se durante a fase de latência, de oito-nove a doze-treze anos, em objetos extrafamiliares, para relações sociais de trocas segundo a Lei, e no esforço da criança para promover-se com vistas a uma puberdade que abrirá o caminho da adolescência, a qual remaneja todos os conflitos das castrações malsucedidas do sujeito *e* de seus modelos arcaicos, primogênitos e genitores. Mais tarde, após este período da adolescência onde todas as castrações devem ser consideradas e aceitas, porque são o preço a ser pago pela eclosão das potencialidades sensuais e criativas, sem descompensações patogênicas, os adolescentes, tornando-se responsáveis por sua palavra simbólica, sua pessoa, seus atos, plenamente assumidos na vida amorosa e social, fazem-se adultos, os iguais de seus genitores, quer estes entrando ou não no envelhecimento, por vezes com sua serenidade, mas também, por vezes, na decrepitude, exigindo assistência.

Esta apresentação, esta espécie de panorama que acabamos de esboçar das castrações humanizantes sucessivas, permite, sem dúvida, compreender melhor que falávamos de castrações "simbolígnas". É para esta noção fundamental – que iremos dirigir, agora, nossa atenção.

A NOÇÃO DE CASTRAÇÃO SIMBOLÍGENA

Da Palavra "Simbolígena"

Acrescentar o adjetivo simbolígena à palavra castração parece-me importante. Ele dá a este último termo o sentido que tem em psicanálise. De fato, a palavra "castração" significa em francês* a mutilação das glândulas sexuais, portanto um golpe físico, que torna irreversivelmente estéril o indivíduo castrado. Ora, a palavra castração, em psicanálise, dá conta do processo que se realiza em um ser humano, quando outro ser humano lhe significa que a realização de seu desejo, sob a forma que gostaria de lhe conceder, é proibida pela Lei. Este significado passa pela linguagem, seja ela gestual, mímica ou verbal.

A recepção desta proibição do agir, que ele solicitava com ardor, provoca, no sujeito que a recebe, um efeito de choque, o reforço de seu desejo diante do obstáculo, por vezes uma revolta, ameaçado como se sente pela anulação de seu desejo, diante da inutilidade total de perseguir o objeto.

Ele experimenta secundariamente uma inibição de efeito depressivo. É o trabalho do recalcamento das pulsões em questão: uma tensão recalcadora que, superando a renúncia ao objeto do desejo e às modalidades de sua satisfação, atinge o valor deste próprio desejo, e que pode conduzir à mutilação definitiva (de ordem psíquica) de suas fontes pulsionais. Devemos então falar de enfermidade traumática, de *mutilação histérica*, e não de castração no sentido psicanalítico. A confusão feita pelo sujeito entre a prova a ser suportada e o risco imaginário de mutilação, para seu corpo e a zona erógena envolvida no interdito, nos incita a conservar, em francês**, para este complexo, o nome de *complexo de castração*.

A fim de ilustrar o fato, poder-se-ia comparar o indivíduo a uma planta que, muito jovem, faz desabrochar sua primeira flor – acreditando ser ela a única que jamais há de ter. É então que o jardineiro a corta. Sabemos que a flor é o órgão sexual da planta. Se a planta pudesse pensar, julgaria, portanto, estar sofrendo uma mutilação de seu destino reprodutor. De fato, se o jardineiro cortou esta primeira flor, é porque ele sabe, agindo assim, que a força das raízes levará a planta a crescer mais; e que, pelo contrário, se deixasse este ramo já florido, empobreceria a vitalidade

---

* Como também em português. (N. da T.)
** Em português acontece o mesmo. (N. da T.)

da planta. A educação pelos seres humanos de um ser humano, criança em processo de desenvolvimento, corresponde ao que faz o jardineiro que entende do seu mister e que fornece à planta, supondo-se que ela possa se pôr a pensar, a prova da nulidade da glória associada a esta primeira floração, que ela imaginava ser promessa de sua única chance de fecundidade. Assim como para a flor, a castração é algo a ser sempre começado no ser humano. Quando as condições de relação emocional entre determinada criança e determinado adulto são ricas de confiança recíproca, um sentido humanizante aparece, pelo exemplo e pelos dizeres. A criança, à imitação do adulto que representa para ela a imagem concluída de sua pessoa futura, aceita dele aquilo que ele lhe impõe, porque deseja, para adquirir mais valor, chegar ao exemplo que ela recebe de quem lhe parece digno de crédito ou de quem comanda sua formação e que, ademais, tem pela Lei direito sobre ela. A verbalização do interdito dado a determinado alvo de seu desejo, com a *condição de que ela saiba de fato que o adulto é tão marcado quanto ela por esta proibição*, ajuda a criança a suportar a prova, e a confiança permanece no sujeito quanto a seu direito de imaginar o alvo deste desejo que o adulto proibiu. É, portanto, por proibição, que o sujeito desejante é iniciado na potência de seu desejo, que é um valor, ao mesmo tempo em que ele se inicia, assim, na Lei, a qual lhe dá outras vias de identificação com outros humanos, também marcados pela Lei.

Este fato acarreta um processo que se pode chamar de mutação para o sujeito e de reforço para o desejo. A Lei de que se trata não é somente uma Lei repressiva. Trata-se de uma Lei que, mesmo que pareça momentaneamente repressiva para o agir, é de fato, uma Lei promovedora do sujeito para seu agir na comunidade dos seres humanos. Não pode nunca ser a Lei de determinado adulto que a profere em seu proveito contra a criança. É a Lei à qual é submetido este adulto, tanto quanto o é a criança.

As pulsões assim recalcadas sofrem um remanejamento dinâmico e o desejo, cujo alvo inicial foi proibido, visa realizar-se através de novos meios, as sublimações: meios que exigem, para a sua satisfação, um processo de elaboração que o objeto primitivamente visado não exigia. É este último processo que traz, só ele, o nome de simbolização, decorrente de uma castração entendida no sentido psicanalítico.

Isto não significa dizer, no entanto, que a castração é igual à sublimação. *Uma castração pode conduzir à sublimação, mas pode*

64 A IMAGEM INCONSCIENTE DO CORPO

também desembocar em uma perversão, em um recalcamento de saída neurótica.

A perversão é uma simbolização; mas uma simbolização que não corresponde à Lei para todos: lei da progressão que, de castração em castração, conduz aquele e aquela que a experimenta a uma humanização tanto no sentido de criatividade quanto de ética. Pode ocorrer aí um desvio das pulsões para uma satisfação que não introduz a progressão do sujeito no rumo de assunção da Lei. É o que se vê no masoquismo[21], quando a castração conduz o indivíduo à negação dos processos vitais.

Supomos uma garotinha que reagiria à agressão que sofre por parte de um coleguinha, liberando suas pulsões agressivas pelo grito. Se a mãe intervier para contrapor-se a esta manifestação oral das pulsões agressivas da filha, zombando dela, como se ela se fizesse, ela, a mãe, cúmplice do garoto, a menina, cuja mãe é o modelo, pode chegar a sofrer a agressão como sendo aquilo que a mãe deseja efetivamente para ela. Ou seja, fruir de um sofrimento físico supostamente aprovado pela imagem concluída dela mesma que o adulto representa.

É assim que o Super"Eu" torna-se perverso, masoquista, hipocondríaco (quando é introjetado) ou masoquista na relação com o outro ou autodestrutivo (acidentes repetidos), ou desprovido de defesa humoral diante das agressões patogênicas. A castração é entendida por vezes – segundo o adulto que a dá, segundo a criança que a recebe, sobretudo segundo o casal parental, exemplo de vida recebido naquele momento e promessa de futuro – como a proibição de qualquer desejo que tenha por objetivo o prazer, e como uma negação da justa intuição da criança no que se refere ao que é fruir de seu desenvolvimento físico, afetivo e mental. Existe aí um efeito simbolígeno perverso das castrações, e isto, com frequência, de modo completamente inconsciente da parte dos pais ou dos educadores que são a origem do fato. *Uma castração que induz ao desejo de se satisfazer no sofrimento, ao invés de se satisfazer no prazer, é uma perversão.* E também este o caso quando existe um efeito homossexualizante do interdito referente a realização incestuosa do desejo genital. A proibição da mulher que é objeto do sujeito criança-menino, seja sua mãe (ou suas irmãs), pode lhe ser comunicada e ser entendida por ele como proibição de qualquer mulher, sendo toda mulher propriedade do pai. Os comportamentos e enunciados de seu pai lhe proíbem, então, tentar atrair a atenção de qualquer mulher

21. Ver o caso de Léon, cap. 3, p. 240.

no meio familiar e social de seu ambiente. Assim, a castração que o pai impõe a seu desejo conduz o menino a orientar as pulsões centrífugas fálicas que se manifestarão nele no sentido da busca de um homem e não de uma mulher.

Repetindo, *castração não é exatamente sinônimo de sublimação. Se existe sublimação, é porque, não obstante, houve uma castração,* que sustentou a simbolização das pulsões no sentido linguageiro para a busca de novos objetos de uma maneira conforme às leis do grupo restrito familiar e do grupo social, e porque o sujeito encontrou um prazer maior no jogo e na consecução de suas pulsões, evitando o setor de realização obstruída pelo interdito. O fato da castração dada e recebida ter ocorrido não assegura que o processo resultará em uma simbolização "eugênica", fonte de novas simbolizações, excluindo uma simbolização que irá bloquear-se e que deve ser considerada "patogênica". Uma simbolização patogênica suscita uma direção perversa na consecução do desejo. O sujeito pode, então, ser iludido pelo prazer que descobriu, por exemplo, em um objeto de fixação que traz um prazer intenso e repetitivo, onde o narcisismo vai se prender, já que a busca de seu desejo está detida no corpo, lugar parcial ou total do gozar, mas objeto para a morte.

Toda minha pesquisa referente às perturbações precoces do ser humano aplica-se à decodificação das condições necessárias para que as castrações dadas à criança ao longo de seu desenvolvimento lhe permitam o acesso às sublimações e à ordem simbólica da Lei humana. É esta ordem simbólica que promove tal espécime humano, nascido de homem e mulher, dotado de um corpo masculino ou feminino, a tornar-se sujeito responsável em uma dada etnia, ao mesmo tempo que testemunha de sua cultura, e ator do desenvolvimento desta cultura em dado lugar e em uma época dada. Ao longo da evolução de um ser humano, a função simbólica, a castração e a imagem do corpo estão estreitamente ligadas. A função simbólica, da qual todo ser humano é dotado ao nascer, permite a um recém-nascido se diferenciar, como sujeito desejante e nomeado, de um representante anônimo da espécie humana (a que, no entanto, ele se reduz no sono profundo, no momento onde o sujeito do desejo não está em relação com um objeto na realidade).

É graças à castração que a comunicação sutil, à distância entre os corpos, se torna criadora, de sujeito a sujeito, através da comunicação, através da imagem do corpo atual e da linguagem, ao longo de cada estágio evolutivo da libido.

A castração é geradora de uma nova maneira de ser em face de um desejo que se torna impossível de satisfazer da maneira pela qual ele se satisfazia até então. As castrações – no sentido psicanalítico – são provas de partição simbólica. Elas são um dizer ou um agir significante, irreversível e que faz lei, que tem, portanto, um efeito operacional na realidade, sempre penoso de ser admitido no momento em que é dada a dita castração. Mas elas são tão necessárias ao desenvolvimento da individuação da criança em relação à sua mãe, depois a seu pai, e a seus próximos, quanto ao desenvolvimento da linguagem.

O desmame do seio, por exemplo, separa a criança de sua mãe como alimento substancial, separando a boca da criança do seio aleitador. Mas o desmame, primeira castração oral, visa apenas uma modalidade de satisfação do desejo, enquanto parcial. O tato, o odor, o corpo a corpo para a mamadeira ou a alimentação de colher e o beber no copo permanecem; a mãe permanece objeto total da relação que a criança tem com ela. É verdade que o seio materno, no momento em que a criança mama nele pela última vez, este seio que é um objeto parcial de seu desejo (ao mesmo tempo em que é um mediador de sua necessidade), este seio que faz parte da mãe, é apreendido pela criança como pertencente a ela. A criança é, portanto, separada de uma parte de si mesma, algo certamente ilusório, mas isto ela experimenta por sua sobrevivência a esta prova, e esta experiência é simbolígena conforme o modo pelo qual a mãe torne o desmame promovedor na relação de linguagem, de ternura e de intercompreensão com a criança.

Então, o "circuito curto" do desejo de mucosa à mucosa, da boca ao mamilo, se transforma, em base de tensão, sofrimento, mal-estar ou falta, em circuito longo de comunicação, de psiquismo a psiquismo; comunicação mais estendida no espaço e no tempo, e mais sutil que o era a comunicação repetitiva no corpo a corpo das necessidades associadas ao desejo. Pode-se dizer que a criança submetida ao desmame do seio, do mamar (vaso comunicante, antropofagia fantasmática), erogeniza tanto mais o sutil que ela percebe na mãe. A erogenização do sutil, olfato, audição, visão, já é um simbolígeno mais linguageiro do que a do substancial, o leite deglutido, o prazer da sucção; pois o substancial está ligado à necessidade repetitiva em suas modalidades de prazer sem surpresa. No sutil, o cruzamento ouvido entre a voz da mãe e a voz de outras pessoas introduz a criança em novas relações, enquanto que na relação da boca com o seio, ninguém interfere. E graças às separações de efeitos simbolígenos

deste tipo, como o são as castrações sucessivas, que as zonas erógenas ligadas ao tato, antes da separação do corpo a corpo, poderão tornar-se lugares de desejo e de prazer, tanto recebido
quanto proporcionado a um outro, e sinal de aliança.

O prazer dado é, por conseguinte, sentido como uma descoberta, uma invenção, uma criação a dois, para uma conjugação
– através do corpo – dos psiquismos da mãe e de seu lactante. O
gozo se torna simbolicamente o fruto de um encontro simultaneamente imaginário e real, no tempo e no espaço, associado ao
corpo da criança em suas sensações parciais, mas também no
corpo inteiro, graças à presença sutil e expressiva da mãe: presença cujas modalidades de percepção permanecem na memória,
sem serem eliminadas, como é o caso do substancial.

Trata-se de uma modificação de valor simbólico, sempre
nova, da presença materna, e não de um desaparecimento do
objeto-mãe. De um refinamento do conhecimento que a criança
tem da mãe e de si mesma, no prazer de se recordar dela, de
esperá-la e de reencontrá-la, semelhante e surpreendente, em
alguma coisa, diferente. Em contrapartida, se o objeto desaparece
para sempre, a castração não é mais nem valorização do desejo,
nem portadora de vida conhecida, nem abertura para um chamado de comunicação inter-humana. É, após um certo tempo
de espera, um esgotamento do desejo e uma parada da dinâmica
do desejo, a mutilação da imagem do corpo que se desenvolveu
na relação do lactante com sua mãe; segue-se daí uma impossibilidade de simbolização de um elo desaparecido, portanto da
sublimação em relações sutis linguageiras que outras pessoas
poderiam ouvir. E é mediante isto que tais pulsões, bruscamente
desligadas da relação com a única pessoa pela qual a criança tem
percepção de seu próprio existir, retornam ao corpo da criança
tornado anônimo com respeito ao seu desejo. A criança regride
como que para "antes de seu nascimento", sem ter mais as referências de antes do nascimento.

É o autismo.

Pela castração simbolígena, ao contrário, a mãe, que desma-
mou o filho e constatou, através de seus gritos, o mal-estar que
ele sente em viver e em aceitar esta prova, esforça-se por consolá-
-lo. Tanto mais quanto, frequentemente, ela também sofre com
esta mudança de relação com seu próprio corpo e com seu bebê.
Ela inicia a criança de modo a sentir-se tão próxima dela e ainda
mais agradavelmente do que antes da privação, em troca humana
com ela. A mãe a inicia de modo a encontrar na comunicação
linguageira com ela uma introdução à atenção do outro: o pai,

os irmãos e irmãs, consoladores e interlocutores substitutos, aliados da mãe, que vêm revelar ao bebê um mundo social. Quando uma criança é sorridente, estende os braços, estando uma outra pessoa presente, que diz: "Como é bonzinho seu bebê, como é sorridente", esta pessoa o introduz a um outro que não sua mãe; de sobressaltos em sobressaltos, de pessoa a pessoa que o reconhece como alguém a comunicar-se, ele entra na comunicação com a sociedade. E assim que, justamente, o desmame, esta castração oral, é simbolígena.

A Angústia do Oitavo Mês

Daí porque, por exemplo, aquilo que denominamos "angústia do oitavo mês", que foi observada e descrita por alguns psicanalistas, não é uma passagem fatal, nem necessária mas provém, às vezes, do fato de a criança não ser suficientemente carregada ou deambulada em direção ao que a atrai, em direção àquilo que ela deseja tocar (dado que seu desejo de motricidade é imaginariamente mais precoce do que a possibilidade real de seu esquema corporal). A angústia do oitavo mês vem do fato de que o adulto não mediatiza no espaço os objetos que a criança vê e aos quais, ao vê-los, deseja, pelo corpo ou toque, sua preensão, aceder. É um sentimento de impotência que provém da falta de mediação pela mãe; falta a socialização da qual o bebê necessitaria naquele momento; então, ele se aborrece, algo definha por não se exercitar, algo de sua linguagem de desejo não é entendido.

Aproveitemos o fato para observar que, para que as castrações possam ter seu valor simbolígeno, é mister que o esquema corporal da criança se ache em condições de suportá-las. Nascimento, desmame, separação da instância tutelar bicéfala – feminina e masculina – que os dois pais formam etc., devem respeitar a integridade mais tênue, original, que especifica o contínuo narcísico da imagem do corpo do sujeito.

Uma criança que não atingiu sete meses de vida fetal não é capaz de suportar, sem cuidados particulares, o nascimento, de simbolizar através das trocas respiratórias a castração umbilical. Uma criança que não esteve ainda suficientemente com o corpo de sua mãe, não é capaz de suportar o desmame, sem regredir aos estágios mais precoces dos primeiros dias de vida. Há o exato momento para ocorrer cada castração; este momento é aquele onde já as pulsões, as que estão em curso, trouxeram um certo

AS IMAGENS DO CORPO E SEU DESTINO: AS CASTRAÇÕES   69

desenvolvimento do esquema corporal que torna a criança capaz de arranjar seus prazeres de outra maneira que não na satisfação do total corpo a corpo, o qual não é mais absolutamente necessário a este espécime da espécie humana que o organismo corpo representa, para que ele sobreviva enquanto ser da necessidade. Permanece o fato de que, a este organismo que faz da criança um ser de necessidade, é associado um sujeito de desejo.

O sujeito que, sem dúvida, está presente desde a fecundação, mas só se manifesta através de desejos. Tais desejos não podem separar-se imediatamente de sua conjunção com as necessidades. É a linguagem, no sentido amplo do termo e no sentido mais preciso de palavras, que constitui a mediação das evoluções que são as castrações superáveis.

Por exemplo, uma criança que atingiu a motricidade, a deambulação no quadro de sua família, perto do pai e da mãe, pode, se ela conhece a pessoa com quem troca de quadro, continuar a desenvolver a motricidade e a alegria de viver: graças a esta pessoa mediadora entre o espaço anterior e o espaço novo, ela ainda é imaginariamente de seus pais, sobretudo se esta pessoa lhe fala deles. Mas, se é bruscamente transportada para um outro lugar e por alguém que não conhece os pais, que não lhe fala daquilo que ela está vivendo e do sentido desta mudança, que não a associa às lembranças anteriores, então é um traumatismo psíquico que a criança vive. Ela detém seu desenvolvimento motor e só se enxerta no novo meio alimentador tutelar regredindo, perdendo aquisições, restabelecendo uma relação arcaica com o novo contexto. A separação, castração do desejo que estava engajado no amor das pessoas do meio anterior, não foi simbolígena, a separação foi traumática, há regressão, e a simbolização será retomada mais tarde. Mas, no momento, é um traumatismo[22].

Existe uma outra condição necessária para assegurar a dimensão simbolígena do processo de castração. Ela se refere às qualidades do adulto colocado em posição de quem deve dar a castração. Uma criança aceita uma limitação e uma temporização à satisfação de seus desejos, e até mesmo uma proibição para que nunca os satisfaça, se a pessoa que lhe faz a proibição é uma pessoa amada, a cujo saber e poder e ela sabe ter o direito de acesso. E este alguém, este adulto, só pode fazer a criança chegar à simbolização de suas pulsões se, concomitantemente com a

---

22. Trata-se de uma castração mutiladora da imagem do corpo dinâmica, ou seja, não-simbolígena.

castração que lhe proporciona, está animada de respeito e de amor casto pela criança a quem propõe limitações momentâneas ou proibições definitivas no tocante a determinado gozo parcial que a criança buscava. Cumpre ainda que este adulto seja, para a criança, o exemplo de um sucesso humano e da promessa de que estas mesmas pulsões poderão ser satisfeitas pela obtenção de um prazer bem maior, à imagem daquele que lhe fala e que a dirige. Este é então o modelo que a criança pode seguir, escutar, se ela quiser, simultaneamente, se desenvolver, estar no caminho do acesso ao falo simbólico, e ter a certeza de que seu desejo é valorizado, que o prazer é acessível e bem visto pelo adulto. Ela não sabe ainda como há de fazer para encontrar o caminho; mas, se aquele que a guia já o encontrou, porque ela mesma, escutando-o, confiando nele (e não se submetendo), não haveria de encontrá-lo?

É assim que uma castração efetivada conduz o indivíduo a ter maior confiança em si mesmo e a manter comunicação cada vez mais diferenciada com o outro, e isto, tanto por destreza crescente no manejo do vocabulário e, de forma geral, da linguagem, quanto pela habilidade manual que permite à criança uma atividade laboriosa, um *savoir-faire*, graças ao qual ela é capaz de trocas com os outros, pode ser apreciada pelos outros e abandonar, de patamar em patamar, a dependência para com os adultos tutelares familiares. Progredir de castração em castração é o meio de deixar o comportamento de impotência pueril a fim de passar ao de pré-cidadão em via de acesso a todos os seus direitos: sob a condição de pagar tais direitos com a aceitação das leis que regem aqueles em cuja escola a criança entrou por amor, ou seja, seus pais, seus educadores, assim como seus colegas de mesma idade e mais velhos. Este sentimento de promoção lhe permite deixar para trás o fruir da primeira infância, para chegar a uma fruição maior, o gozar de alguém mais velho do que ele. Existe naturalmente nas crianças o desejo de crescer, projeto incluso em seu organismo em crescimento. Esta esperança de não permanecer pequeno sustenta sua coragem diante de muitas decepções devidas à sua impotência na realidade, comparada às suas iniciativas criadoras. Infelizmente muitos adultos ainda se encontram neste ponto e reprovam, ou melhor, fazem a criança achar de maneira pejorativa seu descontentamento, desvalorizando-lhe o valor de sujeito em nome de seu corpo, o que é para ela vexatório. Compreende-se muito bem que, na criança em crescimento, seja sentido o perigo, por vezes, de retornar à fase da pré-castração, visto que, ao mesmo tempo, perderia as aquisições que, graças a esta castração, ela pôde obter. Antes de sentir-se absolutamente segura acerca das novas modalidades culturais adquiridas é perigoso para uma criança olhar para trás e identificar-se com o seu *self* de outrora.

É ao que correspondem as atitudes fóbicas de crianças que, colocadas em um novo espaço, se refugiam junto às saias de sua mãe, com uma mímica, de início, mais ou menos ansiosa, mas que podendo tornar-se gravemente ansiosa, sendo suscetíveis de chegar ao ponto de perderem a linguagem: pelo fato de que, justamente, é a linguagem que utiliza as pulsões orais de maneira civilizada, enquanto que a fobia projeta tais pulsões sobre a ideia de um perigo no espaço, que teria a forma de mandíbula dentada, destinada a devorar tudo ou parte do corpo de quem busca o gozo.

Quando, pelo contrário, uma criança atingiu o nível da castração anal, ou seja, já é capaz, por seu esquema corporal, de utilizar pulsões motoras completamente sublimadas na desenvoltura do corpo, uma desenvoltura em todas as modulações de suas pulsões de um modo já cultural, neste momento ela não mais teme identificar-se com ela mesma tal como quando era pequena. Aliás, é a idade em que as crianças não receiam cuidar dos pequenos, rir de suas gracinhas, e não sentem mais absolutamente ciúmes dos privilégios que são concedidos aos bebês por parte daqueles que os amam.

Inversamente, quando a castração anal é mal assumida, seja porque foi mal dada pelo adulto, seja porque o adulto que a deu em palavras não é um modelo a ser imitado pelo sujeito (se este adulto sentir-se ele próprio angustiado com seus próprios desejos), nunca aquele que ele educa poderá sublimar suficientemente, ou seja, falar, fantasiar "brincando", as suas pulsões anais. O adulto tutelar confunde o imaginário e realidade; ele não é nem tolerante, nem indulgente, nem permissivo em face de seus próprios fantasmas, que devem permanecer inconscientes, reprimidos ou recalcados, de suas pulsões orais e anais. É uma triste evidência constatar que numerosos são os adultos incapazes de proporcionar uma castração simbolígena dos estágios arcaicos, porque eles mesmos lamentam não serem mais crianças ou lamentam que seu filho cresça e experimente desejos de autonomia em relação a eles. Eles impedem a criança de elevar-se a um nível que lhe permita ultrapassar este estágio ético arcaico no qual ela teve de permanecer por um certo tempo, e do qual a idade a fará sair quase espontaneamente se ela tiver perto de si pais felizes, quero dizer, pais vivendo uma libido genital diferentemente do que em nível libidinal de consumo e trabalho (sublimação oral e anal). Na dinâmica familiar, é muito mais o inconsciente que é o agente da educação, bem-sucedida ou não, do que um saber pedagógico ensinado. (Fora da dinâmica familiar, a armadilha incestuosa não está mais diretamente presente).

Agora que explicitei o que entendo por castração simbolígena, estudarei mais detalhadamente como ela pode atualizar-se na historicidade da vivência da criança.

A CASTRAÇÃO UMBILICAL

O fato de o nascimento constituir, efetivamente, a primeira castração, no sentido que atribuímos ao termo, pode surpreender. No entanto, é o que mostrarei aqui.

O nascimento, sem dúvida, é de início, aparentemente, fato da natureza. Mas seu papel simbolígeno para o recém-nascido, é indelével, e marca com modalidades emocionais primeiras sua chegada ao mundo enquanto ser humano, homem ou mulher, acolhido segundo o sexo o qual seu corpo testemunha pela primeira vez, e segundo a maneira pela qual é aceito tal como é, frustrante ou gratificante para o narcisismo de cada um de seus pais.

O que separa o corpo da criança do corpo de sua mãe, e que o faz viável, é a secção do cordão umbilical e sua ligadura.

A cesura umbilical origina o esquema corporal nos limites do invólucro que é a pele, cortada da placenta e dos invólucros inclusos no utero e nele deixados. A imagem do corpo, oriunda parcialmente nos ritmos, calor, sonoridade, percepções fetais, se vê modificada pela variação brusca destas percepções; em particular, a perda, para as pulsões passivas auditivas, da dupla batida do coração que a criança ouvia *in utero*. Esta modificação é acompanhada do aparecimento da respiração pulmonar e da ativação do peristaltismo do tubo digestivo pelos quais a criança nascida emite o mecônio acumulado na vida fetal. A cicatriz umbilical e a perda da placenta podem, dada a sequência do destino humano, ser consideradas como uma pré-figuração de todas as provas que denominaremos mais tarde castrações (acrescentando ao termo o adjetivo oral, anal, uretral, genital). Esta primeira separação será, portanto, denominada castração umbilical. Ela é concomitante ao nascimento e é fundadora, nas modalidades de alegria ou de angústia que acompanharam o nascimento da criança em sua relação com o desejo dos outros. As modalidades do nascimento, esta primeira castração mutante, servirão de matriz às modalidades das castrações ulteriores.

O nascimento é acompanhado, graças às modificações fisiológicas que se operam no corpo da criança, de um grito sonoro pelo qual esta se manifesta, ao mesmo tempo que reage pela evacuação do conteúdo substancial intestinal no polo cloacal, enquanto que, anteriormente, era um feto centrado apenas pela saída umbilical, pela deglutição de líquido amniótico, e pela micção urinaria no líquido amniótico.

Ao mesmo tempo que a respiração e o seu próprio grito que ela ouve, a entrada em jogo do olfato (o odor materno) é inconscientemente o impacto primeiro, para o recém-nascido, de uma referenciação particular de sua relação com a mãe. A audição pré-natal ensurdecida desaparece, para dar lugar à audição intensificada das vozes já conhecidas: as do pai, da mãe e de seus familiares[23].

Esta perda de percepções conhecidas e este surgir de percepções novas constituem o que se denomina "trauma" do nascimento, que é uma mutação inicial de nossa vida, para todos, e que marca com um estilo de angústia mais ou menos memorizado, para cada feto que vem para a vida aérea, sua primeira sensação liminar de asfixia associada ao final dado ao elemento aquático quente e ao surgimento no mundo aéreo da força de gravidade. Modificações cataclísmicas, marcam, portanto, nosso nascimento, nossa primeira partição mutante, pela qual deixamos uma parte importante daquilo que constituía *in utero* nosso próprio organismo, invólucros amnióticos, placenta, cordão umbilical; parte graças à qual pudemos ser viáveis para um outro espaço que, ao nos acolher, nos leva à situação de retorno impossível ao espaço anterior, ao modo de viver e de gozar que havíamos ali conhecido.

Em vez do sangue placentário que alimentava passivamente a vida simbiótica do feto no organismo materno, e no ar, novo elemento comum a todas as criaturas terrestres, e cuja respiração pulmonar mantém o fluxo e o refluxo, poder-se-ia dizer que a vida carnal se enxerta. Com esta respiração aparece a modificação do ritmo da pulsação cardíaca que não é mais pendular, mas

23. É notável que estudos recentes provaram que *in utero* a criança ouve os sons graves, ou seja, as vozes de homens, e que o que ela ouve da mãe é o coração que bate, e um ruído semelhante àquele das ondas que rebentam na praia. Ela ouve a voz materna apenas se esta tiver intensidades graves. O mais curioso é que isto se inverteria após o nascimento, quando ouviria, então, sobretudo as frequências elevadas.

74 A IMAGEM INCONSCIENTE DO CORPO

é agora ritmado, como o era, na vida fetal, o coração de ritmo ondulatório da mãe. Sim: a criança recém-nascida perdeu, ao nascer, a audição de seu próprio ritmo cardíaco tal como ela o conhecia. Aparece também a sensação da massa do corpo, submetida à força da gravidade, e das modalidades de manipulação da qual ela é objeto por parte das mãos que a acolhem, como também o plano da cama ou o corpo da mãe sobre o qual a criança descansa. A luz ofusca sua retina, o odor de sua mãe preenche seu cavum, as vozes da assistência e os ruídos são ouvidos claramente, enquanto que, até então, as sonoridades do mundo eram percebidas apenas através desta parede de água e de carne, sobre este fundo onde o ritmo pendular rápido do coração fetal se cruzava com o ritmo, mais lento de dois termos e meio, do coração materno. Conforme as horas do dia, estes ritmos sincopados se alternavam com aqueles da marcha do corpo portador e com os ruídos de sua atividade de trabalho, marcadas por vezes pelas vibrações sonoras que as palavras, sobretudo as das vozes graves, masculinas, transmitiam abafadas até o ovo em que a criança se desenvolvia. À noite, era o repouso deste duplo ritmo auditivo, ao qual se acrescentavam o ressoar do sono materno e os sons dos movimentos viscerais da mãe adormecida.

Portanto, bruscamente, brutalmente, ela descobre percepções das quais não possuía noção até então: luz, odores, sensações tácteis, sensações de pressão e de peso, e os sons fortes e nítidos que ela havia surdamente percebido até então. O elemento auditivo mais marcante há de ser, pela repetição, o de seu nome, significante de seu ser no mundo para seus pais. Significante de seu sexo, igualmente, pois é a primeira coisa que ela ouve: "É um menino!", "É uma menina!", e as palavras que logo apareceram fundidas, dos assistentes, e as vozes dos familiares que a acolhem, as vozes que se aproximam, as vozes que se distanciam e, perpetuamente ouvidos, os fonemas das palavras "menino" ou "menina" acompanhados do nome através do qual seus pais a designam doravante. Este nome, e esta qualificação, a qualificação de seu sexo, são lançados por vozes animadas pela alegria ou pela reticência, exprimindo a satisfação ou não do círculo de pessoas ao seu redor, e descobrimos a cada dia como os lactantes guardam, "gravadas" qual fitas magnéticas em algum lugar de seu córtex, estes primeiros significados de alegria já narcisante, ou de reticência, senão de dor, e de angústia para eles já desnarcisante.

É a linguagem, portanto, que simboliza a castração do nascimento que denominamos de castração umbilical; esta linguagem vai repetitivamente marcar a audição do bebê como o efeito de seu ser no impacto emocional de seus pais, ao nível das sílabas sonoras, das modulações e dos afetos que ele percebe de maneira intuitiva, sem que saibamos exatamente como pode percebê-los. É como se todos estes afetos acompanhados de fonemas encarnassem um modo primeiro de ser narcísico.

As sílabas primeiras que nos significaram, são para cada um de nós a mensagem auditiva símbolo de nosso nascimento, sinônimo do presente no duplo sentido de atual e de doação e que é o viver efetivo para esta criança que, de imaginário que era para seus pais, se torna realidade. Realidade irreversível, feminino ou masculino, tal como é e será, como apareceu a todos, a seus pais e aos representantes da sociedade que a acolheu. É enquanto menino ou menina, com este ou aquele nome, que ela é dada de seu pai para sua mãe, recebida por seu pai de sua mãe, ambos a recebendo não apenas um do outro, mas de gerações anteriores que os colocaram no mundo e do destino que traz, ou não, para eles o nome de Deus, mas que, de qualquer forma, assinou a sua existência. E inexorável, é menina ou menino, é assim, é um fato fora do poder dos pais. É neste sentido que eles também sofrem, nesta situação, uma castração. Sua castração é a inscrição da criança no estado civil, que assina seu *status* de cidadão, na medida em que chega a seus pais. Que eles a protejam, ou que não possam protegê-la, é doravante encargo deles se puderem assumi-la; mas ela não lhes pertence inteiramente, já que é um sujeito legal da sociedade, sobre o qual seus direitos são limitados. E seu dever ilimitado!

Os projetos fantasmáticos de nome e de sexo são detidos pela fixação desta inscrição no estado civil, incluindo a pertinência a quem a reconhece legal ou bastarda, ou se recusa a reconhecê-la legalmente, ou mais ainda, afetivamente. Não existem mais fantasmas possíveis, uma vez que este ato foi realizado no cartório; a criança entrou em uma realidade da qual ela não poderá se libertar, a não ser segundo a Lei. A simbolização para o recém--nascido, assim como para os pais, desta castração do feto e com ele a dos pais, com o nascimento e a inscrição no estado civil, é sua adoção plena e inteira, afetiva e social, ou sua adoção reticente, significada pela maneira através da qual seus genitores decidiram inscrevê-la. Esta escritura cujo traço foi deixado no estado civil, junto a um patronímico, lhe dá por toda sua vida o significante maior de seu ser no mundo, aquele que seu corpo levará até a morte.

Há do que se espantar, mas no entanto é assim: o impacto sobre um recém-nascido, da audição e das percepções que ele tem da manifestação de alegria, coração a coração, de seus pais ou, ao contrário, da depressão na qual seu nascimento – porque pertence a tal sexo, ou apresenta este ou aquele aspecto – colocou um ou ambos dos pais, são sempre reencontrados nas psicanálises. O que quer que seja desta simbolização da castração umbilical, temos agora as provas formais, que ela pode delivrar à criança uma potência simbólica mais ou menos grande, segundo a maneira pela qual foi vivenciada pela mãe, no plano fisiológico, seu delivrar, ou seja, a expulsão da placenta por volta de meia hora após seu nascimento, e que foi vivenciada pelo casal combinado do pai e da mãe, a promessa mantida a seus olhos pela realidade em relação a seus fantasmas de genitura fecunda e viável na criança, menino ou menina. Eles podem se sentir preenchidos; mas o bebê pode não ser conforme aquilo que, em fantasmas, esperavam.

Existem, portanto, duas fontes de vitalidade simbolígena que promove a castração umbilical: uma devido ao impacto orgânico do nascimento no equilíbrio da saúde psicossomática da mãe, e neste sentido, do casal de cônjuges em sua relação genital; *a outra é o impacto afetivo que a viabilidade da criança traz, com mais ou menos narcisismo, a cada um dos dois genitores* que, em decorrência disto, vão adotá-la com as características de sua emoção do momento, e introduzi-la em sua vida como a portadora do sentido que ela teve para eles naquele momento.

Estas duas fontes de potência simbolígena, que resultam da *castração umbilical da criança* e da *castração imaginária dos pais*, são bem visíveis quando uma ou outra dentre elas foi cessada no momento do nascimento. A morte ou a morbidez da mãe marca de modo indelével, com culpa inconsciente de viver, qualquer criança que pareceu, por seu nascimento, ter sido responsável, para seu pai, por um efeito patogênico ou mortífero sobre sua genitora. Da mesma forma, quando o sexo e a aparência da criança decepcionaram profundamente, simultaneamente consciente e inconscientemente, um ou outro de seus pais, ainda mais se forem os dois, o viver é para ela fundamentalmente ligado com seu nome, a uma culpa: linguagem inculcada no sujeito referente ao viver de seu desejo em seu corpo. É o que encontramos no caso de psicoses precoces que nos chegam para cuidar, ou a deteriorização dos meios de comunicação do desejo é, como podemos ver, a de uma ordem simbólica precocemente perturbada.

Não é, contrariamente ao que poderíamos pensar, o fato da morte ou da hemorragia pós-natal da mãe por exemplo que, tendo o impacto indelével sobre a organicidade da criança, provocou o estado psicótico. Pois o fato, é o que pudemos constatar no plano da realidade, e o que prova o tratamento psicanalítico, é que é o elemento psicogênico que esteve em jogo na proibição de se desenvolver. A análise deste nascimento, e a revivescência desta prova em palavras justas, ditas tanto pelos pais quanto pela criança, na análise, são o que a delivra definitivamente das armadilhas que a retinham em uma proibição de viver por sua própria conta.

É a um nascimento catastrófico que imputávamos a perturbação precocíssima do mal desenvolvimento somato-psíquico da criança psicótica; e invocávamos, por vezes, uma encefalite passada despercebida. E no entanto, o fato de que a análise possa fazer sair a criança da psicose, prova que as perturbações não provêm de feridas físicas – de perturbações funcionais ou lesionais físicas precoces tendo perturbado o corpo do recém-nascido. As dificuldades de desenvolvimento foram, elas próprias, a expressão de emoções precoces e afetos partilhados com o meio sem que possam ter sido significados em palavras ditas a tempo à criança, tratando-se de palavras adoecendo o direito à vida simbólica da criança.

É, portanto, desde a castração umbilical que a angústia ou a alegria, na triangulação pais-criança onde circula a vitalidade dinâmica do inconsciente, marca de maneira simbolígena ou não o psiquismo de um ser humano, qualquer que seja sua organicidade. Trata-se de um acionamento da fonte dinâmica inconsciente que vai sustentar, de maneira rica ou empobrecida, o desenvolvimento da criança. Esta potência é ampla ou mediocremente delivrada ao sujeito, segundo o narcisismo pacífico ou conflitual dos pais; é o que o sustenta ou o entrava para ultrapassar as provas da mutação do nascimento e dos primeiros dias de adaptação à vida aérea.

É através das aberturas, os orifícios do rosto abertos às comunicações sutis centradas e convergentes para o cavum – narinas, orelhas, associadas às percepções óticas – que estes encontros são possíveis e simbólicos de seu ser no mundo.

Com esta simbolização fundadora do ser no masculino ou no feminino que segue o nascimento e a nomeação da criança, que esta entra no período oral. Então, aqueles que foram feridos em sua vida simbólica apresentam precocemente perturbações que concernem a estes mesmos buracos que se abriram às trocas substanciais com o mundo exterior no nascimento, a saber: a entrada do tubo digestivo, ligado na cabeça, ao cavum, e na ba-

78 A IMAGEM INCONSCIENTE DO CORPO

cia, a saída do tubo digestivo, onde os excrementos sob as duas formas, líquida e sólida, são estreitamente ligados pela contiguidade táctil ao desenvolvimento das sensações genitais.

Não estaríamos na realidade clínica se não acrescentássemos que o efeito sobre a frátria mais velha do nascimento de uma criança e de suas condições, tanto sobre a saúde da mãe quanto sobre a alegria ou a tristeza que o sexo da criança trouxe ao lar fazem também com que esta criança traga ou perturbação ou alegria a seus irmãos ou irmãs mais velhos, e que ela receba em contragolpe uma potência ou um empobrecimento de viver. Sabemos o quanto a desilusão que provoca o sexo de um irmãozinho ou de uma irmãzinha pode trazer desestruturação na confiança que uma criança mais velha tem em seus pais, quando ela ainda não atingiu a idade de compreender que estes não são onipotentes a ponto de poder dominar a realização de seu desejo quanto ao sexo da criança e colocá-lo no mundo[24].

Sabemos também o quanto a rivalidade fraterna pode adoecer a potência simbólica de um bebê, em virtude das pulsões de um irmão mais velho que se recusa admitir no lar a existência de um irmão mais novo. Ao nível do irmão mais velho, tudo o que ele vive de dramático na ocasião do nascimento de um segundo irmão pode ser substituído em sua situação edipiana. O sexo do recém-nascido põe em jogo aquilo que lhe falta, e, portanto, este recém-nascido, menina ou menino, se torna para ele, o responsável, o culpado. O nascimento de um bebê em uma família desperta as castrações dos mais velhos.

Separação da placenta, momento simbolígeno do nascimento, importante para todos os humanos. Este fato, até então, passou despercebido; mas desde que a medicina salva muitos recém-nascidos, observamos o quanto este momento da acolhida social e suas modalidades tais como são vivenciadas, são importantes para o futuro do desenvolvimento somático e emocional[25].

24. Ver o caso de Pierre, p. 204.

25. A importância da castração umbilical parece ser melhor entendida atualmente, quando os estudos sobre o parto fisiológico das mães resultou em pesquisas sobre o parto sem violência. O decorrer da vida da criança prova que o parto sem violência, quando certas crianças de uma família puderam aproveitar deste, coloca-as ao abrigo das angústias existenciais dos pequeninos, que a maioria dos outros recém-nascidos conhecem. Estes estudos estão em curso, atualmente, em todos os países. E Frédéric Leboyer que, na França, está na origem destas pesquisas sobre o parto sem violência e sobre as estatísticas dos efeitos a longo prazo sobre as crianças provindas deste estilo de parto (ver também os estudos sobre a questão em *Cahiers du nouveau-né*, em Stock).

É assim que os perigos reais vividos por uma criança em decorrência de uma infecção do cordão, do umbigo, ou em virtude da angústia do parteiro em relação a uma ligação do cordão muito curta e o temor de uma hemorragia no recém-nascido, deixam traços indeléveis no psiquismo e a propensão à angústia do bebê mesmo que tenha se tratado apenas de temores antecipados e que não exista nenhum acontecimento na realidade para confirmar a inquietação destes primeiros dias. Tudo o que se refere à morbidez psicogênica, poderíamos dizer, vinda de angústias neonatais, se manifesta nas crianças – e algumas vezes mais tarde –pelo fato de que qualquer angústia que elas sintam provoca em torno do nariz e da boca uma palidez súbita, ao mesmo tempo em que um tremor visceral, ao que parece, frequentemente acompanhado de um acesso de febre emocional. Febre emocional porque aparece sem nenhuma outra razão nestes pacientes, crianças ou adultos, e desaparece quando, pela análise, pudemos colocar palavras sobre a angústia umbilical vivenciada durante os primeiros dias, os primeiros quinze dias da vida, antes que a queda correta do cordão tenha reassegurado parteiro e família e portanto a própria criança.

A CASTRAÇÃO ORAL

Segunda das grandes renúncias típicas impostas à criança, a castração oral significa a privação imposta ao bebê daquilo que é para ele o canibalismo frente à sua mãe: ou seja, o desmame, e também, o impedimento de consumir aquilo que seria veneno mortífero para seu corpo, ou seja, a proibição de comer o que não é alimentar, o que seria perigoso para a saúde ou a vida. Esta castração (desmame) quando é sensatamente dada, resulta no desejo e na possibilidade de falar e, portanto, na descoberta de novos meios de comunicação, em prazeres diferentes, com objetos cuja incorporação não é mais possível. Todos estes objetos são suportes de transferência do seio produtor de leite ou leite aspirado (mamado no seio ou no bico da mamadeira) para um prazer ainda maior, partilhado com o poder tutelar, com a mãe, o pai, os familiares.

O desmame, esta castração do bebê, implica que a mãe também aceite a ruptura do corpo a corpo onde a criança se encontrava, passando do seio interno aos seios aleitadores e ao regaço, totalmente dependente da presença física dela. *Esta castração oral da mãe* implica que ela mesma seja capaz de se comunicar com seu filho de outra forma que não lhe dando alimento, lidando com seus excrementos e devorando-lhe com beijos e carícias: através de palavras e gestos, que são linguagem. A castração oral seja da criança, do bebê desmamado, seja da mãe, ela também desmamada de sua relação erótica, doadora, com a boca da criança, como também de sua relação erótica táctil e de preensão do traseiro desta, se prova pelo fato de que a mãe tem, ela mesma, um prazer ainda maior de falar com seu filho, guiar seus fonemas até que estes se tornem perfeitos na língua materna, tanto quanto sua motricidade, naquilo que se refere a pegar e jogar os objetos que ela dá e recolhe, em um início de linguagem motora. A criança pode então simbolizar as pulsões orais e anais em um comportamento linguageiro porque sua mãe fica feliz ao vê-la capaz de se comunicar tanto com ela quanto com outros que não ela mesma; a criança percebe o prazer que a mãe experimenta ao assistir a sua alegria de se identificar com ela, em suas trocas linguageiras lúdicas com outras pessoas. São possibilidades de relação simbólica que esta castração promoveu no inconsciente e no psiquismo de seu filho.

Não se pode esquecer que o corpo a corpo de uma mãe com seu bebê é erotizante. É necessário, aliás, que seja assim: isto faz parte da relação mãe-criança. Mas o desmame deve vir e marcar uma etapa diferente, de mutação, de comunicação para o prazer, à distância do corpo a corpo: uma comunicação gestual que não é mais posse da criança, e que a deixa se identificar com sua mãe em sua relação com os outros e com o meio circundante.

O importante é, portanto, que ela deixe sua criança ser tão feliz nos braços de outro quanto nos seus, e que ela a deixe entrar no sorriso e na expressão linguageira (ensaios fonemáticos) com outros que não ela mesma.

De um ponto de vista pulsional, objetal, a castração oral é para a criança a separação de uma parte de si mesma que se achava no corpo da mãe: o leite que ela, a criança, tinha feito brotar dos seios de sua mãe. Ela se separa deste objeto parcial, o seio da mãe, mas também deste primeiro alimento láctil, para se abrir e se iniciar em uma alimentação variada e sólida. Ela renuncia à ilusão de canibalismo frente a este objeto parcial que é o seio da mãe. Ela reporta, por um tempo, se a mãe não estiver atenta, suas pulsões canibalísticas sobre suas próprias mãos, sugando seu polegar ou seu punho, com a ilusão de que assim, continua a estar no seio de sua mãe. Há um desmame fracassado, pelo menos em parte, na criança que continua a se iludir a respeito de uma relação com a mãe estabelecendo uma relação auto--erótica entre sua boca e suas mãos. É preciso compreender que o leite é, inicialmente, o leite da criança, com o qual está em comunicação, ao mesmo tempo que o faz brotar no corpo da mãe através de sua sucção.

Quando é desmamada, a criança é desmamada do alimento que ela mesma havia feito surgir na mãe e que era seu, ao mesmo tempo em que sua boca fica privada da relação táctil com o mamilo e com o seio, objeto parcial da mãe, mas que ela acreditava ser seu. E ela preenche o buraco aberto que a ausência do seio cria em sua boca, colocando ali o polegar. Ela tem um prazer desprovido de alimento, que é também prazer de se assegurar de que sua boca não foi embora.

É justamente sobre isto que faço pensar às crianças já maiores que sugam o polegar e que querem se "curar" disto; eu lhes peço para que reflitam: "Sugue teu polegar prestando bem atenção àquilo que sente. Será que é tua boca que necessita de teu polegar? Será que é tua boca quem está mais contente de ter o polegar, ou será que é teu polegar que quer estar ao abrigo na boca?". É extraordinário ver como elas se concentram sobre suas sensações e refletem a respeito. Elas compreendem que é o polegar e não a boca ou que é a boca e não o polegar: e neste sentido podemos lhes falar, justamente, do fato de que este polegar substitui o seio materno, e do fato de que não aceitaram, quando eram pequenas, serem privadas de mamar na mamãe, enquanto que, no entanto, elas eram suficientemente grandes para, naquele momento, falar e colocar em sua boca tudo o que estava à sua disposição, mas, eis que a mãe não pensou que elas eram suficientemente grandes para conhecer tudo, e não mais somente para partilhar com ela o prazer de estar no seio, e esta ilusão manteve aquilo que agora as incomoda, mas a que não conseguem renunciar nos momentos de cansaço ou preocupação.

Quando, pelo contrário, a separação do desmame é progressiva e o prazer parcial que liga a boca ao seio é conduzido pela mãe a se distribuir sobre o conhecimento sucessivo do tato de outros objetos que a criança põe na boca, estes objetos nomeados por ela a introduzem na linguagem, e assistimos, então, ao fato de que a criança se exercita, quando está sozinha e acordada em seu berço, em se "falar" para si mesma, inicialmente em balbucios, mais tarde em modulações de sonoridade, como ouviu sua mãe fazer com ela e com outros.

É neste ponto que vemos a simbolização em ação: se a mãe está atenta em colocar na boca da criança desde este momento (por volta dos três meses), durante os minutos que se seguem à mamada e precedem o sono, qualquer coisa que suas mãos podem pegar e que a criança põe na boca ao invés do seio. Se ela lhe dá as palavras que significam o que ela sente no tato, por exemplo: "é o chocalho, é frio, é metal, é osso, é teu ursinho de pelúcia, é tecido, é teu punho, é o dedo do papai, é a lã de tua roupa", todas estas palavras, quando a mãe não está presente, fazem com que a criança a rememore e procure repetir os sons que a acompanhavam, e que ela pode se exercitar a agir como a mãe o faz com os objetos miúdos de sua vida comum, a festejar fonemas, gritos, gestos e sorrisos alegres, a chegada do pai ou dos familiares, sem com isto provocar na mãe um sentimento de ciúmes ou de abandono. É assim que a linguagem se torna simbólica da relação corpo a corpo, circuito curto da criança com a mãe, modificando-se para circuito longo, através do sutil das localizações e do sentido destas palavras que recobrem as percepções sensoriais diferentes, mas todas "mãeficadas" pela voz da mãe, a mesma de que quando estava no seio.

O efeito simbolígeno da castração oral é, portanto, a introdução da criança enquanto separada da presença absolutamente necessária de sua mãe, na relação com outro: a criança chega a modalidades de comportamento linguageiro que lhe fazem aceitar a assistência de qualquer pessoa com a qual a mãe esteja em bons termos, com a qual ela mesma desenvolva possibilidades de comunicação, esboçadas com sua mãe ou seu pai e desenvolvidas com outros.

Devemos assinalar que, é somente após o desmame propriamente dito – desmame do corpo a corpo – que a assimilação da língua materna começa a se fazer, através de grupos de fonemas que acompanham sensações e emoções, as sensações tácteis devidas ao corpo próximo da mãe, as emoções por sua aproximação e por seu distanciamento.

É a época imprecisa da linguagem cujos frutos a criança não pode manifestar imediatamente. Ela só será capaz disto mais tarde, no momento em que descobrir o prazer de dominar o objeto primordial anal, ou seja, os excrementos, brincando com seus esfíncteres uretral e anal, brincando de guardar as matérias fecais ou rejeitá-las, sobretudo se for correspondendo ao pedido da mãe, e em produzir sons ou não, sobretudo sob o pedido da mãe, em seus jogos face à face, e mais tarde, em nomear através de fonemas seus pais, depois seus excrementos, frequentemente antes de nomear o alimento.

Primeiras palavras repetitivas de duas sílabas, que correspondem ao sentimento de existir da criança, quando está junto como um semelhante de sua mãe e duplo de sua sensação, através do que a primeira linguagem se inicia: Ma... ma... ca... ca...; é sempre ela-o outro, semelhante "parelho", que provoca um início do falar nestas duas sílabas semelhantes repetitivas. Os bebês começam quase sempre a falar desta maneira.

Acredito que, justamente, este duplo que ela é da mãe e esta simbiose seguida de díade, com os ritmos preferenciais em dois tempos, tudo faz, desta época, uma época de ritmo em dois tempos. Evidentemente, este fato tem sua raiz no coração e suas pulsações, mas sobretudo no fato de que é preciso ser duplo, se desdobrar com desprazer quando a mãe parte, se reunificar com prazer quando se reencontra duplo, e se redesdobrar repentinamente para que o simbólico advenha com a noção de sentimento diferente das sensações com a mãe e sem ela; sensações que são acompanhadas do prazer residual da subtração--de uma das sensações, a outra sendo levada pela mãe, e do reencontro que se acompanha de uma alegria adicionada, por ser também expressa pela mãe. É o conjunto desta metaforização das presenças de objetos parciais duplos, pela presença--ausência da mãe, que me parece explicar a silabização dupla que vai constituir os primeiros significantes entre as crianças e aquela que as alimenta.

É ali que o papel da mãe como iniciadora da linguagem é primordial, ponto este que não é suficientemente conhecido pelas mães e por aquelas que alimentam a criança. É importante que, após cada mamada, no momento em que a criança, muito animada, antes de adormecer, já gosta de entabular uma conversa – o que, para ela, é manipulação de objetos, e mirar-se no rosto de sua mãe – a mãe lhe nomeie todos os objetos que ela põe na boca, designe seu nome, seu gosto, seu tato, sua cor. A criança aprende a dar estes objetos à sua mãe assim como lhe daria uma colher de alimento. E a mãe ao devolvê-lo, se diverte com o jogo que consiste, por vezes, de repente, em jogar o objeto para fora do berço: exatamente como em sua boca, após um certo tempo de manipulação, de mastigação com as mandíbulas e a língua, ao desaparecimento pela deglutição do objeto no estômago; a metáfora do estômago, aqui, é o deslocamento do jogar para fora, fazê-lo desaparecer do berço. É uma alegria muito grande para a criança se a mãe recolhe, então, as coisas jogadas, justamente porque são coisas, não se tratando de objetos parciais de consumo. Não nos encontramos aqui na ordem anal do jogar; isto pode surgir, mas o jogar começa sobre um modelo da deglutição, do fazer engolir pelo espaço.

Assistimos assim uma criança desmamada desde duas ou três semanas – ela tem entre seis e oito meses, começa a ter dentes –com o advento dos frutos simbólicos de uma castração oral que se fez em um bom entendimento com a mãe. É a linguagem mímica, expressiva, modulada de maneira variável segundo as pessoas do meio, e segundo as sensações e os sentimentos da criança; assistimos na criança o advento de uma linguagem modulada, não ainda gramatical, que atinge a sua maior intensidade por volta dos dezoito meses. A criança se torna assim capaz de manipular as pessoas de seu meio à distância. Sua boca herdou sua destreza manual, que tinha sido valorizada pelos pais; sua língua manipula fonemas que são, para os pais, para o meio, como sinais de sentimentos, de sensações e desejos que ela quer lhes comunicar. É muito interessante o que se passa ali entre as zonas erógenas diversas. A primeira linguagem na qual as palavras não são ainda reconhecíveis, mas onde a intenção e a intensidade do desejo são reconhecidas pelo meio, promove na criança, se ela não estiver constantemente com seus pais, uma manipulação inventiva à distância, e, por vezes, uma manipulação dos objetos próximos, para fazê-los vir. Ela sabe muito bem, por exemplo, quando se entedia pela ausência da mãe, que, se ela fizer cair objetos, se fizer barulho ou gritar, isto fará com que o adulto retorne. E ela o faz como quando se puxa uma corda para fazer soar um sino! Para ela é a linguagem.

Se a mãe mantém trocas mímicas e verbais com seu filho, à distância, a criança goza verdadeiramente e aplaude com suas mãos: seja uma contra a outra quando já lhe ensinaram, seja pegando em suas mãos objetos e batendo-os como expressão de alegria, movimenta as mãos para cima e para baixo com força sobre um suporte fixo, como uma mesa. Ela dá gritos de alegria, está completamente feliz se a mãe acrescenta uma canção para modular com a criança a alegria que ela experimenta e manifesta batendo aquilo que ela manipula sob um ritmo que é seu. Ela bate segundo seu ritmo, a mamãe entra colocando palavras, por vezes modulando-as, e isto forma uma canção: é fantástico, tudo toma sentido.

Eis aqui, portanto, de que é capaz um bebê que ainda não anda, mas que nunca se desola quando sua mãe (ou uma pessoa amiga que a substitui) esteja presente ou não, à condição de que ela não esteja muito longe, ao alcance da voz. Ele não se entendia, porque os frutos simbólicos da castração oral já fizeram dele um indivíduo humano, que tem uma vida interior em relação com as alegrias de sua mãe, associadas às suas próprias alegrias; alegrias de sua mãe que são também para ele a certeza de que seu pai e os adultos do meio circundante de sua mãe estão orgulhosos dele; e, se existem irmãos mais velhos, ele está galgando os degraus que o farão igual a eles.

Eu estaria esquecendo um elemento que pode, por vezes, desempenhar um papel capital, se eu não mencionasse aqui o *aspecto olfativo de tudo o que está em jogo em torno da castração oral*. Pois, ao mesmo tempo que vivenciava a mamada, realização da necessidade, a criança experimentava uma satisfação erótica, simultaneamente olfativa e pseudocanibal, em decorrência da preensão do seio em suas mandíbulas. A criança, que não tem mais o seio e que é alimentada pela mamadeira, se acha submetida à ausência desta erótica olfativa que acompanhava seu canibalismo imaginário, enquanto que a preensão e a sucção, na ocasião do desmame do seio e da passagem para a mamadeira, continuam a lhe trazer além disto a satisfação que já conhecia anteriormente. O cavum e a boca da criança vão, é claro que de maneira inconsciente, servir à comunicação sutil com a mãe, à distância do corpo a corpo, ou seja, com a mãe como pessoa total e não mais como objeto parcial substancial.

É eletivamente pelo olfato que a mãe pode, de um objeto parcial mamilar, se tornar singularizada enquanto objeto total: porque, juntamente, o olfato não faz parte de um lugar específico para a criança. A sutileza do odor se espalha no espaço que a rodeia, a criança fica banhada nele, no espaço que rodeia sua mãe. O odor não é mais referido como pertencente a tal ou qual parte do corpo materno e, a zona erógena pituitária sempre associada a uma inspiração nasal, este odor deixado pela mãe só pode se ausentar da criança se esta for acometida de anosmia. É importante compreender que, não estando a necessidade de respirar submetida à temporização, o olfato acompanhará cada inspiração nasal. Portanto, o desejo e a discriminação do prazer devido à presença da mãe se fazem através do olfato, enquanto que a necessidade de respirar se satisfaz com qualquer ar vindo pela boca assim como pelo nariz, qualquer que seja o odor deste.

O desmame pode ser um acontecimento euforizante para o bebê e para a mãe se, sobre um fundo conhecido de comunicação substancial (ou seja, agora o mamar na mamadeira) e de imagem funcional de sucção (deglutição de leite e de alimentos líquidos ou semilíquidos antes dos sólidos, todos tendo um gosto diferente daquele do leite materno) a criança e a mãe conservam juntas o que permanece específico de seu elo psíquico, manifesto por sua presença conjugada. O odor do corpo da mãe próximo, sua voz, sua imagem, seu olhar, seus ritmos, tudo o que se destaca dela para a criança em seu regaço e que ela pode perceber em seu corpo a corpo é elo sensório-psíquico para o bebê; ao mesmo tempo, para a mãe, nada mudou em seu bebê, que não pega mais o seio, mas do qual ela admira todos os dias a graça e o desenvolvimento.

Inversamente, é preciso dizer, uma mãe que não fala com seu bebê ao lhe dar de mamar, acariciando-o constantemente, ou que ao longo dos cuidados, por depressão, se mostra totalmente indiferente, não promove na criança um desmame favorável à socialização ulterior, a uma expressão verbal e uma motricidade corretas.

Ainda menos uma mãe que após ter desmamado seu filho não pode se impedir de constantemente devorá-lo com beijos e realizar manipulações de carícias. Ela foi, ela mesma, a criança ferida por uma relação filha-mãe perturbada, a qual tenta desesperadamente curar. Seu filho é para ela, o fetiche deste seio materno arcaico do qual ela mesma foi desmamada de forma traumática.

A CASTRAÇÃO ANAL

Existem duas acepções do termo castração anal. A primeira, que se designa como um segundo desmame, é sinônimo da *separação* entre a criança, que se tornou capaz de motricidade voluntária e ágil, e a assistência auxiliar de sua mãe para tudo o que constitui o "fazer" necessário à vida no grupo familiar: é a aquisição da autonomia, "eu sozinho", "eu, não você". Esta castração assumida pela criança depende, é claro, da tolerância parental ao fato de que a criança, no dia a dia, desenvolve sua autonomia no espaço de segurança oferecido à sua liberdade atenta para o útil, o jogo, o prazer. A criança, se tornando sujeito, deixa de ser um objeto parcial mantido na dependência da instância tutelar, submetido à sua possessividade e à sua total vigilância (alimentação, o vestir-se, higiene, o deitar-se, deambulação).

A outra acepção do termo castração anal é – entre estas duas pessoas que são a criança tornada autônoma em seu agir e o adulto educador – a *proibição* significada à criança de qualquer "agir" nocivo, de "fazer" a um outro aquilo que ela não gostaria que um outro lhe fizesse. É o acesso ao dizer que valoriza o comércio relacional entre as pessoas reconhecidas como donas de seus atos, e cujo prazer está no fato de ser recíproco e livre. É neste sentido que a segunda acepção do termo castração anal está estreitamente articulada à primeira. Qualquer criança cuja mãe e pai não são castrados analmente dela e querem, através de seus propósitos ou agires frente a ela, lhe inculcar a proibição de prejudicar (enquanto que eles mesmos prejudicam a humanização da criança considerando-a um objeto a ser adestrado) significam em palavras o contrário do exemplo que dão. Eles não dão a castração anal. Adestram o animal doméstico. O sujeito é denegado ao invés de que as pulsões do desejo da criança sejam em parte obstruídas e em parte sustentadas na entrada na linguagem para um comércio de troca lúdica e socializada, com valor de prazer entre sujeitos.

Portanto, só podemos falar de castração anal se a criança for reconhecida como sujeito, mesmo que seu corpo seja ainda imaturo e que seus atos nunca sejam confundidos com a expressão do sujeito em si mesmo, na medida em que não adquiriu a total autonomia de sua pessoa no grupo familiar.

A castração anal, então, é a proibição de prejudicar seu próprio corpo, assim como o mundo inanimado e animado que rodeia o triângulo inicial pai-mãe-criança, através de atos motores, repulsivos, perigosos ou não-controlados. É, de fato e em sua raiz, a proibição do assassinato e do vandalismo, em nome da sã harmonia do grupo; ao mesmo tempo que a iniciação às liberdades e prazer motor partilhado com outro, em uma comunicação linguageira e gestual onde cada um tem prazer em se harmonizar com os outros. Este controle das pulsões motoras nocivas, esta iniciação ao prazer linguageiro de comunicação e ao controle da motricidade, na medida e no domínio da força, aplicada às atividades úteis e agradáveis, tudo isto permite ao sujeito advir à sua manutenção, à sua conservação, à deambulação no espaço, depois à criatividade de trabalho ou lúdica (portanto não somente utilitária). Ao mesmo tempo, a via permanece aberta a outros prazeres, a serem descobertos na ocasião dos estágios ulteriores, uretral e vaginal, que conduzirão, menino ou menina, ao estágio genital.

Os seres humanos, qualquer que seja a sua idade, são capazes de dar esta castração anal aos mais jovens, tanto pelo exemplo como pela palavra.

Por que a chamamos anal, já que tudo o que acabo de dizer parece marcar uma desprivação de prazeres agressivos motores que seriam nocivos para si mesmo ou para os outros, e uma iniciação ao prazer de uma motricidade controlada, assim como o comércio com o outro? É aqui que se situa, na criança de motricidade ainda imatura, a primeira motricidade da qual ela tem a prova que esta é a ela mesma agradável e que, em geral, esta motricidade dá satisfação à sua mãe, já que esta vem trocá-la e leva aquilo que a criança produziu. Após a sucção-deglutição, a motricidade expulsiva uretral e anal provoca sempre uma modificação perceptível para o olfato e, frequentemente, uma variação de sensações associadas com a relação com a mãe. Através de seus excrementos, a criança rejeita a mãe imaginaria incorporada sob a forma de um objeto parcial oral que, após o engolir que o fez desaparecer e, após seu percurso no tubo digestivo se anuncia para se exteriorizar no traseiro da criança. Ela comeu a mamãe por um prazer ligado ao canibalismo imaginário e explusa, agora, aquilo que, da mamãe, por prazer, se desincorpora dela em excrementos sólidos e líquidos. *É uma mamãe imaginária que ela toma e rejeita, que ela recebe e dá, enquanto que a mãe real lhe deu o objeto alimentar parcial e lhe subtraiu o objeto digestivo excrementicial.* Objeto visto pela criança, como apetitoso para a mãe, já que ela não tem ainda outra lógica nem ética que não uma lógica de incorporação de coisas gostosas: os excrementos da criança são valorizados enquanto objetos supostos de alimento e de prazer para a mãe. Quando o sistema motor se desenvolve e a castração oral foi simbolígena, os cuidados maternos de higiene da criança se acompanham de palavras, brincadeiras, de toda uma relação afetiva com a mãe, ao longo da qual se desenvolve dia a dia o esquema corporal. Mas o *esquema corporal se desenvolve cruzado com a imagem do corpo*: ligada à doação erógena excrementicial e ao prazer funcional da força muscular motora, prazer que é expresso pelo pulsar alegre de seus membros, seu corpo, sua boca, seus sorrisos, seus balbucios, seus sonhos, seus jogos sonoros, e os gritos, significando sua dor ou sua alegria para sua mãe.

É na ocasião destas brincadeiras motoras, do engatinhar, que a criança descobre, pelos seus deslocamentos e pelos deslocamentos de objetos a que ela submete tudo o que pode mexer ao seu redor, que sua motricidade se torna para a mãe em problema que ela procura resolver reduzindo sua liberdade ou, pelo contrário, suscitando possibilidade de deslocamento explorador cada vez mais extensos, que são possibilidades de comércio com a criança, fonte de palavras, de prazer, fonte de dor e de alegria, de restrições e de autorizações combinadas e significadas pela linguagem. *A castração anal se delivra, assim, progressivamente.*

Ela guia a criança no sentido de dominar, ela própria, sua motricidade, mas não somente a excrementicial. Ou seja, ela se torna continente quando chega ao domínio motor de si mesma, para um bom acordo com o código da linguagem motora dos seres animados do mundo exterior. *A castração anal só é possível, de uma maneira simbolígena que torna a criança laboriosa, quando existe identificação motora com o objeto total que representa cada um dos pais e dos irmãos mais velhos em sua motricidade intencional observável pela criança.*

Quando a simbolização da motricidade nos atos úteis e lúdicos não pode ser feita, por falta de iniciação, controle, palavras e vivacidade lúdica com o meio, a criança não pode sublimar o prazer ânus-retal, o único que lhe é deixado para ela mesma; e ela retorna a este por falta de deslocamento das pulsões anais, passivas e ativas, sobre outros objetos parciais, em outra parte que não em seu corpo, no exercício da motricidade, para uma maior comunicação com as pessoas sobre as quais poderia transferir sua relação com sua mãe. *Ela retoma, por falta de castração simbolígena anal, à comunicação liminar inicial que tinha com a mãe interior,* ou seja, brincar de reter, por constipação, ou de exteriorizar as fezes, eventualmente em diarreias, em todo caso, de modo incontinente, não dominado. E depois, ela se entedia, por vezes se excita por qualquer coisa, e de novo se entedia. A mãe permanece imaginariamente interior, ao invés de ser representada inconscientemente por todos os objetos exteriores que ela nomeou e que ela deve permitir manipular.

A constipação pode, portanto, ser um sinal de inibição da relação motora com o mundo exterior: porque a criança não foi iniciada nesta relação pela mãe, porque a criança está em má harmonia com ela, no que se refere à função excrementicial. Mas ela pode também se tornar diarreica quando os efeitos de uma excitação motora não podem se expressar de outra forma, e são recalcados no que concerne às ações de seu corpo esqueleto-muscular sobre os objetos do mundo exterior. As pulsões anais atuam então sobre a imagem primeira do corpo, ou seja, sobre o peristaltismo do tubo digestivo que se torna hiperativo, e cujo hiper-funcionamento produz a diarreia. A diarreia inicial é uma diarreia não-infecciosa; mas o tubo digestivo sendo submetido a uma superatividade, a luz do tubo digestivo, que não manipula mais um conteúdo digestivo rapidamente expulso, se excita por si mesma e provoca uma infecção por efeito de um peristaltismo no vazio, que leva à ruína da mucosa. É neste sentido a descoberta da senhora Aubry, nas pesquisas que ela fez em *Parent de Rosan* sobre crianças desta instituição de adoção. Quando enfermeiras discutiam perto do berço destas crianças abandonadas, sem pais, cuja imagem do corpo já estava reduzida somente à bola torácico abdominal e ao tubo digestivo, indo de um polo erógeno ao outro, e como não existisse linguagem dirigida à sua pessoa, as crianças tentavam se colocar em uníssono a esta linguagem violenta trocada entre desconhecidos que as angustiavam e sua reação era um hiperperistaltismo reativo que provocava diarreia. Diarreia a respeito da qual a senhora Aubry descobriu que era absolutamente amicróbica e que cessava se fossem dadas, seguidamente, duas ou três refeições para a criança, para preencher a luz de seu tubo digestivo: portanto, havia com o que ocupar sua excitação peristáltica e isto não provocava mais consequências patogênicas.

A diarreia é uma maneira de rejeitar um perigo materno imaginariamente incorporado. Ela significa talvez, do ponto de vista da criança, que, se ela expulsa demais, a mãe oral vai dar novamente pela parte de cima, levar objetos parciais para a entrada do tubo digestivo: já que ela expulsa, por baixo, a mãe "má" (esta qualificação se faz em função dos dizeres que concernem ao odor: "Cheira mal") este fato pode lhe fazer esperar que chegará pela parte de cima a mãe boa, o leite, a papinha; "Cheira bem". Aliás, é isto que se passou na experiência da senhora Aubry. Ela fazia com que fossem rapidamente dadas uma ou duas refeições a estas crianças diarreicas que eram anteriormente colocadas em dieta. É claro que não se deve fazer isto se a diarreia já é infecciosa, sendo o tubo digestivo atingido por atritos intrínsecos devidos ao peristaltismo exacerbado. Mas tudo isto prova pelo menos que, quando a diarreia se instala em uma criança colocada em um ambiente de grande tensão nervosa, é que ela não tem outros meios que não os digestivos para se manifestar. Se ela pudesse gritar, já seria um outro meio: o grito é a expressão de uma tensão, de uma supertensão buscando a comunicação com o outro. Se mesmo o grito não é ouvido por ninguém, e se não conduz ninguém a vir reassegurá-la e entrar em linguagem com ela, é então, sobre a mãe arcaica imaginária do tubo digestivo que ela dirige a atenção: porque ela sofre no interior de si mesma daquilo que, em seu tubo digestivo, é associado a esta mãe exterior que lhe faz sofrer através de uma tensão nervosa ansiógena.

Para melhor compreender esta dinâmica, podemos considerar o tubo digestivo da criança no mesmo modelo do que o dos vermes que vemos à beira-mar e que, em sua progressão, engolem areia e a deixam atrás de si, como se se alimentassem do meio que atravessam. No que se refere à criança, é sua mãe que passa em seu interior, da boca ao ânus: sua mãe, imaginária, sob forma de objeto parcial que ela absorve. E é a mãe exterior real – aquela que a acolhe e a aninha, que a reassegura – que em um fantasma alternado, dá à boca e pega no ânus. Quando a criança expulsa violentamente o conteúdo de seu tubo digestivo, é como se ela dissesse à mãe: "Encha-me por cima". Quer dizer que ela chama em uma comunicação. Ela gostaria de palavras, mas ela prefere o alimento a não ter nada, e é isto que ela expressa. É a presença da mãe simbólica que ela pede. E, se a mãe não compreende que é dela, de sua presença, de sua calma ternura que a criança necessita, se ela lhe dá apenas material digestivo, para beber e comer, aquilo que não é linguagem, tal criança, sempre vista por ela como um tubo digestivo, para o qual ela busca o que lhe falta e que expulsa o cocô do qual ela se apodera sem palavras, é inevitavelmente inibida no que se refere à sua iniciação à linguagem para o futuro. E isto intervém muito cedo. Quando a criança começa a falar, é que há nove meses que ela já é potencialmente falante, já que ela "engole fonemas". Ela os engolia pelas orelhas, ela deve devolvê-los pela laringe, e é a mesma coisa, analogicamente, para o sutil como para o substancial, é uma metáfora do que se passa no tubo digestivo.

Eu dizia, portanto, que a castração motora, que traz além da proibição do assassinato, da nocividade vândala tanto para si mesmo como para o outro, e para os objetos investidos pelo outro como sua posse, é uma parte da castração anal. E eu digo que todos os seres humanos, qualquer que seja a sua idade, são capazes de dar esta castração anal aos mais jovens, na condição de que, mais desenvolvidos que o sujeito a ser castrado, sejam modelos para seu devir, pelo desejo que o menor tenha de imitá-los, para se valorizar narcisamente, atingindo uma imagem mais desenvolvida e mais harmoniosa, mais adaptada ao grupo, do que já o é ela mesma. Esta vontade caminha no sentido de seu desenvolvimento em sociedade, para *o pattern* adulto do menino ou menina; pois ela tem, através da linguagem, o conhecimento de seu sexo, mas ela o tem também intuitivamente pelo seu desejo de imitar aqueles que ela sente como semelhantes sexuados, sem que saibamos muito bem como.

Caso de François

Receber a castração de um mais velho de outro sexo, sem que jamais esta castração seja situada a comportamentos de seu próprio sexo, pode fazer desviar o devir da criança.

"O primeiro estágio para me tornar como meu pai era ser minha irmã", dizia esta criança que foi obrigada a chegar até a tentativa de suicídio. Era um garoto de treze anos, inteligente, a quem foram necessários dois dias para sair do coma. Ele havia tentado se suicidar com uma faca de cozinha, abrindo a barriga. Ele aterrorizou o serviço de cirurgia ao dizer, quando voltara a si: "Mas por que, já que é preciso que eu o faça de novo!". É então que, repugnados, pensaram em recorrer a um psicanalista, e fui então chamada. Eu sabia apenas que ele tinha duas irmãs, uma um pouco mais velha do que ele, e a outra mais jovem, e que ele era o único menino. E foi isto a primeira coisa que ele disse. Ele mantinha os olhos fechados; esperei que ele os abrisse. Ele sentiu minha presença. Ele abriu os olhos, olhou-me, eu lhe disse meu nome e que eu era psicanalista, que tinha sido chamada pelas pessoas do serviço "pois levaram dois dias para reanimar você e suas primeiras palavras foram: 'Por que me reanimar, já que é preciso que eu o faça novamente'. Então, ponha-se no lugar dos médicos e cirurgiões que salvaram uma criança à beira da morte, e que esta lhes diz: 'Eu quero morrer'. Eles não compreendem, e é por isto que me chamaram, eu que sou psicanalista, para ver com você se você quer verdadeiramente morrer, ou se você deseja viver, mas não sabe como fazê-lo. Então, se você quiser me falar, você fará..." (ele havia fechado novamente os olhos) "... você fará um sinal com as pálpebras, já que não pode falar" (ele tinha tubos por toda a parte) "e se você não quer me ver, bem, eu compreenderei perfeitamente, não me faça nenhum sinal, e eu partirei. Você tem o direito de ter vontade de morrer, mas acredito que seria interessante que você compreendesse que existe para você, talvez, uma possibilidade de viver, se você compreender as razões pelas quais você acredita que não tem mais o direito de viver".

Então, ele fez um sinal, repetiu duas vezes: abrir e fechar as pálpebras. Eu lhe disse: "Eu me chamo senhora Dolto, você se chama Fulano, e venho ao hospital às terças-feiras. Poderemos falar, mas será que você pode me dizer, já que você pode falar um pouco, por que é preciso que você faça isto novamente? – Eu nunca fui como os outros. – Bem, isto não me espanta, já que os outros são meninas e você é um menino!". Ele abriu bem os olhos, como se estivesse espantado com minha resposta. E eu: "Até terça-feira próxima!".

Foi um tratamento extraordinário, um tratamento relâmpago, em cinco sessões, uma por semana. Era impossível para este garoto atingir a maturidade: era uma criança que reivindicava identificar-se com um homem, mas estando o tempo todo fusionado com sua irmã, mais velha do que ele catorze meses. E ele chegou a esta tentativa de suicídio pouco após o momento em que sua irmã chega à puberdade. Em seis meses, ela se transformou, de criança se tornou moça, tem sua menarca, está mudada em relação a ele. E depois todos os meninos se interessavam por ela, chamavam-na ao telefone: e ele, seu irmão, sempre respondia: "Ela não está em casa". Ela nunca estava, supostamente, em casa, quando era a voz de um garoto que chamava e era ele quem atendia o telefonema.

Estas duas crianças nunca falavam uma da outra que não dizendo "nós". "Nós dois-Christine, dizia ele, queremos isto... pensamos aquilo...". E ela dizia: "Nós dois-François...". Nunca *eu*, nem de um, nem de outro; eles eram sempre "um e outro". Ele mesmo era anoréxico desde a idade de sete anos, mas nunca ninguém se preocupou com isto na família. Ele era longilíneo, muito magro, esportivo, ativo, muito adiantado na escola e os pais diziam: "Sim, ele nunca come gordura nem pão, nunca come açúcar, enfim, ele se alimenta assim desde a idade dos sete anos" –idade em que nasceu sua irmã mais jovem. E, a partir disto, ele me deu a chave, disse-me que era assim desde que sua mãe esperava o "fantasma"*... Eu lhe perguntei: "Mas o que é o 'fantasma'? – Bem, a senhora pode compreender, os bebês, quando nascem, se colocam de pé dentro do berço e mexem os tules. Então, eu o chamei de 'fantasma'. – Quem é o 'fantasma'? –Bem, era uma menina. – Sim, então é sua irmã? – Bem, não, a senhora compreende, se fosse um menino, eu poderia ter sido irmão, mas já que era uma menina... – Então, se fosse uma menina, você seria o quê? – Bem, é minha irmã (ele queria falar de Christine) que era irmã". Em sua ideia extravagante, ele teria sido irmão se o bebê que se seguiu a ele tivesse sido um menino, mas assim, ele não era nada, era Christine, como falsa gêmea dele, que era

---

* "Fantasma" é aqui a tradução de *Fantôme*, aparição, espectro. As aspas aparecem para diferenciar de fantasma, tradução *de fantasme*. (N. da T.)

"minha irmã"… e a mais jovem era o fantasma. De fato, era ele que se tornava um "fantasma".

Ele me conta ainda que, quando sua mãe esperava o "fantasma", o médico de família lhe tinha explicado: "A senhora deveria aproveitar deste fato para fazer com que seu marido faça um regime, porque ele está gordo e isto pode lhe causar problemas de coração". Tanto que, durante o período em que ela esteve grávida, seu marido, o pai de François, seguira um regime de emagrecimento. E François acrescentara: "A senhora compreende, o engordar das mulheres faz bebês, mas o engordar dos homens, lhes sufoca o coração".

É fantástico, tudo o que ele me pôde dizer em algumas sessões e, engordando… doze quilos! Na última sessão ele me disse: "O que é esta sua profissão… o que é preciso estudar para esta profissão? Eu gostaria de exercer a sua profissão! – É preciso ser, inicialmente, ou médico ou psicólogo, e depois fazer uma psicanálise e aprender esta profissão".

Então, ele disse: "Oh, sim, a psicanálise, eu sei, é uma história do complexo de Édipo. Sim, foi papai quem me contou isto" (Era a última sessão, sessão de adeus. Ele quis que seu pai estivesse presente). "Oh, era a história de um moço, ele estava sendo perturbado por um outro que fazia o tempo todo *Laïus* (discursos) (*sic!*) e ele lhe fez mal". Eu disse: "Sim, é mais ou menos isto, mas existe outra coisa. – Há sim, você sabe, intervém então o pai, eu disse a você que é porque o pai estava apaixonado pela mesma mulher que o filho (*ainda sic!*)".

Em todo caso, para retornar às dificuldades de suas identificações, se ele nunca mais tinha comido gordura, é porque ele gostaria de se tornar um homem e não queria ter gordura que se tornasse um bebê. Daí esta anorexia, que o levava até o desmaio. Algumas semanas antes de tentar o suicídio, ele foi escolhido como líder da classe na escola. Ele me explicou a este respeito: "Quando os garotos me escolheram, eu disse a mim mesmo: mas eu não sou uma menina, por que os garotos me querem?".

Quando ele me contou sobre sua perda total de apetite que fazia com que ele desmaiasse, eu lhe disse: "Isto começou como? Será que começou pela impossibilidade de comer, ou será que começou pela impossibilidade de fazer cocô? – É isto, é a impossibilidade de fazer cocô. A senhora compreende, eu estava cheio de pãezinhos em forma de supositório". (Tratavam-se de sanduíches que ele tinha denominado "em forma de supositórios" e que ele comia na escola como almoço). "Enchia-me completamente, e não podia mais sair porque eu tinha muitos deles. Então, eu não podia mais comer".

De qualquer forma, é extraordinária esta puberdade que ia acontecer e que provocava uma eclosão de todos os fantasmas infantis. Existia uma confusão de todos os orifícios com uma imagem do tubo digestivo como um "negócio" onde se amontoava tudo o que ele absorvia. Ele tinha a ideia de obstáculo por acúmulo. Aliás ele disse: "A senhora sabe, é como os canos quando estão entupidos; é preciso desentupi-los". E é por esta razão que ele tinha desentupido seu estômago através de uma abertura em seu abdômen com uma faca de cozinha. Ele precisava matar o "fantasma" para se tornar real. Em seu caso, a castração anal tinha lhe sido dada por sua irmã. Ou seja, foi com a irmã que ele se identificou no momento de poder adquirir o domínio motor de si mesmo e do mundo a seu redor, em uma espécie de falsa gemelaridade onde ele se acreditava semelhante a ela. Ele sabia bem a diferença sexual, mas não tinha a diferença de comportamento, até o dia em que o desejo dos meninos foi dirigido para sua irmã. Então, ele estava perdido, porque foi abandonado pelo seu "Eu" auxiliar. Ele não tinha real autonomia até então, a despeito de um desenvolvimento intelectual muito elevado e de um raro sucesso escolar. A castração anal tinha sido dada, mas a identificação masculinizante era impossível, e o Édipo foi vivenciado sobre uma tênue nitidez de imagem do corpo que não era a de um menino; era um desejante-ser-menino que tinha uma imagem do corpo assexuada ou feminina, tornada assexuada subjetivamente em função de ele ter percebido que não era feminino, mas ameaçada secundariamente (aos seus olhos) por feminilização quando a votação dos meninos de sua classe o tinha eleito como líder da classe: ele lhes agradava como sua irmã aos meninos.

Vemos, assim, como *a castração anal deve ser dada por aqueles que sustentam, naquele a quem eles a dão, o que chamamos de identificação com seu sexo*, o "Eu" Ideal da criança – ou seja, o modelo desejado, aquele com o qual ela quer se identificar – e que, por gestos e palavras, lhe proíbem comportamentos motores indesejáveis, *segundo as leis do grupo: comportamentos que o desejo lhe sugere mas que seria nocivo seja a ela mesma seja ao outro*. Decorre deste fato que, se às escondidas ou com o desconhecimento do adulto, a criança, curiosa por experimentar seu desejo, desobedece as proibições verbais que lhe tinham sido feitas e que não somente ela não experimenta nenhum estrago com isso, mas colhe apenas prazer sem prejuízo para o outro e para si mesma, ela descobre sozinha o meio de satisfazer seu desejo e, por isso mesmo, ela experimentou um poder que o adulto não acreditava que ela fosse capaz. É o momento mais importante na relação de educação do adulto com a criança entre dois e quatro anos. Quando esta transgressão motora tem referência na instância tutelar, esta deveria parabenizar a criança que lhe desobedeceu, ao invés de culpabilizá-la por ter desobedecido a um dito; já que este dito tinha por objetivo apenas protegê-la de um perigo real, e de forma alguma, torná-la dependente de uma palavra que proíbe a motricidade. Esta palavra se tornou obsoleta, já que ela não necessita mais desta proibição para estar em segurança, arriscando seu desejo. *Encontra-se neste ponto toda a dificuldade da educação da criança de dois a quatro anos, a quem se quer inculcar, porque é mais cômodo, que ele ou ela não deve desobedecer às injunções prudenciais da instância tutelar,* quando ela as transgride, e não lhe ocorre nenhum prejuízo devemos dizer: "Parabéns. Eu tinha proibido isto a você porque eu não o acreditava suficientemente grande para poder fazê-lo sem riscos, mas já que você é capaz, bem, eu te parabenizo, doravante isto lhe é permitido; mas não faça outra coisa, de que você não seria capaz, até o dia em que você se sentir capaz de fazê-lo, já que poderia te ocorrer este ou aquele aborrecimento. Cuide também para que uma criança mais jovem que você não o faça ainda até o momento em que ela seja capaz disto".

Se, pelo contrário, na ocasião desta tentativa de transgressão ou de uma transgressão consumada, a criança experimentou sua impotência por um prejuízo decorrente para ela, ou por uma nocividade não desejada enquanto tal em seu projeto de agir, a castração anal lhe ser redada através de palavras, ao mesmo tempo em que um socorro lhe deve ser dado ao seu narcisismo, por ter fracassado neste desejo de transgressão que era um desejo promovedor de identificação com o adulto. Vemos, em geral, a educação se fazer de forma completamente diferente. A criança sofreu o fracasso de sua tentativa de transgressão e o adulto, angustiado com o fato de que a criança tenha corrido o risco de um acidente ou tenha provocado um incidente, a agride por sua vez, e de uma maneira frequentemente sádica se regozija verbalmente: "Bem feito, você desobedeceu, é punido por isto[26]".

Esta maneira de dar a castração anal é completamente nefasta, desumana. Para a criança, lhe parece que é o próprio adulto que é, através de palavras mágicas, onde se expressa seu desejo,

---

26. Chega-se a dizer, até mesmo: "Deus o puniu".

o agente de sua desventura. É o adulto que quer, em sua ideia de onipotência, lhe impor uma impotência motora, que corre o risco de decorrer, agora, do desejo da própria criança, por identificação com o adulto, quando ela solicitará atingir um sucesso na realidade. É certamente necessário que o adulto verbalize o perigo real, a impotência na qual se encontrava a criança frente à ação que ela queria realizar. Mas o adulto deve explicar que a mesma impotência seria também o quinhão dos adultos se eles tentassem, em sua escala de comportamentos, tais como os que a criança tentou realizar fracassando. No primeiro caso, ele dá à criança a esperança de se identificar um dia com ele, desenvolvendo-se e observando as modalidades de seu agir; no segundo caso, ele dá à criança a prova de que sua impotência não é maior do que a de seus pais, se eles se tivessem que se haver, dentro de suas próprias condições, com os elementos em jogo nesta atividade perigosa. A castração anal põe a criança em segurança, sustentando sua liberdade de desejar e sua esperança de ser bem-sucedida.

A criança, por experiência, descobre que as proibições são asseguradoras a partir do momento em que, se ela as transgride, conduzem-na a um sofrimento real. É esta experiência que lhe dá confiança nos pais e em seus dizeres, limitando sua completa liberdade. De qualquer forma, é preciso saber que qualquer fracasso da criança é para ela uma ferida narcísica, ao mesmo tempo que o sofrimento que ela pode experimentar por um insucesso provocado por um desejo que ela voluntariamente agiu é da ordem da castração. É por isto que é importante apenas proibir de forma temporária tudo o que pode ser nocivo para a criança enquanto tal, mas que um mais velho ou um adulto poderá fazer e ser bem-sucedido, segundo o modelo da ética anal, sem riscos, quando ela terá a tecnologia desta. É necessário que seja sempre afirmado à criança que, com o tempo, paciência, observação, uma destreza mais desenvolvida, e a identificação com o comportamento dos adultos em quem ela pode confiar, sua perseverança e seus esforços serão recompensados: ela poderá aceder, um dia, à mesma potência que ela observa em seus pais, e talvez, até mesmo, a uma potência maior que a deles. Decorre de tudo isto que os adultos, pais ou não, capazes de dar a uma criança a castração anal com o máximo de eficácia simbolígena tanto para seu poder lúdico, laborioso, artístico e utilitário, quanto para seu sentido social e seu respeito pelo outro, são aqueles que não projetam uma angústia por qualquer razão sobre as ações dos pequenos pelos quais são responsáveis. São aqueles que estão prontos a responder às perguntas colocadas pela criança, sem ir além daquilo que ela pergunta; que estão aptos a ajudá-la criteriosamente quando ela se enerva e se desencoraja por não conseguir chegar a tal performance que ela solicita, em decorrência da falta do meio técnico adequado.

São aqueles também que sabem dizer não ao desejo de uma criança quando este vai de encontro à lei da não-nocividade, seja por exemplo, tirar posses de outros – afanar, furtar, roubar os objetos pessoais de outro na ausência do proprietário – seja por ações realmente perigosas para a sua idade. Quando falo que a criança deve aprender a respeitar o bem de outro em sua ausência, isto só é possível, se a criança possui, ela também, objetos dela, e se o adulto não se outorga o direito de atentar, na ausência da criança contra este bem. Vemos, por exemplo, mães ou pais que jogam fora regularmente certos brinquedos de seus filhos, sob o pretexto de que estão quebrados. Vemos também aqueles que confiscam brinquedos ou que obrigam a criança a lhes confiar o dinheiro que recebeu de presente. Eles não se dão conta de que, agindo assim, podam a possibilidade de respeito do bem do outro pela criança. Inicialmente, o despedaçamento de seus brinquedos faz parte do brincar da criança, e nunca nenhuma posse de um pequeno deveria ser jogada sem que este o tenha decidido por ele mesmo. Da mesma forma, nenhuma posse da criança lhe deve ser confiscada como punição. Se um objeto é retirado de uma criança só pode sê-lo porque este objeto é precioso realmente e para ajudar a própria criança, que corre o risco de estragá-lo e de lamentá-lo algum tempo depois, o valor do objeto ou sua segurança excluindo o fato de que se possa substitui-lo. Mas nunca: "Eu te confisco tua boneca porque você quebrou o jarro".

Uma criança de quem respeitou-se tudo o que ela coloca em sua caixa de brinquedos e que lhe é – por razões pessoais –completamente precioso, naturalmente respeitará os objetos pessoais do outro. Vemos que *a castração anal só pode ser dada se os pais realmente respeitam a criança e seus bens, se eles a educam confiando na inteligência e na vida a devir neste homenzinho ou mulherzinha, deixam uma margem larga para sua iniciativa*, reduzem dia a dia o número de proibições que lhe foram dadas, à proporção de seu desenvolvimento e das experiências adquiridas: por vezes, às custas de transgressões das injunções parentais, que são arriscadas, mas que se tornam sucessos quando a criança sai delas sem incidentes.

No momento destas transgressões bem-sucedidas, destas desobediências que lhe foram proveitosas, a criança está particularmente à espera daquilo que lhe será dito. Será que irão repreendê-la por ter desobedecido, ou ficarão orgulhosos com seu sucesso? Se o adulto reconhece que ele subestimou os poderes que se desenvolveram na criança e que continuou a proibir aquilo de que a criança era capaz, a criança terá ainda mais confiança neste adulto que estava atento a ela quanto à sua segurança, e não para mantê-la em dependência. Quando uma outra proibição lhe for dada, e se for feita, então, a referência a transgressões anteriores bem-sucedidas para especificar que no caso presente, a aventura seria muito arriscada, ou até mesmo catastrófica, para ela ou para o outro, a criança escutará e não desobedecerá.

Muitas educações, no momento da castração anal – portanto entre os dezoito meses e quatro ou cinco anos, no momento onde estão em jogo a motricidade, o valor da convivência no brincar com outras crianças, o valor de domínio corporal, fonte de prazer e de saúde – *são a origem de perturbações do caráter em família e em sociedade*. Estas perturbações são devidas seja à inibição, seja ao não-respeito de qualquer regra de conduta. A não-socialização da criança vem do fato de que os educadores não respeitaram dia a dia seus desejos de iniciativas motoras, ainda que estas não comportassem nenhum perigo real, simplesmente porque faziam qualquer barulho, perturbavam um pouco a ordem do espaço, e provocavam nos pais angústias fantasmáticas em nome das quais eles distribuíam imaginações proféticas de desgraça, ameaças de punições ou de tapas e surras: e isto, à mínima tentativa de transgressão de proibições absurdas e sádicas referentes a uma saudável promoção motora que honorificaria bem, antes, o juízo da criança.

Assim: a proibição de se sujar, a de fazer desordem, a de fazer barulho gritando, de subir sobre os móveis (basta fixá-los à parede), nos galhos sólidos das árvores, tocar em tudo em que o próprio adulto toca, observando bem como fazer para, por sua vez, se tornar hábil. A criança quer imitar os adultos, é seu dever, se ouso dizer; ela deve ser sustentada neste esforço no sentido de uma atenta solicitude. As mãos de uma criança, a partir da idade de vinte e dois a vinte e quatro meses, e seu corpo inteiro, podem ser tão hábeis frente ao mundo externo quanto as mãos e o corpo de certos adultos, mesmo que ela não seja ainda capaz de dominar seus esfíncteres por uma continência absoluta. Aos quatro ou cinco anos, educada sob confiança, a criança pode ser extremamente hábil se a tecnologia lhe for ensinada, e se ela tem a alegria de ajudar, por sua vez, o adulto, a cada vez que este a autoriza. O trabalho assim partilhado, a atividade motora com objetivo utilitário, as brincadeiras com os pais, qualquer atividade onde cada um tem seu prazer trocando palavras referentes ao que se faz e ao que se sabe fazer, tudo isto decuplica o prazer do agir na criança, e a prepara para uma progressiva e total autonomia por introjeção, dia a dia, de um *savoir-faire* em conjunto com a palavra e a amizade entre ela e o adulto, entre ela e as outras crianças que encontra, a amizade que a atividade partilhada lhe faz sentir.

Indiquei acima que *a castração anal devia sua denominação ao fato de que ela tinha sua fonte no funcionamento esfincteriano voluntário e seu domínio*, ainda que seu alcance humanizante vá bem além desta única aquisição que denominamos a da higiene e que concerne à conduta autônoma da criança para com suas necessidades, manutenção de seu corpo, continência inconsciente ao longo do sono profundo. Eu diria até mesmo que *esta aquisição, quando é muito precoce, longe de ser educativa, é mutiladora. Neste sentido, ela não opera como castração simbolígena*, abrindo à criança os prazeres da sublimação das pulsões anais. Como todos os outros mamíferos, a criança é capaz de chegar a uma continência esfincteriana espontânea, chegado o momento, quer tenha sido ou não solicitada pelo adulto tutelar. A continência esfincteriana é "natural" desde que o desenvolvimento neurofisiológico o permita. Que os adultos coloquem muito cedo e/ou muito intensamente a ênfase sobre a exigência do "tornar-se limpo" acaba por atribuir às necessidades um valor que só deveria ser dedicado ao desejo de comunicação e de trocas socializantes.

É assim que o comportamento dos adultos que mostram, eles próprios, o desejo de controlar as necessidades da criança chegam a perverter muitas delas, conduzindo-as a usar a retenção para agradar ou desagradar ao adulto exigente. É esta atitude valorizante do cocô pela atenção que lhe é dada, que suscita a manipulação dos excrementos quando estes são emitidos, a criança agindo então a exemplo do adulto que tem o prazer em lhe tirá-los... para brincar com, pensa a criança. Uma criança a quem nunca se pediu ou se exigiu excrementos não brinca com eles, e prefere brincar com outros objetos; a menos que ela nunca tenha brinquedos nem objetos à sua disposição. Ela pega isto, seus excrementos, porque é o primeiro objeto parcial (mãeficado) que ela pode encontrar em seu espaço; mas se ela tem brinquedinhos, objetos pelos quais ela se interessa por manipular, colocar na boca etc., ela não se preocupará com seu cocô. A criança não cria caso, se não for induzida por uma atitude valorizante cotidiana de sua mãe pelo conteúdo de suas fraldas ou do penico. Uma castração anal saudavelmente dada, ou seja, não centrada sobre o xixi-cocô, mas na valorização da motricidade manual ou corporal, deve permitir à criança substituir os prazeres excrementiciais (limitados) pela alegria de fazer, de manipular os objetos de seu mundo, tanto por seu prazer quanto para se promover pela identificação com os grandes e com os pais. As mãos são, de fato, lugar de deslocamento da zona erógena oral após o desmame. Elas agem como boca preensiva sobre os objetos: como os dentes, o pinçar das mandíbulas, os dedos se afundam nos objetos moles ao seu alcance, arranhando-os, despedaçando-os, apalpando-os, apreciando suas formas. Um bebê gosta de brincar de rasgar com suas mãos, com uma alegria lúdica. É aqui que se vê a utilização da "boca das mãos". Os bebês demonstram por vezes uma alegria transbordante quando chegam a este domínio sobre os objetos, sobre os elementos, a água, a terra; alegria humana de uma primeira demolição que para eles é uma obra, já que é a transferência, sobre objetos parciais agradáveis para as mãos, dos objetos parciais alimentares agradáveis para a boca. O desejo nunca é apaziguado por uma investigação táctil dos objetos. A linguagem do pai e da mãe concernentes a este tocar-em-tudo explorador traz uma segurança às primeiras manifestações de uma observação e de uma criação que são pré-laboriosas, enquanto que, para começar, esta investigação é aparentemente "descriativa", mais tarde, depredadora. É somente depois, após um certo tempo de exercício aparentemente destruidor, que a atividade manual se torna construtiva e aglomeradora, como, por exemplo, nos empilhamentos de cubos. Então, através dos jogos de deslocamento do desejo oral e depois anal, a criança se torna hábil e inteligente, observa as leis físicas segundo as referências sensoriais adquiridas pela experiência, e em particular as leis da gravidade que ela aprende a negociar.

São tais aquisições motoras e criadoras que ficarão em dívida nos casos onde se atribui ao "problema" do xixi-cocô, e da continência precoce da criança, um valor estúpido. A criança é sempre capaz por si mesma disto, a educação consiste apenas, sobrevindo esta continência, em depositar seus excrementos no lugar que é destinado para todos, crianças assim como adultos, no banheiro, e de se "virar" orgulhosamente sozinha, tão logo seja neurologicamente possível. Parece, de fato, para a criança, que os adultos que vão ao banheiro e se isolam ali, são possuidores de uma chave simbólica extremamente valorizada – na medida em que a criança não os acompanha ali. Fazer xixi e cocô no lugar reservado aos adultos e de modo a traduzir a continência, característica dos grandes, dá o direito de atingir a um nível ético que delivra, com a autonomia completa para as necessidades corporais, a marca da dignidade humana na sociedade.

É somente dentre as crianças das quais se exigiu desde muito cedo a continência, que vemos um atraso em relação ao esquema corporal na imagem do corpo. Pois é então para elas a única maneira de permanecerem sujeitos opondo-se às injunções apressadoras da mãe, e privando-a daquele prazer que ela tem – e que a criança sente como incestuoso oral e anal – em se ocupar com xixi-cocô e nádegas, esta região simultaneamente vergonhosa e sagrada, onde necessidades e desejo estão na origem de valores éticos contraditórios[27]. A criança do estágio anal se torna policiada para fazer suas necessidades, e continente durante o sono entre vinte e um e vinte e sete meses no mais tardar, à condição de que não tenha tido nenhum adestramento educativo, e que a educação em vista de uma promoção humana em todos os outros comportamentos – domínio motor, domínio sensorial com sua expressão nas trocas linguageiras, conhecimento ampliado do vocabulário, aceitação dos costumes e regras em sociedade, convivência com outras crianças – tenha sido o motor das instâncias tutelares.

A continência natural é sempre espontânea em uma criança educada em confiança, no respeito de sua dignidade de humano, em meio de maiores e de adultos aos quais está no direito de se identificar a partir do momento em que tenha a possibilidade neurológica, sem ser mal recebido: "Ah não, não você, você é muito pequeno!". Ela não sobrevém naturalmente nas crianças que, sob pretexto de que são pequenas, não podem satisfazer seu desejo de agir à medida em que o experimentam, da maneira pela qual elas veem os outros fazê-lo.

Uma criança que se tornou espontaneamente continente nunca perturba os adultos, a menos que estes sejam intolerantes às suas perguntas, aos seus pedidos, às suas tentativas, às suas iniciativas de ação. Seus pedidos que, por vezes, cansam os pais, são sempre inteligentes; os adultos, quando a veem impotente

---

27. Existem mães exibicionistas e *voyeuristas* que falam em público das nádegas de seu filho, e o despem para trocá-lo, em qualquer lugar, e na presença de qualquer pessoa.

para realizar um desejo, deveriam, antes, encorajá-la a retomar, mais tarde, a mesma experiência, do que lhe lançar: "Viu, bem que eu te avisei!". A maior parte das crianças são mantidas durante muito tempo em lugares públicos ou à mesa, por exemplo, para o prazer dos pais, em uma imobilidade que lhes é nociva. E estas mesmas crianças, em sua casa, não são ajudadas a se tornarem hábeis, enquanto que este é o desejo de toda criança. Sua inabilidade provém, frequentemente, ao mesmo tempo, de sua inexperiência, de sua falta de concentração, de sua observação insuficiente e, sobretudo, da falta de palavras explicativas vindas destes adultos os quais ela gosta de observar em suas atividades. A criança necessita de compreensão tecnológica, e portanto, de uma ajuda verbal dos pais lhe explicando que, se eles estivessem nas mesmas condições em que ela própria está, eles teriam encontrado as mesmas dificuldades que ela. Mas, ainda uma vez, só é possível chegar ali, neste prazer de "fazer" tecnológico com materiais ou objetos, pela sublimação do prazer excremencial, prazer que produzem, por si mesmos, os objetos parciais substanciais xixi e cocô, dos quais qualquer outro "fazer" é um deslocamento em seu interesse afetivo, ideativo e de linguagem no verdadeiro sentido do termo.

É verdade que desde o seu nascimento, seus excrementos são necessariamente objetos de interesse para os pais: já que é por sua emissão regular e seu aspecto satisfatório que o médico e a mãe julgam, com o funcionamento digestivo, a boa saúde do bebê. No mais, para ele, estes objetos de interesse excremencial foram confundidos tanto com referenciais tácteis em seu elo conatural com sua mãe, quanto com referências olfativas que ele experimenta mesmo quando ela está ausente, se ele defecou em suas fraldas. É ela que, pegando-as no decorrer de sua higiene, suprimindo portanto uma sensação táctil no traseiro do bebê, ao mesmo tempo em que ele percebe um odor característico, acrescenta apreciações mímicas (linguagem) que nunca passam despercebidas à criança. É a mãe que a inicia no papel de domínio manual que ela tem sobre estes objetos parciais de expulsão devidos à necessidade, e também ao papel que a criança, por seu domínio, pode ela mesma ter em relação a estes objetos que também servem ao desejo, e ao prazer que o excretar pode lhe trazer: prazer frequentemente solitário, após ter sido partilhado com a mãe.

São necessidades, eu o afirmei: mas é através de todas as relações com a mãe referentes a estas que o "fazer" inicia a criança, após o "comer", ao desejo. Com o desenvolvimento de seu esquema corporal a criança se torna naturalmente sensível àquilo que ela pode, com suas emissões, ou impedindo-as, experimentar como prazer local – ou prazer à distância pela manipulação do clima emocional do adulto frente a ela. O domínio lúdico de seus excrementos pode, de acordo com as exigências educadoras, se tornar uma troca valorizada com os outros, troca linguageira e comércio de objetos. Falamos muito – aliás, até demais – do cocô-presente: é muito particular a certas educações de bebês que são correntes entre nós.

Daí a importância do estilo de resposta que o adulto vai trazer neste sentido, sobretudo a mãe. Se ela parece dar tanta importância à recepção, à visão ou não-visão do objeto parcial excrementicial quanto à criança como um todo – tagarelando, sorrindo, manipulando os objetos e trocando-os com a mãe –, ela dá valor de linguagem às necessidades, os excrementos enquanto tais, enquanto se tratem de qualquer outra coisa para a criança. Ora, os excrementos enquanto tais, não podem ser um presente. Eles se tornam assim para a criança se a mãe se regozija com eles mais do que o faz com as atividades lúdicas manuais e vocais. O ânus torna-se, então, de certa forma, um substituto da boca, já que é o significado anal que para ela se acha valorizado. É assim que o cocô torna-se suscetível de se tornar – ou permanecer – o cocô-presente. Vemos, assim, mães que se regozijam, que contam para todo mundo sobre o xixi-cocô de seu filho!... E ele, já "pervertível", tenta agradar ainda mais à sua mãe "mostrando-se", exibindo seu talento. Traz seu penico à presença de todos, quando há estranhos presentes. Estamos exatamente no ponto onde a castração simbólica, e não a repressão pura, é bem-vinda: "Não traga isso, traga um brinquedinho, você nunca viu teu pai ou eu, trazermos nosso cocô para mostrá-lo a todo mundo". "Traga doces, mostre-nos os brinquedinhos que lhe interessam, venha para perto de nós se você quiser, mas então, faça como nós". É assim que a mãe ajuda a criança – que quer, por sua natureza sociável, se tornar interessante, tomar parte do grupo, se fazer nele admitir – a trazer algo na ordem social.

Este enorme valor que se dá ao cocô é completamente recente[28]. A importância do excremento dos bebês e crianças não existia antes da linguagem estritamente dita. Ela veio, em parte, sem dúvida, da "preguiça" das mães de limpar as fraldas. Quanto

---

28. Certos livros de conselhos às mães, escritos por "psi", parecem pensar que a admiração do presente fecal faz parte da panóplia das ações ditas de uma "boa mãe".

mais cedo a criança adquiria a higiene, menos elas tinham trabalho, em uma época onde não existiam máquinas de lavar, em que não havia colchão de celulose. É verdade também que era uma vantagem para a criança de não se molhar muito. Quando ela se molhava sentia frio; quando sentia frio, podia ter cólicas; existia ali todo um conjunto ansiógeno, tanto para o trabalho da mãe quanto para o risco em jogo. Quando eu era criança não existiam calças plásticas, havia fraldas de lã mas a criança molhada podia tomar friagem, e a mortalidade infantil era justamente o pavor das mães.

Não deixa de ser que, se os meios substanciais de troca permanecem de maneira privilegiada, estes objetos parciais uretral e anal que são os excrementos, e, na medida em que estes objetos parciais brutos são produzidos inconsciente e fatalmente pelo seu corpo, a criança estará habilitada para acreditar que sua obediência passiva ao desejo de dar seus excrementos no momento em que o adulto o quer representa uma relação inter-humana harmoniosa. Isto perverte aquilo que fará o sentido da criatividade na criança, e é uma deformação compulsiva, que, se ocorrer, faz da criança "a coisa" funcionante de uma mãe ansiosa quando ela não tem no penico aquilo que ela deseja ver ali.

Representa um prejuízo para a humanização futura de crianças cuja mãe acredita ter que consagrar, sob pretexto de educação, toda sua atenção para a obtenção de um adestramento: seja, após a aceitação do alimento tal como a mãe impõe, a excreção conforme a vontade da mãe. Qualquer adestramento é uma incitação perversa à passividade, a uma interparasitagem prolongada; a mãe reduz assim, pelo simples fato de suas exigências e da regularidade que ela quer impor aos ritmos das necessidades, o interesse da criança para a atividade lúdica motora, o acesso ao andar, a agilidade corporal e manual. Estas duas atividades exigem um relaxamento muscular que, obrigatoriamente, é fonte de "acidentes nas calças". A criança não está ainda apta, por insuficiência de seu desenvolvimento neurológico e anatômico (antes de vinte e um a vinte e oito meses), para controlar simultaneamente o que ela vê, o que ela ouve, o que suas mãos fazem de maneira lúdica ou laboriosa, e seus esfíncteres. Não lhe é possível, nesta idade, simultaneamente, "assobiar e chupar cana". Felizmente, as mães, em muitos casos, se cansam de não obter aquilo que querem, interessando-se também por todas as outras manifestações do desenvolvimento de seu filho, remetendo para mais tarde este adestramento esgotante para elas, e fonte ininterrupta de desavenças emocionais com o pequeno, se ele tem caráter: o que representa um melhor presságio para o futuro do que se for, neste sentido, obediente à sua mãe.

Para a criança de nove a dez meses, e não antes disto, a entrada no estágio anal ativo do prazer motor de todo seu corpo é o advir do desejo e do prazer das descobertas motoras voluntárias: inicialmente do tronco, dos membros superiores, depois da bacia, dos membros inferiores, que se tornam capazes de deambulação voluntária, sentados ou de quatro, de destreza manual cada vez mais satisfatória para ela. Enfim, a criança se dirige para o andar por volta de um ano, por vezes, mais tarde. Feliz da criança que descobriu sozinha o andar, e que nunca foi segurada em pé e, que ninguém nunca tentou fazê-la andar, como se vê frequentemente, muito antes que ela descubra suas possibilidades sozinha. É um momento de alegria extraordinário para uma criança quando, pela primeira vez, ela tem a revelação de sua possibilidade de avançar sozinha sobre seus dois pés; e, é certamente desejável que ela descubra isto sem a presença próxima do adulto.

De qualquer maneira, é por desejo de ir em direção à sua mãe, ou em direção de qualquer coisa que a atraia, que a criança realiza seus primeiros passos. Quando ela anda pela primeira vez, fica completamente surpresa. Se, quando começa a andar, surge um incidente, ela não pode recomeçar a fazê-lo antes de um ou dois meses, estando o incidente, associado, para ela, a esta descoberta.

Em minha experiência de mãe, eu estava na posição da mãe que, de uma maneira discreta, assiste a este acontecimento da verticalidade, e descobre no rosto de sua criança a surpresa. É emocionante assistir à extraordinária alegria radiante do homenzinho ou da mulherzinha que inventa novamente o estacar-se em pé.

A criança pode, então, se deslocar no espaço. Este deslocamento motor, que se efetuara, inicialmente, de quatro, ou sobre o traseiro, ela o repetirá de quatro, ainda que saiba andar; e é preciso que as mães compreendam a que ponto é necessário, para o desenvolvimento do tórax e dos músculos das costas, dos rins e dos ombros, que as crianças engatinhem o maior tempo possível, ainda que saibam andar de pé. Em seguida, a criança gosta de se utilizar de um suporte estável que ela empurra diante de si, e que lhe dá gozo e domínio de seu corpo, ao mesmo tempo que o prazer de ir em direção à mãe e deixá-la por seus próprios meios; ela mede assim, a seu bel-prazer, seu espaço de segurança, na autonomia que sua mãe lhe deixa, ela mesma reassegurada, para explorar o apartamento e o espaço ao seu redor.

O deslocamento de objetos externos, e seu deslocamento autônomo no espaço, é para a criança uma metáfora linguageira – na dimensão da expressão motora, graças às possibilidades de seu esqueleto e de seus músculos – do peristaltismo digestivo, que fazia avançar o objeto alimentar da boca ao ânus[29]. É o que explica que uma criança que anda sozinha pela primeira vez, largando qualquer apoio, retorne engatinhando até o lugar onde ela se pôs de pé e de onde saiu, e isto várias vezes antes de descobrir que ela pode andar para além dali. É preciso que a motricidade se tenha destacado de sua modalidade primeira, para que ela possa ser assumida enquanto prática de um sujeito motor, e não mais dependente das condições do espaço exterior[30]. É exatamente no início da marcha que assistimos a isto. Repetindo: as condições que acompanharam a marcha para o objeto são como a metáfora do peristaltismo que ia da boca ao ânus, e a criança retorna, portanto, ao lugar espacial onde ela descobriu a possibilidade de se dirigir e de marchar, para recomeçar esta experiência. A criança que descobre a marcha não pode imediatamente fazer a experiência ao contrário, ou seja, retornar de pé dali de onde veio, após alguns passos, ao cabo desta primeira audácia, quando caiu sobre o traseiro. Ela nunca se volta sobre si mesma para retornar, quando anda. Ela vai sempre em linha reta, ou seja, ela se desloca ainda por um certo tempo, em um espaço que poderíamos nomear como aquele do esquema oral (metáfora do trajeto de um buraco do corpo para outro).

As mudanças de plano, dito de outra forma, subir e descer, é uma nova descoberta que pode ser anterior à marcha e surgir desde a época do engatinhar. Mas a criança que subiu degraus não pode ainda descê-los sozinha. É também extraordinário assistir à experiência primeira de subir em uma escadinha que comporta grades dos dois lados, de lado a lado de um pequeno patamar; em si, é fácil descer, mas após ter subido por um lado, a criança quer descer por um outro, a cabeça na frente, o que provoca sua queda. Da mesma forma que ela não acredite possível, após alguns passos de marcha, voltar-se sobre si mesma e retornar andando, ela só pode descer recuando após um longo aprendizado. Existe um sentido na ordem das coisas. O outro sentido seria para ela desordenado. E como se ela andasse re-

---

29. Talvez isto explique a relativa anorexia de certas crianças, quando vêm a descobrir a marcha.

30. Certas crianças sabem andar em sua casa, não andando em nenhum outro lugar.

108 A IMAGEM INCONSCIENTE DO CORPO

cuando em suas primeiras descobertas da marcha. Isto lhe é impensável. É um pouco mais tarde, quando tem domínio da marcha, que uma mutação no comportamento do pequenino se opera, mutação que lhe faz desejar agir "sozinha" como o "fazem" os grandes, enquanto que anteriormente, ela se utilizava da ajuda dos grandes para "brincar" de fazer de conta de agir como eles. A partir deste momento, ela quer ser grande de verdade, e não fingir sê-lo. A palavra *grand* (grande), é balbuciada muito precocemente, pronunciada *dan* ou *tou seu*, torna-se sinônimo de promoção e de objetivo narcisante. "Olhe, mamãe, olhe, papai, eu grande, eu sozinho (*tout seul*)*...". É formidável ver este rosto, este orgulho da criança que quer tentar sozinha se superar, para conquistar sua identificação com os grandes. Suas tentativas para imitar os adultos e os mais velhos fazem compreender à criancinha, que é incapaz disto, que sua fraqueza refere-se à sua bacia e à falta de domínio de seus membros pélvicos. Suas mãos já eram investidas por uma oralidade transferida sobre objetos de agressão dental: despedaçar, jogar, deslocar, colocar junto, separar. São os pés, agora, que são investidos da agressividade e do tato reservados, até então, às mãos. Sabemos como as crianças gostam de explorar seus dedos dos pés, seus calcanhares, suas pernas e até a raiz de seus membros, a virilha e o sexo, o ânus, a região glútea. Elas gostam de se beliscar a si mesmas, e isto permanecendo como privilégio das mãos, originado, sem dúvida, no deslocamento do pinçar da boca sobre o das mãos, que, além disto, se abre e se fecha tal como um esfíncter graças à oposição entre o polegar e os dedos. As nádegas permanecem ainda como o privilégio das mãos do adulto tutelar, a criança não tendo, por vezes, o braço suficientemente comprido antes dos trinta meses para atingir todas as partes de seu corpo (é aos seis anos que a mão direita, passando o braço por cima da cabeça, pode tocar a parte inferior da orelha esquerda). Mas é também porque ela ignora a forma táctil que tem sua fenda das nádegas e a região anal que lhe é necessário descobrir. Também todas as manipulações de seu corpo deveriam ser acompanhadas de palavras designando as diferentes partes, o que já não ocorre quando a mãe, que a vê agir assim, a impede de se tocar. É desde as primeiras linguagens, do tempo onde ele tinha apenas alguns meses, por pouco que tenha conseguido pegar na região genital por acaso – quando suas mãozinhas eram ainda pequenas pinças que pe-

---

* *Dan* e *tou seu* referem-se à forma infantil de pronunciar as palavras *Grand* e *Tout seul* (grande e sozinho). (N. da T.)

gavam tudo o que achavam, e que puxavam aquilo que podia ser puxado – que o bebê, se não recebeu, então, tapas de sua mãe sobre as mãos, pôde situar ali sensações muito diferentes daquelas que podia ter em outra parte, e diferentes também daquelas que sua mãe, pela higiene, provocava.

Com a habilidade do estágio anal e o domínio muscular generalizado enfim advindos, a criança faz uma descoberta muito mais precisa do conjunto de tudo o que, de seu corpo, era conhecido por ela, no tato que, até então, era imposto por sua mãe. São suas próprias descobertas, agora, que são o centro de seu interesse. São-lhe necessárias palavras para especificar todas estas regiões de exploração sensível de seu corpo; e é necessário que estas palavras lhe façam compreender que ela é feita como todos os outros humanos. Pois ela necessita de vocabulário para conhecer a geografia de seu corpo, em particular a região uro--genital e o funcionamento excrementicial ativo e sensível, passivo e retentivo, funcionamento ao qual ela gosta de se entregar sem saber ainda colocar palavras sobre este prazer.

Suas expressões verbais: "xixi, cocô", são muito interessantes para ela não somente porque implicam o domínio da palavra (oralidade), mas também porque são valorizantes na realidade, a partir do momento que, ao dizê-las, ela pode também comandar seu traseiro. Trata-se aqui de um domínio referente às palavras e à função, enquanto que, quando a criança diz a palavra "comer", ela não pode ao mesmo tempo comer. Quando ela diz "xixi", ela pode fazê-lo ou não fazê-lo. Ela não pode comer ao mesmo tempo em que fala, mas pode defecar ao mesmo tempo que fala.

Aqui está toda a diferença entre a defecação e o que se passa na boca. E é também por isso que a interdição de falar a respeito conduz a criança a acreditar que querem lhe proibir sentir o que ocorre nesta região tão abundantemente inervada, e sentir a articulação inteligente entre, por um lado, o domínio a ser conquistado, a exemplo dos adultos e mais velhos, dos funcionamentos de seu corpo, com os prazeres que os acompanham e, por outro lado, os prazeres sensuais de um outro nível que não aqueles do comportamento promovedor.

Não podemos captar a importância que se deve dar ao colocar em jogo da castração anal, se não compreendemos que é ela que permite a obtenção de um domínio adequado e humanizado da motricidade, e isto ocorreria apenas sob a forma, entre outras, da aprendizagem da marcha.

O caráter decisivo – para o futuro da criança – da castração anal se refere, em uma palavra, àquilo que ela constitui como o desfilar que irá permitir (ou não) que sejam sublimadas as manifestações excrementiciais sob a forma do *fazer laborioso e criativo*. Ao mesmo tempo, a fase relacional da criança de quem falamos aqui é também aquela em que ela deve dominar sua motricidade, e onde lhe é preciso dar conta de comportamentos sentidos por ela como insólitos, os dos outros seres vivos, animais, adultos e crianças e que sua autonomia no espaço lhe faz encontrar, que lhe são inicialmente novos, estranhos ao seu mundo tutelar habitual. Até a autonomia deambulatória, ela observava sem riscos, em um nimbo de segurança familiar. Esta segurança que lhe falta agora, a criança necessita mais ainda do que antes de tê-la imaginariamente através de palavras guardadas na memória, suporte de ensinamentos que concernem aos novos seres que ela vai encontrar: palavras portadoras de conhecimentos tecnológicos sobre o mundo de que faz parte e que ela descobre dia a dia, palavras que a iniciam à manipulação das coisas por sua permanência na lembrança quando a presença tutelar lhe falta. Com estas palavras explicativas de que ela se recorda, é como se a presença tutelar fosse sua iniciadora ao comportamento dos seres e das coisas ainda desconhecidos por ela.

Estes ensinamentos vão lhe permitir considerar o espaço desconhecido a ser descoberto a cada dia, ou sustentar na exploração do domínio familiar, em todos os cômodos da casa, sem perigo fantasmático. Ela pode conquistá-lo graças a este saber verbalizado que lhe permite promover-se neste sentido. Então, ela se sente valorizada em suas primeiras provas narcísicas quando estas não são estigmatizadas enquanto "besteiras", e em seus sucessos reais a cada vez que ela pode agir assim como vê os grandes fazendo.

É fácil, nesta etapa intermediária entre o bem pequeno que ela é e o bem grande que ela deseja ser, introjetar o fracasso e o sucesso como efeitos mágicos devido à malícia das coisas, a um desejo de prejudicar criaturas animais ou vegetais, ou ainda coisas inertes, que a criança antropomorfiza sobre o modelo de sua mãe onipotente. A criança deste estágio projeta intenções antropomorfizadas de devoramento, ou de rejeição, ou de nocividade, sobre tudo o que lhe resiste, sobre tudo o que a angustia, com ou sem razão, em seus contatos com os objetos.

Exemplo: uma criança de nove meses que engatinha muito rapidamente recebe de seu pai, que a vê colocar os dedos em uma tomada, a proibição de fazê-lo; se o fizer, sentirá muita dor, e é completamente impedida por seu pai de colocar os dedos nos buracos das tomadas. Como qualquer criança de nove meses, esta procura, porque é inteligente, transgredir a proibição. E, em um momento em que não é vista, comete o ato proibido. Ela grita. Chega alguém. No dia desta experiência, felizmente, o estrago não é muito grande; mas a criança mostra a tomada e diz com terror: "Papai, ali!". Três dias mais tarde, seus avós vêm visitá-la, ela faz um sinal a seu avô para que a siga. Ela o antecede engatinhando. Mostra a tomada, de longe, dizendo novamente: "Papai, ali!". Em suma, a pessoa que enunciou a proibição está para ela presente ali onde, tendo transgredido a proibição, recebeu a descarga elétrica desagradável[31].

Qualquer ferida narcísica impulsiona a criança a se voltar para prazeres conhecidos, portanto, sem perigo para seu esquema corporal. Nesta idade, todos os prazeres corporais são essencialmente focalizados no cavum, na boca, no ânus, para o menino, o pênis, para a menina, a vulva e o clitóris; prazeres que se produzem por intermédio de suas mãos. Numerosas proibições de tocar objetos exteriores a seu corpo obrigam a criança a considerar suas mãos como perigosas; e, se lhe proibimos tocar seu próprio corpo, pode lhe ocorrer de se acreditar em seu corpo – todo ou parte – um objeto de perigo seccionável, e acreditar que seu sexo esteja em perigo por suas próprias mãos – as quais são em si mesmas inquietantes para certas crianças a quem se diz constantemente: "Não toque nisso!".

Sua vontade de despedaçar, de desmontar, de tocar em tudo, é uma maneira, para ela, de descobrir em si mãos capazes, a exemplo das dos adultos, de se ocupar com outra coisa que não sua boca, seu traseiro, seu sexo. Ela desenvolve uma habilidade manual, um conhecimento visual, auditivo e táctil dos objetos; ao mesmo tempo que, dominando-os, ela captura os perigos, experimenta o lado utilitário ou o lado agradável, em suma, ela se concilia com o mundo aprendendo a conhecê-lo para si, a torná-lo familiar para si.

Uma desventura técnica, quando coincide com uma reação de zombaria, de descontentamento ou de angústia do adulto, que acrescenta ao fato, por vezes, sentenças tais como: "Esta criança me mata", ou então, "Ela vai se matar", "Esta criança só faz besteiras", ou ainda, "Bem feito, assim você aprende o que é desobede-

---

31. É o que fazemos nós, adultos, quando, transgredindo a ordem das leis inscrita na realidade mal apreendida das coisas, pensamos "Deus ou os deuses estão se opondo a isto". Da mesma forma, quando nossos processos neuróticos atuam no sentido de nos levar ao fracasso ou à doença, buscamos o responsável perseguidor, o azar, em suma, o "inimigo".

cer", projeta repentinamente para uma criança precoce seu desejo nas dimensões desestruturantes de uma solidão petrificante em meio a perigos que estão sempre latentes sob qualquer atrativo, perigos que a ameaçam e com os quais os pais estão de acordo, portanto, cúmplices e, assim, perseguidores. Tais atrativos fazem surgir na imagem do corpo a imagem funcional motora. Inteligentemente utilizado, o desejo a promoverá a buscar um prazer que, se ela o obtivesse, a iniciaria a uma maior autonomia.

Diante de um fracasso, a criança tem sempre necessidade de palavras que lhe expliquem o fracasso deste, sem censurá-la, reconciliando-a assim com sua intenção, "desfazendo a mágica" do perigo que ela correu e que ela acreditou ter sido intencionalmente colocado ali por seus pais. É necessário estabelecer claramente com a criança a tecnologia de seu fracasso; tecnologia a qual os adultos são tão submetidos quanto ela, pois se tratam das leis da realidade das coisas.

Diante de seus fracassos, uma criança se sente humilhada a seus próprios olhos, e pede conforto, seja gritando, seja indo se queixar em um tom lamuriento e regressivo junto a sua mãe. Ora, frequentemente, a criança que vem pedir socorro aos adultos porque cometeu um desastre, enquanto que ela queria se promover, recebe o que não queria receber, colocações agressivas: "Cale-se, deixe-nos em paz!", ou ainda, o adulto a embobece por sua própria angústia, recolhendo-a em seus braços ao invés de recolocá-la diante do obstáculo, mostrando-lhe com suas próprias mãos, ou seus pés, explicando-lhe com ajuda de palavras, a maneira pela qual ela poderia ter tido sucesso em sua experiência. Acrescentamos ainda que se os adultos fazem por ela aquilo em que ela falhou, aquilo em que não foi bem-sucedida, é tão grave quanto não fazer nada a respeito, porque suprimimos o desejo da experiência fornecendo o resultado imediato. Daí decorre uma dependência ainda maior, enquanto que a criança tentava se tornar independente da mãe.

A partir do momento em que a criança, para seu prazer, gosta de ficar sentada manipulando pequenos objetos, mais tarde, quando deambula engatinhando, ou sobre seu traseiro, e ainda mais tarde, quando anda e gosta de explorar tudo, a maneira pela qual o adulto presente se comporta é determinante para o desenvolvimento desta criança. O papel desta presença adulta é o de assegurar a segurança no meio ambiente, a fim de que a criança se sinta o mais livre possível para agir como é tentada a fazê-lo. É necessária a desordem, os objetos desarrumados, aqueles que ela joga no chão e que ali devem permanecer. Tudo isto implica uma tolerância que muitos adultos não têm, sobretudo em pequenas moradias. E no entanto, se os adultos soubessem o quanto desperdiçam de inteligência sensorial e mental, de confiança em si e nos outros, não tendo a tolerância pelo barulho e pela desordem que fazem tantos bebês saudáveis quanto os pequenos até idade de três ou quatro anos, tenho certeza de que eles abandonariam os "chiqueirinhos" e as educações do tipo "não tocar" e que eles descobririam a inteligência precoce que se expressa na atividade contínua e aparentemente desordenada.

A presença do adulto ocupado com suas tarefas de casa e profissionais na medida em que vigie ligeiramente a criança, lhe permite dar a esta, por vezes perplexa ou descontente por não alcançar seus objetivos, uma educação tecnológica através de exemplos ou de explicações verbais; é suficiente que ele junte a palavra aos gestos eficientes, operacionais, que a criança quer observar.

É preciso também acrescentar aqui o encorajamento através de palavras amigáveis, sem angústia; e nunca causar medo a uma criança em relação a algo que ela tem vontade (a menos que seja um real e inevitável perigo). Deixá-la se dar conta de sua impotência e, diante desta, lhe prometer que, ao crescer, será capaz disto ou daquilo; mas nunca fazê-lo por ela, em seu lugar, nem iludi-la com uma ajuda física que a faz driblar a dificuldade.

É, portanto, muito importante compreender o que é a educação nesta idade. A higiene esfincteriana, naturalmente, faz parte disto, e todas as crianças cuja higiene esfincteriana não foi adquirida na idade de quatro ou cinco anos são crianças cuja educação motora não foi feita, mas sim "fingida", se é que se pode dizer assim, por uma atitude de ajuda grande demais e puerilizante. Decorre daí que se mantenham necessitados de ajuda por toda vida, ressentindo (a não ser durante o sono e nos momentos de desatenção) a uma época de sua vida em que não tinham o domínio de seus esfíncteres. De fato, a educação da criança pequena, a partir da idade do "tocar em tudo" que é a idade da marcha, resulta em supor o pedido: "explique-me como poderei fazer sozinho tão bem quanto você".

Este narcisismo que impulsiona a criança a se identificar com os adultos que ela admira se expressa pelo fato de que ela se tornou capaz de "se maternar" a si mesma quando tem fome, de se dar de comer, de se servir, de colocar algo para se vestir, colocar suas meias, ainda que ela não consiga afivelar seus sapatos, ou amarrar seus cadarços. Ela pôde se por ao abrigo de percalços para seu corpo, exatamente como teria feito sua mãe: ao abrigo das tensões, das necessidades quando, evidentemente, ela tem o que comer à sua disposição. Ela pode também ajudar uma criança mais jovem do que ela, mimificando o papel da mãe e do pai de maneira adequada. Ela se conduz então frente a este objeto humano de maneira a lhe evitar perigo e sofrimento (quando o ciúme foi superado, é claro, e sobretudo quando se trata de uma criança de uma outra família que lhe é momentaneamente confiada). Em psicanálise, dizemos que esta criança elaborou já um pré-super "Eu" referente a tudo o que se relaciona ao corpo e à sua sobrevivência, tanto o seu quanto o do outro. A não ser em estados emocionais perturbados, ela não pode ser nociva a um outro, não mais do que não pode se esquecer de se alimentar ou ir ao banheiro. Ainda mais, empresta a qualquer outro os mesmos desejos que os seus: o que provocará alguns incidentes bem úteis, justamente, no que se refere à mola da castração anal.

De fato, *a diferença entre o imaginário do fazer-com-um-outro* supostamente semelhante a si *e a realidade onde o outro não tem absolutamente vontade de se comportar como ela o esperaria instrui a criança a respeito deste fato: que seu desejo imaginário não corresponde ao desejo imaginário de outrem.* Se o outro recusa-se a ser seu objeto, ou seu colaborador, por exemplo, para brincar com ela, ela experimenta uma decepção com isso. Mas se a instância tutelar lhe explica que cada um tem seus desejos, e que quando os desejos se encontram é que há prazer para os dois, ela terá descoberto a chave da vida em sociedade. Infelizmente, frequentemente os adultos obrigam uma criança mais velha a brincar com uma menor, enquanto que isto não lhes dá nenhum prazer e não é absolutamente necessário para o mais jovem. *Nunca é saudável ensinar a uma criança ter prazer às custas do desprazer do outro*, lhe inculcar isto em palavras ou lhe dar o exemplo deste fato.

Outra situação frequente: a criança cujo adulto tutelar se "deixa levar", como se costuma dizer, como um boboca, e satisfaz todos os desejos, esta criança está em perigo, e será frágil, mais tarde, em meio à sociedade das criança de sua idade. Por quê? Porque ela não é castrada pela castração anal, que se refere à distinção entre o imaginário de uma atividade motora à qual a criança deve ser submetida ou fazer o outro se submeter, e à realidade do encontro com o outro cujo desejo não é absolutamente de acordo com a manipulação do outro à qual ela foi acostumada por seus pais.

Isto também ocorre quando as crianças mais velhas recebem um conselho pervertedor de ceder ao seu irmãozinho ou à sua irmãzinha, sob pretexto de que são pequenos; ou de se deixar invadir por eles em suas ocupações de interesse completamente diferentes, no seu tempo e no seu espaço. Observamos este fato, frequentemente, nas famílias: estes conselhos, estas injunções são pervertedoras tanto para o mais velho quanto para o mais jovem, mas é o mais jovem que não recebe a castração anal, que sofre maiores consequências. Esta ética perversa no momento do estágio anal acompanhará de modo neurotizante a criança ao estágio genital.

Entendo por "castração anal" a proibição de fazer o que quer que seja para seu prazer erótico. Proibições limitativas devem ser impostas ao fazer a partir do momento em que este "fazer" provocaria desprazer ou perigo para os outros, a partir do momento em que o uso da liberdade perturba, em realidade, a liberdade de agir do outro.

A castração anal deve ensinar à criança a diferença entre o que é sua posse, da qual ela é totalmente livre, e o que é a posse do outro, cujo uso, para ela, deve passar pela palavra que pede ao outro que lhe empreste os objetos dos quais ela gostaria de se utilizar, e que aceita que este outro os recuse a ela. Além disto, a pulsão da posse de objetos parciais, o respeito da posse pessoal de um objeto pelo outro, provoca na criança a compreensão de um espaço dela que se prolonga para o mundo exterior, mas que deve também respeitar o fato de que o espaço de um outro se prolonga por seus próprios objetos pessoais, sobre os quais ela não tem, de fato, direito, a não ser aqueles de uma *negociação pela linguagem.*

A educação das pulsões a partir do estágio anal deve ainda deixar a criança livre para dar ou não a um outro um objeto que lhe pertença e que um outro queira, ou fazer uma troca (frequentemente desfavorável ao ingênuo que procura fazer amigos, ou então que fica tentado por um objeto por que este é posse de um outro).

As trocas de baldes, pás, num parque público, se passariam bem cedo e seriam muito socializantes, se as mães não interferissem. "Teu balde é teu, não deixe que o peguem de você!".

Quando a criança cresce assistimos à doação impensada, talvez, uma troca com perda, ou de um grande benefício (segundo o valor monetário do objeto recebido na permuta): à condição de que se trate de objetos que pertencem às próprias crianças parceiras da permuta, é claro que isto não deve ser proibido, mas sim explicado. *Não existe regulamentação implícita à doação, e existe, sim, para a permuta.* Mas se um carrinho tem mais valor aos olhos de uma criança do que o belo brinquedo ganho em seu aniversário, é problema dela. É difícil de ser admitido para certos pais, mas para uma criança – e ainda, para muitos adultos – o valor das coisas é mais afetivo do que monetário. É a ser discutido com a criança, e isso seria até "formador", mas nunca de maneira que os pais continuem a se sentir possuidores daquilo que deram a seu filho, nem julgar o valor afetivo que ela dá ou não a um presente recebido.

Sadismo Anal?

Ao meu ver, quando falamos, em todos os escritos psicanalíticos, do sadismo anal, como se o prazer de prejudicar fosse normalmente ligado às pulsões deste estágio, cometemos um grave erro. Quando falamos assim, trata-se de crianças que foram educadas de maneira perversa, sem o devido respeito à sua pessoa. Pois a criança que recebe, à proporção de seu desejo de motricidade, limitações por verdadeiras razões de nocividade (para ela ou para os outros) sempre sustentada e consolada por uma instância tutelar que a reassegura de que ela será bem-sucedida mais tarde, esta criança, bem sustentada em seu sentimento de impotência através de palavras reconfortadoras, não desenvolve absolutamente um desejo de destruição sobre o outro, e nem deixa de compreender que ela tem prazer em destruir. Nunca a criança tem sadismo, a não ser bem no início, ao longo do nascimento de sua primeira dentição. O sadismo é oral, não é anal. A ética pervertida em um estágio, em consequência de uma castração que não ocorreu e que foi mal dada (aqui, é o desmame), pode contaminar com perversão o estágio seguinte do desenvolvimento. *Qualquer comportamento coercitivo do adulto sobre a criança representa uma iniciação ao sadismo e incita a criança a se identificar com este modelo.*

Vemos, portanto, que a castração anal é (tanto para si mesmo como para os outros) a proibição tanto da deterioração quanto do roubo dos objetos do outro, e de qualquer prejuízo às custas do corpo: não somente o corpo dos seres humanos, mas o prejuízo gratuito, pelo único prazer daquele que se utiliza assim de sua força e de seu poder sobre o corpo dos animais, sobre os vegetais estéticos ou utilitários, sobre os objetos usuais necessários às atividades de todos em família ou em sociedade: o vandalismo. A verbalização destas proibições pelo adulto, que dá o exemplo manifestando concordância entre seus atos e estas proibições, é ainda a castração anal.

Um pequeno de vinte e quatro a trinta e dois ou trinta e três meses, que está no auge do triunfo da idade anal, portanto, da motricidade voluntária, não recebe a castração anal, que deve ser simbolígena no sentido psicanalítico, se tudo lhe é proibido e se sua liberdade de procurar, de modo intensivo e auto-erótico, o prazer de seus movimentos, de sua acrobacia, de sua manipulação desarranjadora dos objetos que ela pode manipular, não tem lugar no tempo do seu dia nem no espaço do lugar onde ela vive. Ela não pode sublimar suas pulsões de uma maneira social se não tem, tampouco, companheiros com quem brincar. *É graças aos companheiros de sua idade, um pouco mais velhos ou um pouco mais jovens do que ela*, em uma aprendizagem através da experiência, que ela consegue evitar tanto os momentos desagradáveis que a força do outro provoca, se se trata de crianças maiores, quanto aqueles que ela mesma causaria aos pequenos, unicamente com o objetivo de gozar sua força sobre eles. A castração anal é esta proibição de prejudicar o outro, dada dia a dia, a partir da idade da marcha, pela atenção tutelar, que permite um impacto útil e agradável da atividade muscular deixada à sua liberdade de iniciativa, controlada à distância, e assistida educativamente através de gestos e palavras, ao mesmo tempo que por um exemplo contínuo. E esta uma atitude saudável frente às pulsões marcadas pela castração anal que convém dar a uma criança. É desejável que qualquer atividade livremente engajada por ela naquilo que lhe agrada seja respeitada pelo adulto quando ela não prejudica ninguém; e, quando a criança brinca com interesse, é importante que ela nunca seja incomodada pelo adulto. Da mesma forma que ela mesma não tem o direito de atrapalhar o adulto ocupado. Aqui o exemplo conta mais ainda que as palavras.

O adulto, quer seja ele masculino ou feminino, genitor, irmão mais velho ou um encarregado extrafamiliar, se ele dá criteriosamente esta castração, a qual se estende por vários meses, até mesmo por dois a três anos, e se ele não faz de suas verbalizações que concernem ao agir da criança intervenções sádicas, visando apenas seu próprio conforto, de adulto intolerante ao desejo da criança, este adulto, que proporciona uma educação saudável, não se mostra nem angustiado, nem tenso, nem lamuriento, quando proíbe um ato. Ele é, pelo contrário, breve, afetuoso, e respeitoso em relação à criança. E se esta última lhe coloca uma pergunta relativa à proibição, ele sabe explicá-la, sem se contentar em lhe dizer que tudo de que ele a priva é para "o seu bem". Ele tenta explicar qual é a razão da proibição e, por exemplo, que o ato corre o risco de prejudicar a criança, mas não tergiversa em argúcias nem em chantagem do tipo "para me dar o gosto". Nada é mais humilhante, no verdadeiro sentido do termo, para uma criança, do que proibições do estilo: "porque eu disse assim!", "porque sou eu que mando!", sem que a criança sinta que existe uma razão justificada no sentido de um perigo para ela, ou seja, sem que a criança sinta que é amada em seu próprio desenvolvimento, e não como um animal a quem se comanda e que deve ser reduzido à obediência. O adulto educador evita tudo o que pode angustiar inutilmente uma criança, e portanto lhe fazer recalcar suas pulsões. Ele evita também tudo o que irá superexcitá-la por uma antecipação sexual. Um educador de pequenos é aquele que compreende rapidamente com que tipo de caráter ele tem que se haver em tal criança: aqueles que precisam de estímulos, aquelas que não precisam, vigiando seus progressos, não ressaltando demais certos comportamentos para não torná-las exibicionistas e, nas quais, pelo contrário, trata-se de desenvolver o sentido da promoção daquilo que elas têm de autêntico, e não para que elas se exibam diante de um espectador.

É educativo, na atitude e nos dizeres do adulto tutelar, tudo o que irá desenvolver o cruzamento do esquema corporal, que está agora concluído, com a imagem do corpo, muito mais do que desenvolver a dependência da criança frente às pulsões escópicas, auditivas, e de agrado a partir do meio ambiente imediato.

Para cuidar criteriosamente de crianças e levar verdadeiramente o título de educador, título este que os pais carregam, mas do qual eles têm, raramente, as qualidades com suas próprias crianças (mas que podem tê-las para outras), é preciso levar a sério o papel cívico que podem ter os filhos mais velhos para o desenvolvimento de um mais jovem qualquer que seja sua natureza[32], à condição de que esta conivência entre as crianças não seja explorada por seus pais para se retirarem de seu papel.

O papel cívico das pessoas mais velhas é importante para desenvolver um mais jovem, pois quando uma criança pede para ser olhada quando executa aquilo que acredita ser uma exploração, é necessário que ela tenha a confiança do adulto, e que seja uma certeza de que este a autorize a estas explorações.

É por isso que o exibicionismo de uma criança dura um certo tempo antes de que ela possa renunciar a esta emoção de admi-

---

32. Estar em grupos com mais velhos e ser cuidado por eles (sem incomodá--los), ouvi-los, observá-los em suas brincadeiras.

AS IMAGENS DO CORPO E SEU DESTINO: AS CASTRAÇÕES 119

ração que ela busca. Qualquer criança tem necessidade de que sua mãe a olhe quando ela faz alguma coisa. Isto não deve durar muito, mas existe sempre, no início. Se não, a criança se desenvolve sem sentido cívico. Ela se desenvolve unicamente para ela mesma. É preciso também que o adulto partilhe e ratifique o que ela faz lhe dizendo: "Está bem assim, você conseguirá fazer ainda melhor...". E quando a criança quer correr riscos, é importante que o adulto saiba lhe dizer: "Faça-o se você se sente capaz disto, mas eu não quero olhá-lo, porque isto me causa medo. É você quem deve julgar se é capaz disto".

É então que a criança vai assumir ou não fazer sem ser vista algo de que ela se sinta capaz. O importante é que a instância educadora a sustente no acesso a experiências pessoais, cujo fruto lhe permitirá adquirir os meios de autonomia e de valorização em sociedade de crianças de sua idade. Ao mesmo tempo, o educador deve responder a qualquer pergunta que a criança coloque e nunca lhe dizer que não é de sua conta, já que, especificamente, se ela demonstrar um interesse por alguma coisa, é que esta coisa "é de sua conta". Ou, mais exatamente, que a criança o observou e quer ter uma explicação sobre aquilo que ela observou. Esta sustentação da curiosidade das crianças, ao invés de limitá-la ou proibi-la – na medida em que ela é a mais fundamental das pulsões, a pulsão epistemológica[33] – é o ponto chave de uma educação das pulsões orais e anais sem sadismo. A proibição, dada a uma criança, de seu interesse por alguma coisa é antieducativo e até mesmo nocivo: interessar-se por alguma coisa nunca é prejudicial. Portanto, em palavras, a cada vez que a criança faz perguntas, é preciso responder-lhe veridicamente aquilo que se pensa, que se sabe, ou confessar sua real ignorância. É assim que as bases do sadismo são neutralizadas. Existirá talvez sadismo, mais tarde, no momento do estágio uretral, mas não no momento do estágio anal. O sadismo, é então uma regressão das pulsões uretrais ou genitais para o estágio anal. Mas, no estágio anal, não existe o sadismo quando a criança é sustentada para realizar sua atividade motora, e para, quando esta não é realizável, falar dela e receber uma autorização a termo, em benefício do futuro, "quando você souber fazer tal ou qual coisa...". *Sustentar e valorizar a curiosidade que acompanha a observação está no próprio princípio da educação humanizante.* Se a castração simbolígena sustenta o objetivo da curiosidade, é que a pessoa que delimita a uma criança o acesso direto e conhecido ao seu desejo é, ela própria, para a

---

33. Que leva o ser humano a saber. Em suma, a curiosidade.

criança, o representante de um ser humano mais evoluído, possuindo um poder e um saber aos quais ela quer chegar, poder e saber que a pessoa quer de bom grado lhe delegar e lhe transmitir em palavras e através da previsão de uma experiência proximamente autorizada. Aqui está todo o trabalho; ou seja: "Você poderá em breve, isto não é proibido".

O tratamento psicanalítico é justamente baseado nesta permissão de falar seu desejo. Fazemos também desenhar todas as coisas que a criança fabula, incluindo, é claro, as expressões sádicas. Isto significa que estamos de acordo com o desejo em si, que se expressa aqui através de fantasmas de uma violência exagerada. A partir do momento em que a criança o realiza no e através do diálogo na situação de transferência analítica, não tem mais desejo efetivo de prejudicar na realidade, por prazer. É um fato de experiência. A expressão simbolizada em linguagem, em uma relação ao longo da qual o sujeito é reconhecido como válido –portanto narcisado por alguém que não deseja a criança, mas que está a serviço de seu desenvolvimento, respeita sua pessoa e aquelas a quem ela ama, pais, educadores, e não visa separá-las destas – já é uma sublimação para o desejo. A simbolização distancia progressivamente o sujeito do recurso ao prazer do corpo a corpo, que eclipsa a relação de sujeito para sujeito. Qualquer representante das pulsões fora do corpo próprio do desejante já é uma mediação no caminho do domínio do desejo e de sua valorização humanizante, de acordo com a lei da vida entre humanos. Qualquer ser humano é naturalmente social, à condição de que o social não adoeça o desejo na busca de sua realização no prazer. O prazer se encontra aumentado ao ser partilhado com outros: tanto mais numerosos quanto a linguagem lhes permita comunicar aquilo que experimentam.

Daí o valor simbolígeno das castrações que permitem às pulsões se expressarem de outra forma que não pelo único e imediato gozo do corpo que fazia desaparecer a tensão do desejo, suprimindo, ao mesmo tempo, a busca enriquecedora do outro, destinada a comunicar e partilhar as emoções do coração e os questionamentos da inteligência.

O ESPELHO

O que permite a integração motora para o sujeito de seu corpo próprio-integração que sanciona na relação com o outro, a castração anal – é o momento narcísico que a experiência psicanalítica permitiu isolar como o estágio do espelho.

AS IMAGENS DO CORPO E SEU DESTINO: AS CASTRAÇÕES

Falar de estágio é, aliás, em si, algo abusivo, já que se trata, antes, de uma assunção do sujeito em seu narcisismo; assunção esta que permite e recobre o campo da castração própria ao estágio anal, e que faz sentir seus efeitos além, na realização da diferença dos sexos (castração primária, como veremos mais adiante).

Acrescento que valorizamos frequentemente a dimensão escópica das experiências ditas especulares: sem razão, se não insistimos suficientemente no aspecto, relacional, simbólico, destas experiências que a criança pode fazer. Não é suficiente que exista realmente um espelho plano. De nada serve se o sujeito é confrontado, de fato, com a falta de um *espelho de seu ser no outro*. Pois é isto que é importante.

O que pode ser dramático é que uma criança à qual faz falta a presença de sua mãe ou de um outro ser vivo, que se reflita com ela, venha a "se perder" no espelho.

Tal como uma criança que se tornou esquizofrênica aos dois anos e meio porque tinha sido colocada em um quarto de hotel onde todos os móveis, e paredes eram recobertos por espelhos. Ela era, até os dois anos e meio, vivendo nos Estados Unidos, uma criança completamente saudável, que ria, brincava, falava; na França, ao cabo de dois meses de hotel, com uma pessoa encarregada de cuidar dela e a qual ela não conhecia, fizeram dela uma criança esquizofrênica. Ela se perdeu, espalhada no espaço deste quarto desconhecido, em pedaços de corpos visíveis por toda a parte, nos espelhos, no vidro das portas, dos pés da mesa; despedaçada por todo espaço e sem presença amiga. Seus pais estavam ocupados visitando Paris, enquanto que a deixavam com uma babá desconhecida tanto para a criança quanto para eles mesmos, e que não falava inglês.

Certas crianças podem assim soçobrar no autismo através da contemplação de sua imagem no espelho, armadilha ilusória da relação com uma outra criança. Não falo daquelas que se despedaçam em diversos espelhos, mas sim daquelas que tem um espelho à sua disposição. Esta imagem de si mesmo lhes traz apenas a dureza e a frieza de um espelho, ou a superfície de uma água dormente na qual, atraídas pelo encontro com o outro, tal como Narciso, não encontram ninguém: apenas uma imagem. E um momento de enfraquecimento do sentimento de existir na criança. O estágio do espelho, que pode ser simbólico, para a criança, de seu estar no mundo para outro enquanto sendo um indivíduo em meio aos outros, pode da mesma forma ser dessimbolígeno para sua imagem do corpo, pela visão desta

122 A IMAGEM INCONSCIENTE DO CORPO

coisa que é seu corpo próprio, se ela não o reconhece como sendo o seu.

Tentemos, portanto, retomar aquilo que se deve entender por individuação do sujeito criança no espelho. Qual é o alcance desta experiência para o narcisismo primário, de onde emergirá, após a castração edipiana o narcisismo secundário[34]?

Já dissemos que a criança pode, através das imagens (fantasmas antecipatórios) suprir provisoriamente a ausência do outro eleito, que é indispensável à sua sobrevivência. Se este outro vem a faltar por muito tempo, existe, obrigatoriamente, um esboço de regressão, esta sendo apenas visível através de um exagero de sonolência do bebê. Se se trata de uma regressão traumática, existe na imaginação da criança o aparecimento de pulsões dissociadas de qualquer fantasma de imagens de funcionamento. São as pulsões de morte do sujeito que se põem a prevalecer sozinhas. Inversamente, o pré-"Eu" da criança se origina na dialética da presença-ausência materna, no *continuum* assegurador de uma percepção progressivamente associada à presença prometida, esperada e reencontrada, no seio do meio termo espacial e temporal do ser no mundo, e pela memorização em linguagem. A criança que ouve conhece a si mesma por quem lhe fala; e, dia após dia, este encontro personaliza, sendo ela representada, auditivamente, através dos fonemas de seu nome pronunciado por esta voz, pelas percepções que ela reconhece e que fazem a especificidade daquela pessoa (a mãe) repetidamente reencontrada. O retorno da mãe sobre um fundo reconhecido é sempre fonte de novas descobertas. É da linguagem mímica e vocal materna acompanhando novas percepções que estas tomam sentido humanizado.

A imagem do corpo é, portanto, elaborada como uma rede de segurança linguageira com a mãe. Esta rede personaliza as experiências da criança, quanto ao olfato, a visão, a audição, as modalidades do tocar, segundo os ritmos específicos do aspecto exterior materno. *Mas, ela não individualiza a criança quanto a seu corpo*; pois os limites espaciais de suas percepções linguageiras são nebulosos: ela é também sua mãe, sua mãe é também ela; já que é a mãe, sua paz, sua dor, ou sua alegria. Podemos dizer que as cesuras, as partições (as castrações orais e anais, como as designamos) que representam o desmame e a motricidade autônoma, já operaram uma relativa individuação que permitiu ao esquema corporal da criança se separar daquele da sua mãe, e,

34. Ver mais adiante, p. 127 e ss., em seguida, p. 134 e ss.

por substituição, ligar seu próprio esquema corporal em elaboração à sua imagem inconsciente do corpo. *Esta ligação entre o sujeito e o corpo se faz pela elaboração de um narcisismo pré-egóico*, garante simultaneamente, para o sujeito, sua existência e sua relação contínua com seu corpo, através de uma ética que pereniza o reasseguramento após a prova ansiógena que é qualquer castração.

Mas a noção de individuação própria deste narcisismo pré-egóico, situada para cada um nos limites da pele, em sua realidade coesa, táctil e visível, decorre de uma outra experiência, a do espelho. Esta experiência da imagem que ele vê no espelho, quando a intui como sua, coloca bruscamente o sujeito às voltas com uma mais-valia das pulsões escópicas sobre todas as outras pulsões, mais-valia que não é evidente e que se afronta com os valores de troca como com os valores narcísicos das outras pulsões: olfativas, auditivas, tácteis. *Recordemos que, na constituição da imagem do corpo, as pulsões escópicas ocupam um lugar muito modesto, até mesmo totalmente ausente, para a organização do narcisismo primário.* O espelho vai trazer esta experiência: a aparência de um outro desconhecido, a imagem de um bebê como o sujeito pôde ver outras no espaço, e que ele ignora como sua; esta imagem escópica deve então, para ele, se superpor à experiência, já conhecida, do cruzamento de seu esquema corporal com sua imagem do corpo inconsciente. Quero dizer que ele vê ali uma imagem da qual, diante do espelho, ele aprende que é a única causa, já que ele encontra apenas uma superfície fria e não um outro bebê, e que, se ele deixar a frente desta superfície fria, a imagem desaparece. A linguagem mímica e afetiva que a criança estabeleceu com o mundo ambiente não lhe traz nenhuma resposta referente a esta imagem que ele encontra no espelho, contrariamente a todas as experiências que ele tem do outro. É por esta razão, se a mãe, ou uma pessoa conhecida não está próxima dele em seu espaço, que ele corre o risco de que por causa do espelho, sua imagem do corpo desapareça sem que a imagem escópica tenha tomado um sentido para ele. A imagem escópica só toma sentido de experiência viva através da presença, ao redor da criança, de uma pessoa com a qual sua imagem do corpo e seu esquema corporal se reconheçam, ao mesmo tempo que ela reconhece esta pessoa na superfície plana da imagem escópica: ela vê desdobrado no espelho aquilo que percebe da pessoa próxima a ela, e pode, então, avalizar a imagem escópica como a sua, já que esta lhe permite ver, lado a lado à sua, a do outro. Ela se descobre, então, sob a forma de um bebê tal como ele vê outros, enquanto que até então, seu único espelho era o outro com o qual estava em comunicação: o que lhe podia fazer acreditar que ele era este outro, mas sem que ele saiba ou saiba verdadeiramente que este outro tinha uma imagem escópica, e ele também.

É apenas a experiência do espelho que dá à criança o choque de captar que sua imagem do corpo não era suficiente para corresponder, para os outros, a seu ser conhecido por eles. Portanto, ela não é total. O que não quer dizer que a imagem escópica corresponda a ela. Esta ferida irremediável da experiência do espelho pode ser denominada de buraco simbólico do qual decorre, para todos nós, a inadaptação da imagem do corpo e do esquema corporal – da qual numerosos sintomas visarão, doravante, reparar o irreparável estrago narcísico. A repetição da experiência do espelho vacina a criança com o primeiro estupor que ela teve desta forma, e a assegura, através do testemunho escópico que, o que quer que aconteça, ela nunca é despedaçável: já que, para os outros que se refletem como ela o "rapto" de suas aparências não os atinge na integridade de seu ser inteiro, que ela continua a encontrar como antes, no calor das trocas, das oposições ou dos acordos de desejos entre ela e os outros, que a linguagem – no sentido total do termo – significa, mas não ou muito pouco o aspecto visível dos corpos.

Através deste buraco, desta lacuna, quero falar de um "branco", de uma relação escópica estranha, discordante, que serve de máscara viva sempre mais ou menos traidora, para o sentir do sujeito. O sujeito descobre então, em relação ao outro, que ele só é autêntico em sua imagem do corpo inconsciente que, associada ou não ao esquema corporal, conforme o fato de que é no imaginário que ele pensa neste outro ou de que, na realidade, este outro está ali, lhe permite discriminar a diferença entre um encontro na ausência ou na presença. Entre um fantasma e um fato. O espelho permite à criança se observar como se fosse um outro que ela nunca encontra. Ela "se" vê, mas todo o seu desejo de se comunicar com o outro é frustrado ali.

Imaginamos um cego de nascença que encontra um espelho. Para ele é apenas um caso particular de parede, um espaço frio em um quadro limitado que lhe dá referências de percepção táctil, e é só. Para uma criança que vê, o efeito é totalmente diferente, já que ela tem, nesta estranha janela, a ilusão de um outro que ela não conhece, que ela nunca conhecerá, e que, ao invés de um ser de volume e quente, é uma superfície plana e fria. Sua imagem desaparece desta superfície quando ela não está mais diante do espelho, reaparecendo quando ela se recoloca à sua frente. Ela se torna para a criança uma experiência concomitante à sua presença, mas uma experiência unicamente escópica, sem respostas, sem comunicação. Seu chamado, seu gesto, são em espelho os mesmos, invertidos. Seu chamado fala a esta imagem, mas ela ouve apenas sua própria voz, não há ninguém outro que lhe responda. Neste sentido, é uma imagem alienante, se não existe no espaço uma pessoa que ela conheça e que, com ela, diante do espelho, lhe mostre que ela também responde a estas mesmas curiosas condições de reflexão sobre esta superfície plana e fria.

Existe ali uma experiência da ilusão do encontro com o outro, com o qual pode lhe ocorrer a possibilidade de satisfação, um pouco como ela se satisfazia com o objeto transicional: se armadilhando ali pelo tédio em sua solidão, pela falta de encontros com outras pessoas, pela ausência de brinquedos, de distrações, como costumamos dizer. A armadilha, aqui, pode chegar a se tornar gozo óptico, que retira o valor das relações intersubjetivas: estas não tendo para a criança o sentido de prazer partilhado. A armadilha pode constituir uma fascinação mortífera para a própria imagem do corpo inconsciente: a imagem escópica se torna um substituto consciente da imagem do corpo inconsciente, provocando na criança o desconhecimento de sua verdadeira relação com o outro. Ela se põe a considerar apenas a aparência do outro e a dar em sua relação com o outro apenas a aparência de um prazer devido ao encontro. Sua própria imagem pode ser suficiente para seu gozar; é lembrando de sua própria imagem que ela faz caretas para o outro como se fizesse para si mesma: ela não se expressa mais, a partir de então, em sua verdade. Tal é a armadilha que cria uma aparência. Armadilha daquilo que não é um ser vivo, mas uma aparência parcial, um manequim e uma máscara de ser vivo. Se a criança pode ficar fascinada por esta aparência repetitiva de ser vivo, é porque esta tem o efeito reassegurador em relação aos fantasmas fóbicos por viver somente com objetos inanimados, mas ao mesmo tempo, esta aparência é completamente adinâmica[35].

Qualquer bebê que vê sua imagem de longe em um espelho, sobretudo pela primeira vez, é alegremente surpreendido, corre

35. Esta fascinação do isolado pode fazer deter sua busca de comunicação em uma falsa resposta, aparentemente menos aterrorizante do que a solidão, mas resposta repetitiva de uma imagem cristalizada de si mesmo, fetiche de um outro. Podemos vê-lo fazendo poses, brincando de fazer caretas, sorrir para si, mimificar choros, tudo aquilo que pode exercitá-lo em expressões de sentimentos não-sentidos. É o "fazer de conta".

para o espelho e exclama se souber falar: "Olha, nenê!", enquanto que, quando ele fala dele mesmo, ele se nomeia já pronunciando os fonemas de seu nome. Portanto, ele não se reconhece. Ele será levado a descobrir, a partir dali, sua aparência e brincar com ela; até então, quando existia a imagem do corpo na relação do sujeito com o desejado, ela era sempre inconsciente e em intuitiva referência ao desejo do outro.

É aqui que os *cegos de nascença em análise podem nos permitir situar a diferença entre eles e os que enxergam, quanto a seu narcisismo primário: diferença devida à ausência, neles, da experiência escópica do espelho.* A mímica afetiva dos cegos é de uma autenticidade tão emocionante quanto a dos bebês antes da experiência do espelho. Eles nunca disfarçam o que sentem e lemos em seu rosto tudo o que experimentam no contato com aqueles que encontram. Mas eles não sabem que podemos ler em seu rosto. Portanto eles não podem e tampouco sabem se esconder disto; o que prova que nós, que enxergamos, escondemos a nós mesmos e ao outro o que sentimos do fato de que pudemos fazer a experiência do espelho. A visão de sua imagem no espelho impõe à criança a revelação de que seu corpo é um pequena massa ao lado de tantas outras massas de diferentes dimensões e sobretudo da grande massa dos adultos. Ela não o sabia. Ainda existe como novidade o seguinte fato: a descoberta de um rosto e de um corpo inseparáveis, doravante, um do outro. A criança não pode mais, portanto, na realidade, a partir da experiência escópica compartilhada com o outro, se confundir com o outro, nem com o outro do outro, quero dizer, nem com o pai, nem com a mãe, nem com o irmão mais velho, o que, anteriormente, fazia de bom grado. Ela não pode, tampouco, se confundir na realidade com os fantasmas narcísicos que a levavam a se imaginar tal como ela desejava ser: pois a criança imagina facilmente ser um ônibus, um avião, um trem, um cavalo, um pássaro; podemos perceber este fato quando ela brinca de onomatopeias, traduzindo sonoramente sua suposta identidade; por vezes, ela brinca como se fosse um personagem, e acredita verdadeiramente sê-lo. A partir da experiência do espelho, não será mais como antes. Ela sabe que não pode mais se confundir com uma imagem fantasmática de si mesma, que não pode mais brincar de ser o outro que falta a seu desejo. Nestas brincadeiras imaginárias onde ela gosta de fantasiar uma outra identidade, aparece em seu falar o "condicional": "Eu seria um avião", "Você seria…".

Para melhor compreender, ainda, este processo complicado do espelho que solicita ser dialetizado para que possa ser ultra-

AS IMAGENS DO CORPO E SEU DESTINO: AS CASTRAÇÕES

passado o trauma deste, citemos esta história, documento entregue a mim pela mãe de gêmeos univitelinos (ou seja, cópias um do outro em sua aparência, mas não em sua "natureza" nem em seu "caráter", segundo sua mãe). Estes gêmeos nunca separados, ninguém sabe diferenciar um do outro, mesmo dentre seus familiares, com exceção de sua mãe e de um bebê nascido após os gêmeos que já os interpela utilizando fonemas distintos, discriminando-os sem erro. Certo dia (eles já frequentam o maternal), estando um deles resfriado, a mãe decide deixá-lo em casa. Ela leva o outro para a escola. Ela retorna para sua casa, está às voltas com seus afazeres, quando ouve suplicar o filho que brincava sozinho em seu quarto. O tom de súplica sobe e se torna angustiado, e, no entanto, a criança não chama sua mãe. Ela se aproxima da porta entreaberta e vê o menino suplicar para sua imagem do espelho do armário, para pegar o cavalo de madeira e montar em cima. Sua angústia vai aumentando. A mãe, então, entra e se mostra, chamando seu filho que se joga em seus braços e que, em um tom reivindicatório e depressivo lhe diz: "X...[36] não quer brincar de cavalo". A mãe, perturbada, compreende que a criança tomou sua imagem no espelho pela presença efetiva de seu irmão. Ela se aproxima do espelho segurando a criança nos braços, pega o cavalo e fala da imagem que o espelho apresenta, que é a deles, mas não é nem ela, nem o cavalo, nem o irmão ausente. Aquele de quem se vê a imagem é ele. Ela lhe recorda que, de manhã, ele estava um pouco doente, mas não o seu irmão; que ela o deixou em casa e levou seu irmão para a escola, e que ela vai buscá-lo lá. A criança a ouve com muito interesse.

No caso particular de gêmeos tão semelhantes, nunca o espelho, apesar de localizado sobre a porta do armário de seu quarto, havia, ainda, colocado à criança a questão de sua aparência, forma seu irmão faria o mesmo (eles tinham pouco mais de três anos), que via seu irmão, sem se espantar com a bilocuidade deste. Quando o irmão gêmeo voltou da escola, a mãe retomou a experiência com os dois filhos, colocando cada um de um lado seu, diante do espelho, fazendo cada um ver sua imagem como a sua própria, a imagem do outro como a de seu irmão. Ela lhes explicou que eles se pareciam, eram irmãos gêmeos, nascidos no mesmo dia. Suas explicações ouvidas atentamente, colocavam, visível e silenciosamente, um grave problema a seus filhos.

Antes da experiência do espelho plano, é o esquema corporal da mãe, seu corpo na realidade, que dava sentido às referên-

36. Nome de seu gêmeo.

cias do narcisismo primordial ou fundamental de seu filho e as sustentava. É somente após a experiência do espelho que a imagem do corpo do bebê informa seu próprio esquema corporal, segundo a linguagem que constitui a imagem do corpo para o sujeito, em referência ao sujeito mãe. Ele só descobre a este respeito a aparente integridade ou não, o caráter euforizante ou não, se o narcisismo se satisfaz pela imagem que ele vê no espelho[37], e que qualquer outro poderia ver[38].

É este o momento do aparecimento clínico da identificação primária: origem do narcisismo primário, o qual se segue ao narcisismo primordial que considero tão fundamental. O narcisismo primário não vem a substituir o narcisismo fundamental. Ele é inserido sobre este, no sentido analógico do enxerto. Ele vem a se acrescentar a este, estendendo assim o campo relacional da criança. A imagem do coração da cebola envolvido por suas camadas ilustra claramente a relação que existe entre narcisismo fundamental e narcisismo primário. Este se superpõe àquele. É preciso, inicialmente, o narcisismo fundamental, depois o narcisismo primário, com a *reflexão* mental concernente a si mesmo, situada na experiência da imagem que o espelho *reflete*. Anteriormente, o narcisismo da criança se informa sobre o inconsciente da mãe e se concilia com ele, se adequa à maneira pela qual ela a olha. Seu ser vivente (seu "vivencial") no sentido vegetativo (passivo) e sua "vitalidade" no sentido animal (motor), seu sexo, se conciliam inconscientemente com as emoções que ela suscita e que sentem as pessoas que, cuidando dela, revivem a história de seu próprio narcisismo que a criança lhes faz rememorar. O narcisismo da criança enquanto sujeito, desta vez, se constrói também em sua relação, dia a dia, com os desejos da eleita de seu desejo e seus familiares, com seu pai genitor ou qualquer outro adulto que, por ser companheiro habitual da mãe, qualquer que seja seu sexo, assume a seus olhos valor de cônjuge da mãe.

Reflitamos: a criança até então tinha visto, com seus próprios olhos, apenas a face anterior de seu corpo, tórax, abdômen, membros superiores e inferiores. Os volumes de seu corpo, buracos, saliências, relevos, rosto, pescoço, costas, ela as sentiu pelo contato com as mãos de sua mãe, inicialmente, depois, pelo con-

---

37. Imaginemos que, frente a um espelho, não víssemos nosso reflexo. Que angústia! Mas não existiria angústia nenhuma se isso ocorresse antes da experiência primeira do espelho. E a partir desta que uma superfície refletora não pode ser mais considerada como uma superfície neutra.

38. Aqui se origina o prazer pelo disfarce, pela maquiagem.

tato das suas nas partes de seu corpo que elas podem atingir, e por sensações de prazer ou de dor. Mas, até o presente momento, ela não se conhecia nem como rosto, nem como expressividade própria. Ela apalpava sua cabeça, sabia mostrar como dedo as orelhas, olhos, boca, nariz, fronte, bochechas, cabelos, nas brincadeiras que as mães gostam de fazer com seus filhos; mas a criança não sabia que seu rosto era visível para o outro como o é para ela o rosto dos outros. Isto ela aprende, sobretudo, pelo espelho, como eu demonstrava mais acima, contrariamente ao caso do cego que o sabe, mas não o "viu".

No entanto, *a criança se sente coesa desde antes do estágio do espelho*, graças às referências viscerais: por exemplo, as sutis sensações peristálticas contínuas de seu tubo digestivo, no qual ela sente o itinerário do objeto parcial oral, mostrando seu estômago quando achou gostoso aquilo que comeu. Mais tarde, percebe o trânsito abdominal; ela gosta de tocar e acariciar seu ventre. Em seguida, é o objeto parcial anal e sua expulsão que a situam em relação às suas sensações tácteis e olfativas específicas. Tudo isto, constitui um *continuum* coeso, interno, limitado ao conjunto de seu revestimento cutâneo, que sensações tácteis delimitaram na ocasião dos cuidados maternos e do regaço. E suficiente dizer a que ponto a mãe ou a aquela que alimenta é verdadeiramente a fiadora do narcisismo fundamental do lactante e isto, até o andar, e ainda, até a experiência adquirida graças aos retornos reparadores à mãe, após as dificuldades relacionals com os outros em sociedade. É por isso que o reencontro com a mãe, ritmado por referências específicas, é necessário para a perenidade da coesão narcísica da criança. É apenas após a experiência especular, que a criança repete experimentalmente por suas idas e vindas deliberadas diante do espelho, que ela começa, de certa forma, a se apropriar de seu próprio corpo e armadilhar ali seu narcisismo, o qual, desde então, leva o nome de primário. *O parecer se põe a valer, por vezes a prevalecer, sobre o sentir ser.* Em particular, seu próprio rosto, que o espelho lhe revela e que será doravante indissociável de sua identidade, solidária de seu corpo, tórax, tronco, membros, convence a criança de que ela é semelhante aos outros humanos, um dentre eles. A descoberta do tamanho relativo de seu corpo no quadro do espelho não é evidente. Não seria a razão pela qual a ausência de perspectiva e uma dimensão não proporcional do corpo humano no quadro arquitetural prevaleceu na arte durante tantos séculos?

Assim como a criança descobre pela observação ao espelho a realidade visível de seu ser no mundo, de frente e imóvel ou

130   A IMAGEM INCONSCIENTE DO CORPO

quase, da mesma forma a observação da nudez das outras crianças que ela sabe serem semelhantes a ela e que ela vê de costas, com, ao alto, cabelos sem rosto, embaixo, nádegas, a interessa muito mais após a experiência escópica do que antes. Pouco após a aceitação dos frutos da experiência do espelho, a criança descobre que se todas as crianças têm ao alto de seu corpo uma cabeça com, na frente, um rosto, e atrás, cabelos, se elas têm em cima de suas pernas, atrás, nádegas (se as crianças, de costas, são todas parecidas), de frente não são semelhantes. Vistas de frente, algumas têm em baixo uma fenda[39], como se tivessem ali pequenas nádegas, outras, um prolongamento. O que é de seu próprio corpo? Ela viu direito? A criança sofre, então, o que denominamos de castração primaria, efeito da descoberta da diferença dos sexos; e esta, naturalmente, é associada ao rosto, já que este é sempre visível de frente, como o sexo, e com suas aberturas, olhos, nariz, boca, delimitado pela massa de cabelos que situam o rosto na cabeça. *Esta descoberta de seu corpo em relação ao das outras crianças não pode se produzir antes do estágio do espelho. É a experiência reiterada desde que permite que a castração primária seja integrada à convicção de ser humano*, e não vivenciada como um fenômeno de animalidade. Ver-se nu, conforme a nudez das outras crianças, lhe permite saber que, nu como é, se tornará homem ou mulher adultos, e não permanecerá como cão, ou qualquer outra criatura que ela pôde acreditar ser antes da experiência escópica. É que aquele momento é precisamente o das identificações animais, sem rosto humano, porque a criança se identifica a tudo o que vê e que a interessa. Mas ela se identifica de uma maneira pregnante à sua própria imagem, desde que ela pôde se reconhecer no espelho, valorizada pela palavra, ainda que de início, espantada, mas promovida a ser um humano em meio aos outros, indo-advindo homem ou mulher.

A identificação com o animal, se não for compensada pelo conhecimento de si enquanto criança de homem, fará com que as percepções sentidas em seu sexo se erotizem segundo a maneira pela qual lhe é falado a respeito, respondem às suas questões, e lhe fazem associar seu sexo positiva ou negativamente ao narcisismo de sua imagem especular. *Existem casos em que a criança não pode integrar com orgulho a particularidade de*

---

39. Curiosamente, as crianças só falam do "risco" do bumbum, esta linha escura que separa, de costas, o modelo muscular. É uma palavra que fala do visível e não do táctil, que seria a palavra fenda. As crianças nunca a empregam.

seu sexo, menino ou menina. Moi-Je* não se sente valioso por ser menino ou menina, em virtude de uma referência ao falo particular de sua família, em virtude de seu lugar na frátria ou da importância relativa do pai ou da mãe na família (se o genitor de seu sexo lhe parece desvalorizado pelo outro, ou em relação ao outro, nos assuntos que ele ouve ou porque ele observa suas trocas e comportamentos). Nestes casos, as crianças se sentem seja com um rosto correspondente àquilo que elas são, menino ou menina, mas um sexo anatômico do qual elas denegam as sensações (mais tarde, elas as recalcarão), aceitando apenas o prazer dos funcionamentos de necessidade – constipação, encoprese, talvez cistite ou enurese –, seja, ao contrário, um sexo correspondente ao seu, mas que sua maneira de falar, de se comportar, não assume. Elas não podem em sociedade, conciliar seu rosto e seu sexo[40].

Cria-se ou se superpõe, a serviço de pulsões libidinais, que o sexo não valoriza um *Moi-Je* como animal, a serviço das pulsões de uma zona erótica parcial, associada ao sexo antes da castração primária; e há disparidade sentida do rosto humano correspondente a este sexo, o seu. Nestes casos, a criança sente ou um rosto, ou um sexo, um ou outro domina, mas não se correspondem. Quando a criança se sente sexuada, ela se sente como animal; quando ela fala, ela se sente humano, mas de sexo indeterminado. Entre estes dois modos de sua expressão, o sujeito é frágil e não mais coeso. O sucesso escolar pode, valorizando-o dentre os outros, ajudá-lo a manter a aparência; mas, psicoses ou encraves psicóticos fixam-se nestas imagens alternativas, que permanecem quietas na estrutura neutralizada da criança quanto ao seu sexo, e que se revelarão, por vezes, mais

---

* Quanto à existência de dois pronomes pessoais para a primeira pessoa do singular, em francês, *Moi* e *Je*, para o nosso pronome pessoal Eu, é necessário especificar as diferentes funções gramaticais que estes exercem na língua francesa. *Je* tem a função exclusiva de sujeito, enquanto que *Moi* pode ocupar tanto a função de sujeito como outras tantas funções gramaticais.

De acordo com a definição do *Dictionnaire de la Langue Française Larousse Lexis* (1987), *Je* é: "Princípio metafísico único e imutável ao qual o indivíduo atribui sua personalidade (por oposição ao *Moi* que pode ser múltiplo e mutável)".

Marie Christine Laznik Penot, na Nota do Tradutor 1 do O *Seminário, Livro 2,* de Jacques Lacan, faz referência a esta mesma questão, colocando que Lacan utiliza esta diferença existente na língua francesa para distinguir o sujeito do inconsciente *Je* que deve advir no lugar do Isso, do *Moi,* função imaginária. Para que seja possível que o leitor em português tenha acesso à utilização conceitual diferente de *Je* e *Moi* no texto de Françoise Dolto, utilizamos para designar *Je* "eu" e, para designar *Moi* "Eu". (N. da T.)

40. Origem pré-genital da denegação do valor de seu próprio sexo.

tarde. Pois, sobre esta base dissociada, ela não pode nem se engajar verdadeiramente no Édipo, nem resolvê-lo. É particularmente após a puberdade, nos momentos de crises provocadas por provas narcísicas, sobretudo aquelas referentes ao fracasso das sublimações, que desperta a angústia das castrações pré-genitais (as derrelições dos malvistos).

É sem dúvida para se livrar dos restos pré-genitais do desejo não passados pela castração humanizante que são úteis as mímicas, máscaras, disfarces, humanamente desrealizantes, espontaneamente necessários ao brincar de todas as crianças, saudáveis ou neuróticas; mas ignorados pelas crianças psicóticas que, sem máscara, vivem emoções não-humanizadas. Provavelmente as festas grupais e sociais onde os rostos são mascarados permitem, assim, a cada um liberar pulsões recalcadas e não todas sublimadas de acordo com a ética do desejo castrado. Elas autorizam, em datas fixas, um extravasar coletivo, desculpabilizante, sem dúvida, aos adultos com encraves que datam da época onde havia incompatibilidade de certas pulsões sexuais com seu rosto humano.

Ou rosto humano, ou direito ao sexo: esta contradição vem daquilo que não pôde ser castrado e simbolizado no momento das diferentes castrações, e em particular da castração primária, na época do estágio do espelho.

A castração primária, na medida em que deve se encontrar ali juntas, simultaneamente, a experiência do espelho, iniciadora para o imaginário, e a assunção simbólica do sujeito, cujo rosto é fiador de um desejo em acordo com seu sexo e com o futuro tal como ele o intui, merece que dediquemos a ela, por um certo momento, nossa atenção. A castração primária chega após a integração mental consciente das leis éticas, morais e anais – proibição do canibalismo, do vandalismo e do assassinato – que articulam ao narcisismo da criança o orgulho ou a vergonha de um agir, conforme ele seja ético ou não-ético (humano, sem sexo determinado).

Para introduzir o estudo da castração primária que irá se seguir podemos dizer que ela faz a ponte entre, por um lado, a castração anal à qual ela está ligada, e por outro, a castração genital edipiana que lhe sucede diretamente. Dizemos também que é desde a experiência do espelho e a dialética que conduz à assunção simbólica do sujeito que a criança sente este sentimento da vergonha que a incita ao pudor: não se mostrar nua a quem seria perigoso, ou se esconder para ver os outros nus, ou não ousar olhar, simultaneamente, o sexo e o rosto daqueles que são

AS IMAGENS DO CORPO E SEU DESTINO: AS CASTRAÇÕES

para ela seu "Eu" Ideal. Existe para a criança uma pessoa modelo na realidade, que é a referência de seu "Eu" Ideal. É com o Édipo que se revela para a criança o sexo desta pessoa. A vergonha, ou o orgulho, que se manifestam após a descoberta do rosto e do sexo como se correspondendo, se expressa pelo porte da cabeça, o olhar direto ou não, a graça do corpo em seu porte e seus movimentos, ou, pelo contrário, uma atitude canhestra, espécie de máscara que pode assumir de maneira crônica e aparência de alguém que tem vergonha de seu sexo, e não somente de seu sexo, mas de seus desejos não-castrados: desejos que seu rosto não pode assumir sem que haja risco de perder a fachada. Pois, após o estágio do espelho e da castração primária, as caretas, as máscaras, os disfarces, se tornam um meio de negociar, camuflando-os, os sentimentos de impotência ou de vergonha que a criança experimenta ao sentir pulsões que poderiam lhe fazer perder a fachada, ou denegar o valor de seu sexo genital.

Quando a experiência do espelho é integrada, qualquer que seja o modo desta integração, as representações das pessoas se modificam. A intuição que a criança tinha de sua verdade e da primazia de sua imagem inconsciente do corpo, da ordem do invisível, mas que ela representava em seus desenhos e modelagens, dá lugar a representações de imagens conscientemente valiosas e visíveis. A criança desenha personagens tais como ela gostaria que o espelho lhe remetesse a imagem de seu corpo: em uma aparência concordante com seu narcisismo. Ela dá às figuras humanas características reconhecíveis, e atributos simbólicos masculinos ou femininos se ela está orgulhosa do sexo que é o seu.

Se ela for infeliz em relação à pertinência a seu sexo, seus desenhos traduzem, através de referências arcaicas, o modo de educação oral e anal que ela recebeu referente à aceitação de seu rosto, de seu corpo e de seu sexo. De qualquer maneira, após o estágio do espelho, os desenho dão um lugar muito grande, muito mais do que às imagens inconscientes do corpo, às representações dos artifícios de vestimentas e aos objetos parciais, acessórios associados a seus personagens e destinados a valorizá-los.

Eles se projetam nestes personagens, e estes atributos de poder, de papel, provam que o sexo coloca, em si mesmo, sempre um problema; isto permanecerá durante todo o período pré-edipiano, depois no período de latência, e este traço caracteriza, de fato, os desenhos de crianças a partir da castração primária,

134 A IMAGEM INCONSCIENTE DO CORPO

mesmo quando ela é bem-sucedida e seguida de uma castração genital realizada com sucesso.

De fato, *a ética que parametriza desde nossa primeira infância nosso narcisismo, fiadora de nossa coesão, tem como momentos fortes aqueles onde nós nos defendemos da perda das ilusões que concernem seja ao nosso corpo, seja ao nosso rosto, seja ao nosso sexo, seja à nossa potência, sempre associados à angústia de castração.* A identidade subjacente em cada um de nós, que assume plenamente nossas emoções, nossas palavras e nossos atos, coloca sérias questões. O narcisismo é necessário para defender a coesão do sujeito em sua relação com seu "Eu" (seu corpo), e através dele, com a aparência que ele revela, que, em certas situações relacionals, deve dar menos ou mais atenção à sua identidade desejante subjacente (imagem do corpo inconsciente), para não se expor a riscos de distorção. Tudo isto coloca sérias questões. Ao longo do Édipo, e ainda durante toda a vida, nós nos satisfazemos em conquistar identificações sucessivas e em perseguir a exaltação destas. *Estas identificações decorrem simplesmente do deslocamento do valor atribuído ao falo; mas nenhuma destas identificações podem corresponder à nossa identidade desejante* desconhecida que é, desde a castração primária sem imagem inconsciente do corpo! Esta identidade desconhecida de cada um de nós, menino e menina, está sem dúvida apoiada na liminar e luminosa percepção do primeiro rosto inclinado sobre o nosso. Este olhar, brilharia ele com uma expressão de amor, acolhendo-nos, o novo hóspede desconhecido no lar de nossos pais? Seria um rosto de técnico profissional em partos? Em todo caso, é o olhar deste rosto humano o primeiro referencial de nossa identidade-valor.

A CASTRAÇÃO PRIMÁRIA DITA POR VEZES CASTRAÇÃO GENITAL NÃO-EDIPIANA

Trata-se da descoberta da diferença sexual entre meninas e meninos.

Vimos a criança chegar, após os trinta meses, ao nível de desenvolvimento que lhe permite a motricidade, a deambulação, quer seja ela bem ou mal-educada, quer ela fale ou não. Pelo fato de ter mãos e uma laringe, ela manifesta em seus jogos, em suas trocas com os outros, suficientes sublimações que concernem às pulsões da época oral – odor, gosto, visão, audição, tato – para fazer observações e experiências sensoriais pessoais.

Ela certamente encontrou o espelho e observou todas as regiões corporais homólogas às suas no outro, quer lhe tenham sido dadas ou não as palavras para significá-las.

Assim, a visão do traseiro de uma outra criança lhe traz a revelação das formas das nádegas naquilo que têm de visíveis, enquanto que, a não ser eventualmente e muito raramente através do brincar no espelho, ela tenha conhecido, em sua forma, apenas a face anterior de seu próprio corpo. São apenas as sensações tácteis que, por prazer ou dor, lhe permitiram sentir a região posterior de sua bacia, nos cuidados de higiene, por exemplo[41].

Corolariamente, a face anterior da bacia, que serve para a micção urinaria e caracteriza o sexo, só é notada pela criança em sua diferença e entre forma masculina ou feminina, em geral, após os trinta meses. (Da mesma forma, enquanto que em família ela vê adultos, pais, irmãos e irmãs, nus, ela não nota, quando é pequena, o sistema piloso corporal dos outros). De fato, é apenas uma vez conhecida a face posterior do corpo do outro, que ela se interessa pela face anterior da bacia: tanto a sua no espelho quanto a do outro.

Em contrapartida, esta face anterior já lhe havia colocado problemas quando, sentada sobre os joelhos do adulto, ela comparava o peito das mulheres ao tórax dos homens. Por que ela mesma, menina ou menino, olhando-se ao espelho e se apalpando o tórax constata que não tem seios? Por que seu pai não tem? Todas estas perguntas são verbalizadas pelas crianças desta idade, quando suas palavras referentes ao corpo são livres. E as palavras que lhes são ditas concernentes a estas diferenças do corpo as incitam a supor, sobretudo se são meninos, que a protuberância palpável de seu sexo e do sexo dos homens é de mesma natureza que esta outra protuberância, palpável no tórax das mulheres: os seios. Não é raro que as crianças, e não somente os pequeninos, não tenham outra palavra para qualificar os seios das mulheres que não "lolo" ou "pi", nomes que elas dão por extensão a seu sexo: a palavra "pi" dobrada se torna "pipi" na língua francesa, assim como "lolo" é a repetição do fonema do elemento

---

41. Penso, a este respeito, nas crianças que recebem palmadas quando fazem uma besteira: é, portanto, aqui, que mãe e pai situam a origem intencional do desejo em seu filho. Que as crianças acreditem nisto, as inocentes, tendo prazer em "jargonear" pipi-cocô blasfemadores e cocô-morcelas lúbricos para sua idade, por que não? Mas que os adultos acreditem nisto ainda, sentindo tais palavras como chocantes! E, ainda, eles se imaginam educando ao valorizar as nádegas!

* *L'eau* é pronunciado "lo". (N. da T.)

vital que, como o leite do seio da mãe, apazigua a sede: *l'eau* (água)*. A palavra "pi", onomatopeia de jatos sucessivos, que é dada aos mamilos das vacas ou das cabras que se ordenha, é como que desdobrada para significar o que denominamos como "torneira" dos meninos, quero dizer, o pênis, palavra raramente utilizada para as crianças. É na ocasião deste interesse pelos seios e pelo pênis, interesse que ela traduz pelas palavras que estão à sua disposição, que a criança, menina ou menino, se coloca a questão da diferença de formas entre o corpo dos homens e o das mulheres, entre o dos meninos e o das meninas. Como é que os meninos têm um embaixo, os papais também, as mamães também (isto é evidente), e que as mamães tenham também dois em cima, enquanto que as meninas nada têm a mostrar de tão bonito nem de tão funcional, nem embaixo nem em cima?

Sem dúvida, a diferença já é dita nas palavras: "Você é uma menininha", "Você é um menininho", mas esta diferença não foi ainda situada no corpo; quanto mais no que se refere às "maneiras" conformes àquilo que se espera de uma menina ou de um menino. É através de perguntas referentes ao corpo diferente dos pais que a criança descobre a diferença; mas, para isto, é preciso também que ela se dê conta de que *não* há diferença da face posterior do corpo entre meninos e meninas. E isto que conduz à curiosidade para a frente diferente. Quando os pais não têm outra palavra que não "traseiro" ou "bumbum" para falar da bacia da criança, tanto da frente quanto de trás, eles complicam tudo, mesmo se, para descriminar o lugar por seu funcionamento, eles acrescentam a "bumbum" ou a "traseiro" o adjetivo "grande" ou "pequeno". A primeira visão clara, para um menino, da estranheza do sexo de uma menina é um choque, da mesma forma que a primeira observação clara para uma menina do sexo do menino. Não existe nenhum caso em que, se as crianças são livres para falar, não reajam fortemente a esta primeira visão. O menino pensa que as meninas têm um pênis, mas que ele está escondido, momentaneamente recolhido; e as meninas têm todas, imediatamente, um gesto raptor, irrefletido. Quantas dentre elas, segundo o testemunho dos pais, dizem: "É meu isto, você o tomou de mim". Elas não colocam questões, elas raptam, são afirmativas quanto ao que lhes é de direito! Quanto ao menino, ele fica espantado com este interesse ou gargalha, e vai contar isto a quem quiser ouvir. É em conexão com a experiência da descoberta e as perguntas indiretas ou diretas referentes à diferença sexual que palavras verdadeiras devem ser dadas às crianças de ambos os sexos, confirmando a exatidão de sua observação e as felicitando por se terem dado conta de uma diferença que sempre existiu. *As palavras verdadeiras que se referem à conformidade de seu sexo a um futuro de mulher ou de homem, é isto que dá valor de linguagem e valor social a seu sexo e a ela mesma*; e é isto que prepara um futuro saudável para sua genitalidade, em uma idade onde as pulsões genitais não são ainda prevalecentes. A criança ouve, desde pequena, que é menino ou menina; mas é uma referência puramente verbal, que não tem correspondente em sua observação do corpo. É uma palavra que contém julgamentos éticos bastante vagos conforme as famílias e ainda mais, ideias desagradáveis ou agradáveis para as mamães ou para os papais que teriam desejado, ou não, na ocasião do nascimento, uma criança de um outro sexo que não o seu. As meninas, nas conversas banais da vida, são ditas graciosas; os meninos são ditos brutos. As meninas choram, os meninos não devem chorar. As meninas são fofas, os meninos são, supostamente, durões. Que balelas as crianças teriam que ouvir, concernentes a uma diferença, no entanto, sexual, bem antes de saber em que referenciá-las nos genitores! E quantas crianças são abandonadas sem explicação a esta observação, fundadora de sua inteligência geral e de sua afetividade! Pois é ela que é a base de todas as discriminações significativas sustentando as comparações, as diferenças, as analogias, a indução, a dedução, e o vocabulário do parentesco, da cidadania, da responsabilidade.

É indispensável que as crianças quando expressam sua curiosidade, suas dúvidas sobre suas observações, ou quando por vezes, por prudência, elas acusam uma outra criança de se interessar pelo ver ou pelo mostrar desta região, ou ainda, quando elas avançam no falso para saber o verdadeiro, recebem neste momento mesmo, não uma injunção para se calar, nem palavras que as ridicularizam, mas sim, palavras certas do vocabulário que concernem à sua observação, às formas fisiológicas de seu sexo, às daquele dos outros: formas que fazem com que, desde seu nascimento, um bebê seja inscrito na certidão de nascimento como menino ou menina, e que se tornará, ao se desenvolver, homem como seu pai ou mulher como sua mãe. Palavras verdadeiras, certas e simples: como isto se revela difícil! Ou é um curso magistral, acompanhado de moral, de alertas, ou então, na maioria das vezes, é uma recusa: "Não é a hora, é muito importante para eu te responder agora". Como se fosse preciso um *tête-à-tête*, no limite, erotizado, e palavras botânicas ou zoológicas! Além do que se propõe quase sempre somente palavras de funcionamento, confirmando a ilusão de uma forma de utilidade urinaria, para nublar as pistas da curiosidade referentes ao prazer que a criança já conhece e seu questionamento: para que serve a ereção, o sexo (que se observa) ou para que serve aquilo que se sente ali de tão interessante, de tão emocionante, sobretudo, quando se trata de meninas que não têm, ou que não podem falar da ereção peniana, e nada tem que seja visto ali, onde elas sentem.

Muitos adultos – nós o ouvimos, nós os psicanalistas, sobre o divã, e os médicos também podem testemunhar este fato – continuam a ter para designar seus órgãos sexuais apenas palavras de crianças, nas quais a função serve para denominar o órgão, ou apelidos, no limite, pejorativos, engraçados ou da gíria. É daí, sem dúvida, que vem, de genitores para engendrados, de pai para filho, de mãe para filha, a impossível informação dada pelos pais às crianças, que, no entanto, esperam tudo de suas explicações. Elas esperam, sobretudo, que não seja calado o desejo nem o prazer: já que é isso que importa mais para a criança, que o descobriu bem antes de se ter dado conta da distinção entre o prazer que acompanha a liberação excrementicial e aquele que ela sente seja pela manipulação desta região, seja em certos momentos emocionais dos quais ela não tem a explicação. *Por volta dos trinta meses*, no fim do período anal – talvez mais tarde –, *a pulsão epistemológica da criança envolve o "para que serve" a respeito* de tudo, buscando resposta quanto ao útil, quanto ao inútil, ao agradável ou ao desagradável, a curto ou a longo prazo, em suma, àquilo que já fornecia os critérios de satisfação ou de renuncia diante dos perigos das pulsões orais e anais. Um dos perigos comuns, é o de desagradar mamãe, e este desprazer a criança constata em torno do prazer que ela tem com seus excrementos. A constatação deste desprazer é um dos meios para a criança de discriminar o que decorre do sexual em relação ao excrementicial, enquanto que, de início, são confundidos. Confundidos sobretudo nos meninos já que ele só pode urinar em ereção até os vinte e oito ou trinta meses. É somente depois que ereções independentes da micção fazem, deste órgão que se move sozinho e sem objetivo funcional, um problema. O que ele sente ali, ele não tem possibilidade de decodificar o sentido, sozinho. Quanto à menina, a função urinaria é desde muito cedo sem relação, para ela, com o prazer das sensações clitorianas e vaginais. Também, as meninas são mais precoces, mas talvez, já que seus órgãos em ereção, ou seja, no momento de sua sensação de que algo muda, não são vistos, elas têm mais dificuldades de falar a respeito. São sensações íntimas, não há correspondente visível ao testemunho que elas poderiam fazer deste fato.

AS IMAGENS DO CORPO E SEU DESTINO: AS CASTRAÇÕES

Para qualquer criança, são seus pais que detêm todo saber, e seus dizeres são autoridade, após o desmame, referente a tudo do pegar, do agir, do fazer, da criança sob sua tutela.

Com a maturação neuromuscular, o deslocamento do interesse – que se refere do trânsito digestivo em direção à deambulação no espaço – faz com que a criança grave, a respeito dos dizeres e dos fazeres, aquilo que ela percebe como agradável ou como desagradável, tanto em seu próprio corpo como na harmonia de suas relações emocionais com seu meio. A castração delivrada pela instância tutelar em palavras (e também em exemplo, no melhor dos casos), ou seja, as proibições que limitam a liberdade da criança, concerne ao bom e ao mau para seu corpo e para o do outro, para as coisas e para os seres vivos, as plantas e os animais, de acordo ou em contradição com o prazer experimentado no agir seus desejos ou no freá-los, submetendo-os àqueles do outro. A criança é iniciada pelos adultos tutelares ao possível e ao impossível, segundo a natureza das coisas, o proibido ou o permitido que se referem a isto e dependem, por vezes, de um saber tecnológico experimentado, relativo à idade, ao tempo, ao espaço, aos dizeres do adulto, mais ainda do que à experiência direta que ela tem do possível e do impossível. "Mais tarde, quando você for grande", lhe é, por vezes, respondido. O critério do impossível, que ela intui e que lhe é ensinado (verídico ou não, segundo a ansiedade da instância tutelar) é o verdadeiro perigo, a curto ou a longo prazo, e seu corolário, a proibição de se prejudicar ou propositalmente prejudicar o outro. Se causar mal, se ferir, se tornar doente, se envenenar, se cortar, se mutilar, talvez, até mesmo morrer, tais são as palavras que ela ouviu e que lhe colocam problema a respeito de tudo o que a tenta e que lhe é proibido. O bom e o mau se referem ao corpo, mas o feio, o mau, àquilo que é visto pelo outro. O bem e o mal são muito complicados em relação ao bom e o mau, pois o bom pode, se tomado de forma excessiva, tornar-se mau, e é mau desobedecer à instância tutelar tomando, de forma excessiva, o que é bom. É bem, por vezes, não agir, quando se estaria tentado a fazê-lo, porque este fazer seria bom, mas este fazer seria mau para um outro ou se fosse observado pela instância tutelar.

Tudo aquilo que faz o trabalho mental ser discriminativo para a criança inteligente desde que ela foi introduzida à linguagem, lhe faz elaborar um sistema de valores, uma ética, referente ao imaginário e à realidade, enquanto que ela está, por ser viva, em busca do prazer que é sempre o objetivo do desejo, quer seja ele inconsciente ou consciente. Existe o prazer "para dizer" ou

140 A IMAGEM INCONSCIENTE DO CORPO

"para rir", aquele que é pego falando; e depois, o prazer "prá valer" ou "de verdade", aquele que se pega realizando seu desejo. Isto subentende todas as sublimações das pulsões das crianças dos dois sexos. Por introjeção das palavras do adulto, dos comportamentos do adulto que ela observa e do qual ela depende para sobreviver, a imagem inconsciente do corpo (lembremos que ela é tripla: basal, funcional e erógena) se estrutura desde a primeira castração umbilical, depois, o desmame, em seguida, a independência motora. Ela se estrutura informando o esquema corporal dos dizeres parentais naquilo em que eles limitam as iniciativas da criança (pré-Super"Eu"), porque elas colocariam em perigo a coesão do sujeito e de seu corpo, pela qual se mediatiza sua relação com seu objeto de amor – mãe, pai, pessoa tutelar. "Mamãe-Papai" ou "Papai-Mamãe", instância bicéfala enquanto objeto familiar a ser manipulado e, enquanto relação matizada com cada um deles, com diferentes cuidados, segundo o caso, mas, sempre, fatalmente, projetando sobre os dois seu próprio narcisismo.

A criança, por volta dos três anos, segundo a iniciação verbal e os exemplos recebidos, já sabe seu nome, seu endereço, sua pertinência familiar. Ela sabe se automaternar o suficiente para não morrer de fome ou de frio, se há o que comer, e se há com que se cobrir no espaço que a rodeia, ela sabe se interessar e ter prazer com tudo que a rodeia, sem muitos riscos, e, se ela conhece este espaço onde seus familiares a introduziram, ela já sabe se comportar, em suma, se autopaternar. Esta criança, menino ou menina, cresce desejosa de se identificar com adultos tutelares, pais e irmãos mais velhos. E eis que sua observação e seu desejo de saber – pulsão fundamental de qualquer ser humano que lhe faz, a respeito de tudo, buscar a que isto serve, como se faz, como funciona e porquê – lhe fazem descobrir claramente a diferença sexual, descoberta surpreendente logo situada no prazer específico que esta região proporciona ao ser excitada. É bom, é agradável, por quê? Para que serve? Não seria certo? Por quê?

"Porque você é muito pequeno, lhe dizem com um ar incomodado, você saberá quando crescer. – E quando eu for grande, serei como você?", diz o menino à sua mãe ou a menina a seu pai. "Mas, não diga bobagens, lhe respondem, você será como... você será... eu não sei. Falemos de outra coisa".

Existe portanto alguma coisa, misteriosamente, de mal, algo proibido sobre o se fazer estas perguntas. E que os pais, adultos que esqueceram totalmente a maneira de pensar e sentir sua pri-

AS IMAGENS DO CORPO E SEU DESTINO: AS CASTRAÇÕES 141

meira infância (é o que Freud descobriu e nomeou de recalcamento) se sentem questionados no mais íntimo de si mesmos; e ficam estupefatos, quase incomodados, de ter a revelação de que seu filho experimenta um prazer que eles acreditavam reservados aos adultos, em relação com emoções que eles imaginavam ligadas a um sexo totalmente desenvolvido, em um corpo de características sexuais secundárias completamente aparentes. Para um adulto, o desejo e o amor antes da puberdade são impensáveis; e a possibilidade de um orgasmo sexual ainda mais. O adulto interrogado pensa, portanto, que é inútil responder a perguntas que lhe parecem sem fundamento. Mas a criança compreende o incômodo dos pais de uma maneira completamente diferente.

A criança que vê que o sexo de um outro é diferente do seu tem o fantasma de que se trata de uma anomalia ou de uma mutilação: sofrida? aceita? efetuada pelos pais? É o próprio fantasma que desperta, por vezes, muito precocemente, a criança para a sua genitalidade. Os pais o esqueceram. Mas a perturbação que a criança constata no adulto lhe confirma que foram, sem dúvida, eles que fizeram isto sobre ela ou sobre o outro, são eles que o quiseram, e por que, então? Daí uma angústia completamente inútil, que se acrescenta à primeira angústia do despertar, inevitável e necessário, dado o tipo de raciocínio da criancinha até então, seja em sua lógica das formas (semelhante-não-semelhante, grande-pequeno, mais-menos, bom-mau, possível-impossível), seja em sua lógica dos funcionamentos de seu corpo sempre acompanhados de apreciações das pessoas tutelares (ele é bonito ou feio, comeu bem ou mal, esteve doente, olhe o que você fez etc.)

O inconveniente das não-respostas ou das respostas inadequadas às perguntas da criança referentes ao sexo está no sentido de confirmar sua hipótese: são os pais que cortaram algo ou que maniganciaram isto. Opinião esta tão mais digna de crédito para a criança na medida em que ela é testemunha das brigas dos pais que não podem mais conciliar seu desejo sexual e seu amor. Existe um mal-entendido inerente às idades respectivas do perguntador e do respondedor; mas existe também um não-entendível em certas perguntas de crianças, porque estas perguntas tocam no mais profundo do sofrimento afetivo e psíquico dos adultos, ou seja, em suas próprias angústias de castração e em suas provas atuais de impotência.

Na maior parte dos casos – que irão evoluir saudavelmente em consequência de um meio educativo que permite à criança a compreensão daquilo que ela observa, e que ama a criança enquanto futuro homem ou futura mulher – a aceitação da castração primária conduz, para as crianças de ambos os sexos, à valorização do pênis enquanto forma bela e desejável. Esta bela forma do pênis se inscreve na continuidade da bela forma do seio. Para a menina, é secundariamente, e após reflexão, que ela admite como mais válido para seu corpo não ter pênis para fazer xixi: já que, por um lado, ela pode fazer xixi (não de pé, certamente, mas pode muito bem fazer), e que, por outro lado, pesquisando na região com a ideia de que talvez ela tenha um ou que este crescerá, ela descobriu o clitóris, e que apesar de tudo ele lhe dá bastante satisfação; e depois, enfim, sabendo que sua mãe e as mulheres feitas como ela estão contentes, ela conclui daí que é esta a condição para se tornar mamãe, pra ter ou fazer bebês (conceber não é ainda pensável) e agradar aos papais.

Então, tudo bem que não se tenha pênis! Aceitemos este buraco e este botão (a vagina e o clitóris), como elas os nomeiam. E depois, tem estes dois outros botões no peito. "Quando, então, se tornarão seios para dar de mamar aos meus bebês?". Eis aqui uma pergunta de menina, que conforta a imagem do corpo de menina, imagem inconsciente, e conforta a menina conscientemente a aceitar seu esquema corporal. Ela aceita mais facilmente que o menino a castração uro-anal, ou seja, a renúncia ao prazer erótico com o objeto excrementicial. A continência esfincteriana é seguida da sublimação das pulsões tácteis na destreza manual, tal como a criança a vê nas mulheres jeitosas no lar. Da mesma forma, o prazer motor muscular se desloca muito mais rapidamente nas meninas do que nos meninos, do narcisismo do peristaltismo erógeno e da manipulação do corpo na região vulvar para o prazer proporcionado pelas tarefas pseudodomésticas de manutenção da casa, de manutenção das bonecas, substitutas de crianças, e para a higiene de seu corpo, para o cuidado com seu penteado, para seu vestir, em suma, para sua vaidade, a preocupação com seus vestidos, o gosto com suas pregas, botões, bolsos, laços, nós...

Observamos as crianças desta idade que passam por este período. Com sua lábia, as meninas recusam aos meninos o valor de seu pênis, sem acreditar muito nisto, felizes, quando elas podem, vê-los "fazendo xixi", contemplá-los "fortes" quando eles brigam, mas: "não são vocês, somos nós, as meninas, que seremos mamães e que teremos os bebês!". Daí o brincar com bonecas, classicamente uma brincadeira de menina, pelo menos considerada como tal, enquanto que, é brincadeira de menina, de fato, mas é brincadeira erótica em relação à criança fetiche

AS IMAGENS DO CORPO E SEU DESTINO: AS CASTRAÇÕES 143

fálica anal, como para o menino é a brincadeira com os carrinhos: deslocamento do objeto parcial excrementicial para um objeto fetiche ânus-uretral que ele mesmo conduz, do qual ele é o dono, a quem ele adora. Da mesma forma que os jogos com armas correspondem ao deslocamento do fetichismo do objeto parcial peniano, quando a criança aceitou o domínio da continência. Como vemos, a menininha tem brincadeiras de deslocamento do objeto parcial anal onde ela se exercita para a maternidade, e o menininho, brincadeiras de deslocamento do objeto sexual parcial anal e uretral (interno e externo – o pênis) onde ele expressa sua virilidade a devir. O menino só experimenta uma decepção diante desta suposta superioridade das meninas que não têm o pênis, mas que terão bebês, se não lhe ensinarem, ao mesmo tempo que às meninas que acreditam assim triunfar com sua suposta superioridade na diferença sexual aparente, que uma mulher só pode ter crianças à condição de que um homem, o pai da criança, dê, na união sexual, à mulher a possibilidade de concebê-la.

É neste momento que deve ser revelado em palavras, que o pai e a mãe estão tão implicados e são responsáveis tanto um quanto o outro na fecundidade, ou seja, na concepção da criança. Qualquer criança de três anos ou mais, quando coloca a questão do "para que serve o sexo?", deve ouvir claramente ser dito o que é da fecundidade dos humanos, ou seja, a responsabilidade humana da paternidade e da maternidade na união dos sexos. Isto é bem possível, e os pais em dificuldades para dar estas respostas podem fazê-lo após terem falado com psicanalistas. Quando a criança não conhece seu genitor, e mais raramente sua genitora, sendo educado por um genitor que ficou sozinho, ou com a ajuda de um ou de uma substituta, é muito mais difícil aos pais responderem. E no entanto, é indispensável.

Responder claramente a verdade, se traduz por uma alusão implícita, ou melhor, explícita, à união sexual dos genitores, ato deliberado ou não, ao longo do qual a criança foi concebida, e frequentemente, com o desconhecimento do desejo consciente ou do gozar dos genitores. Qualquer criança conhece algo do prazer sexual e é sensível à maneira pela qual os adultos, sem nomeá-lo, se referem, ao mesmo tempo que à sua concepção, a seu amor recíproco, a seu próprio prazer, ou a seu não-prazer. O tempo decorrido entre a concepção e o nascimento, que dá sua ênfase ao papel materno, dá também aos pais a possibilidade de delivrar à criança seu *status* de sujeito. É ela quem uma vez concebida, assumiu, a cada dia, sua parte na simbiose feto-materna.

144   A IMAGEM INCONSCIENTE DO CORPO

Esta resposta clara concernente à concepção abre aos dizeres verídicos do adulto sobre o prazer sexual, que não está necessariamente sempre a serviço da fecundidade. Se esta verdade não é dita às crianças, estes inocentes imaginam o ato sexual como estritamente funcional, animal, zoológico, "operacional". "Vocês fizeram isto duas vezes" (se existem duas crianças). E ei-las induzidas a uma incompreensão total e crescente, ao crescerem, de suas emoções sentimentais e dos desejos experimentados em seu corpo, à evocação e/ou ao encontro daqueles ou daquelas que elas desejam e amam.

Que a chegada ao mundo de uma criança diga respeito ao desejo e ao prazer recíprocos de sujeitos que se procuram, se falam e que, no encontro harmônico, chamaram a eles o ser que eles conceberam, sabendo ou não (esperando-o ou querendo evitá-lo), é isto que, dito com palavras que a criança percebe como verídicas, lhe revela a humanização da sexualidade genital, linguagem de vida e não somente processo funcional.

A filiação e a paternidade e maternidade responsáveis por esta criança, ainda lhe é preciso falar a este respeito, dão seu sentido fundamental à sua vida tal como ela foi inaugurada: fácil, difícil ou impossível de assumir por seus genitores. E esta verdade falada a humaniza definitivamente, em relação àquilo que ela pôde ver e saber no que se refere ao cio, ao coito, à maternidade nos mamíferos, nos pássaros e àquilo que existe neles de companheirismo parental. Em geral, não explicamos claramente às crianças a fecundação nos animais. Se, atualmente, não nos poupamos de lhes ensinar sobre a tecnologia da fecundação e do cruzamento, a maior parte do tempo, isto se faz com palavras ambíguas: por exemplo, o coito por inseminação de um animal doméstico é denominado "casamento", o cio instintivo e sazonal dos animais é verbalizado em termos de desejo e de amor, como se se tratasse de humanos.

Sem uma explicação verbal da responsabilidade da concepção e da educação do lactante, depois da educação da criança, pelo genitor ou por um substituto paterno, pela genitora ou por uma substituta alimentadora, a criança não pode compreender o vocabulário do parentesco, notadamente o vocabulário relacional entre os adultos familiares e ela. *É o conhecimento da união sexual que lhe faz compreender o sentido simbólico das palavras da "parentalidade" do corpo, da "parentalidade" afetiva ou do coração, e da "parentalidade" social*, ou seja, a nomeação por um patronímico legal, inscrito em um registro civil, no cartório, patronímico que a criança leva por toda sua vida. A diferenciação das aceitações do termo de "parentalidade" – aceitação paterna e materna, carnal, afetiva, legal – abre a criança para o entendimento das relações simbólicas.

Poderão me dizer que a criança entre três e quatro anos não compreende nada disso. Isto não é absolutamente verdade; ela intui o sentido, se as palavras cerceiam uma realidade experimentada por ela; palavras justas para o adulto, e sentidas justas para ela, é o que a constrói como humana. Ela necessita saber que seu pai foi, como ela, concebido pela união sexual de um homem com sua avó paterna, e que o homem que deu seu nome a seu pai é seu avô paterno. Seus tios e tias paternos foram concebidos também, pelos mesmo homem, ou em todo caso, é o mesmo homem o avô paterno, que lhes deu seu nome e se mostrou diante da Lei, responsável por eles, através de sua mãe, sua esposa, que é para ela a avó paterna. Da mesma forma, ela necessita saber que sua mãe foi concebida por seu avô materno e pela avó materna, aquela que ela conhece, ou de uma outra da qual sua mãe lhe fala. Seus tios e suas tias do lado materno tem este parentesco porque são irmãos e irmãs de sua mãe, o que quer dizer que eles são nascidos da mesma mãe que sua mãe ou do mesmo pai que sua mãe ou então da união sexual deste mesmo avô com esta mesma avó. Ela compreende então que seus tios e tias são mais jovens ou mais velhos que sua mãe. Ela é seu sobrinho ou sua sobrinha, seus filhos são seus primos ou primas; da mesma forma, do lado da linhagem paterna. E se, por qualquer que seja a razão, não existe parentesco legal do lado de um ou do outro de seus pais, a explicação verídica deste fato deve lhe ser dada. Esta explicação do vocabulário do parentesco não tem sentido se a união sexual não é dita enquanto origem do nascimento e da filiação da criança, assumida por quem lhe deu seu nome, depois a educou ou não.

O menininho – que já goza, em sua imagem do corpo, de seu valor erótico peniano, e da imagem funcional ânus-uretral da excreção, e da masturbação, em parte sublimadas sobre objetos lúdicos e utilitários a serem dominados, e que se narcisa enquanto menino – é assim despertado à consciência não somente do que é o prazer que ele terá enquanto homem na união sexual que amantes fazem, mas também daquilo que será seu valor sexual de companheiro, talvez de marido de uma mulher que ele amará; e sobretudo do valor procriativo de seu pai e de seu avô que, até então, eram vistos, apenas como satélites, companheiros, cúmplices, comparsas, agradáveis ou não, da mãe ou da avó. Qualquer menino que não sabe quem é o pai, não cessa de procurar

146 A IMAGEM INCONSCIENTE DO CORPO

saber de quem sua mãe o concebeu. Eu já vi muitas crianças de mães solteiras manifestarem inúmeras e diversas perturbações do comportamento como consequência de não-respostas a uma pergunta implícita ou indiretamente explícita referente a seu pai: "Você não precisa ter um, não somos felizes assim?". "Você não tem teu vovô, teu titio, tua vovó?". Tais são as proposições que uma criança ouve quando ela faz a pergunta, quase indireta: "Por que as outras crianças têm um papai?". Eis uma criança mestiça, por exemplo, de cabelos crespos como um africano, e cuja mãe era loira; como o menino se queixava para ela das perguntas de seus colegas sobre a cor de sua pele, ela respondia: "Você está bronzeado, desde suas férias nas montanhas, é só isso. – E por que eles me chamam de negro?". A mãe não achou nada mais para dizer do que: "Eles são grosseiros e mal-educados".

Quando as crianças não tem ainda muita idade, entre três e cinco anos, ou até mesmo um pouco mais, mas que seu problema é da ordem da genitura[42], elas podem ser restabelecidas na ordem de um comportamento humanizado por uma resposta verdadeira de sua mãe. É por vezes necessário que ela trabalhe com um psicanalista para compreender do que se trata, para poder dizer esta verdade com as palavras mais simples. É isto que a criança necessita conhecer e, de pergunta a resposta, compreender. E é isto que lhe dá as bases saudáveis para reencontrar aquilo que eu não saberia nomear de outra forma que não sua ordem. Mas não é indispensável ver um psicanalista para isto. Qualquer mãe poderia, se ela soubesse que é muito importante, responder a seu filho. Em numerosos casos semelhantes, eu vi apenas a mãe. Em certos casos, foi inútil envolver uma terceira pessoa, o psicanalista, no trabalho de informação humanizante da criança. A mãe podia ser suficiente, a partir do momento em que ela tivesse compreendido suas resistências. Mas a verdade sobre sua genitura pode também ser dita pelo avô, por qualquer pessoa que goste da criança e que conheça sua história e que pode, assim, contar a ela com respeito pela união sexual da qual ela proveio, sem censurar nem um nem outro de seus genitores. É necessário dizer a realidade dos fatos e, se possível, precisar a respeito do nome da família, da própria família do genitor, das razões que provocaram a união, depois a separação dos pais. Este ser humano, a criança, está, ela mesma, na origem de sua própria vida: é seu desejo que a fez se encarnar, que a fez dia após dia perma-

---

42. Entendo, neste sentido, simultaneamente, as potências físicas da procriação e o tomar a responsabilidade do desejo.

necer na matriz, com esta mulher feliz ou em dificuldades de carregá-la. Tudo isto, seu corpo vivenciou, e, portanto, tudo pode ser falado para que tudo seja humanizado, para que nada permaneça em uma pseudo-animalidade e organicidade, pois *nada é somente orgânico no ser humano, tudo é também simbólico.* Quando as crianças aprendem a verdade da união sexual de seus pais que está na origem de sua vida, é aí que se dá uma eclosão para seu entendimento, reforçado pelo conhecimento de sua filiação, e que lhes permite dar sentido aos sentimentos que elas têm em relação à mãe, ao pai, e às duas linhagens, se tiverem a sorte de tê-las. Mas trata-se, para uma mentalidade de criança, de um desejo que é apenas verbalmente genital. A responsabilidade aceita ou negada, por seus pais, assumindo-a parcialmente, totalmente ou de forma alguma ao colocá-la no mundo, isto ela não pode ainda compreender e, aliás, não existe discurso moral para lhe sustentar, atualmente, os fatos verídicos de sua história. Ser papai ou mamãe é para a criança uma representação funcional e sem dúvida erótica, mas são para ela funções de zonas erógenas parciais do corpo, cujo prazer suposto é da ordem daquele que ela se proporciona pela masturbação, com o acréscimo dos fantasmas de felicidade a dois, o menino com sua mãe ou uma princesa, a menina com seu pai ou um príncipe encantado, mas sem sombra de uma rivalidade. Não é ainda o Édipo. O fato de que a criança não entenda o que é da responsabilidade e da mutação narcísica que implica a maternidade e a paternidade para seus pais não está, para ela, em contradição com aquilo que ela acredita ser sua felicidade por seu nascimento: eles estão contentes de "tê-la", e de desempenhar, em relação a ela, o "papel" de papai e mamãe. Para ela, arrimada à sua própria vida, é evidente que amor e alegria caminham lado a lado com "ter" uma criança; e ter uma criança confere, em seu espírito um "poder discricionário". E este último, para ela, é completamente compatível com a afeição que ela lhes dedica quando é jovem, qualquer que seja o comportamento de seus pais.

Mas, poderão me dizer, se as condições emocionais do nascimento da criança foram infelizes, e até mesmo catastróficas, deve-se lhe dizer? É claro, já que ela sobreviveu a isto. Já que a criança está ali após as provas de sua mãe, de seu pai, da família, dela mesma, é que estas provas foram compatíveis com sua sobrevivência, portanto dinamicamente positivas para ela, e elas fazem parte daquilo que pode ser dito em palavras, felicitando a criança por ter ultrapassado tudo isto. O bem mais precioso é a vida, ela está viva. Cuidar de si mesma, se faz, com as palavras de outro que delivram o sentido e a força do desejo, pela verdade dita sobre as dificuldades que ela encontrou.

Mas, dirão ainda muitos pais, se as crianças souberem o suposto segredo de sua concepção, elas irão incessantemente, brincar com seu sexo ou ainda contar a qualquer um a verdade de uma filiação ignorada pelas pessoas do meio. Isto, são pensamentos de adulto, não é absolutamente verdade. É, até mesmo, justamente o contrário. A criança apaziguada no que se refere às perguntas que ela se coloca, entra em um período de entendimento da relação triangular e da vida em seu conjunto que a conduz ao complexo de Édipo. Este não consiste, como podem pensar os pais, em brincar incessantemente com seu sexo.

Outros pais, ainda, dizem: "Se eu ensino meu filho, ele o repetirá às outras crianças, e o que pensarão de mim?". Sempre esta pergunta dos pais que pensam que é mau que uma criança conheça a origem de sua vida no desejo e no amor de seus pais! Já que ela está ali, ela representa uma união sexual, e por que não teria ela o direito de sabê-lo com palavras, já que é esta verdade que construiu o que ela é? "Mas se, na escola, ele falar a respeito..."

Falemos, portanto, *da escola aos três anos* e de *seu papel*. Em seu funcionamento, a higiene que a criança deve aprender a conhecer para cuidar de si mesma poderia ser dada nas aulas, nos maternais, e depois retomadas nas classes primárias. O mesmo poderia se passar no que se refere ao sexo masculino e feminino, e ao papel do desejo assumido, segundo as leis: sem com isso desdenhar a existência de desejos que as crianças falam, que não estão na Lei, que certos adultos realizam também e que os fazem cair pelo golpe da Lei, que os fazem serem aprisionados: os desejos proibidos de canibalismo, de assassinato, de roubo, de prejudicar, de exibicionismo, de violação, são justamente as proibições duplicando as castrações orais e anais que estes adultos transgrediram. A escola deveria ensinar às crianças a discriminação entre as necessidades que são irrepreensíveis, e os desejos que são domináveis, e que é esta distinção que especifica os seres humanos em relação aos animais. *A vida social dos humanos implica o domínio dos desejos segundo a Lei, a mesma para todos*; e, a partir de três ou quatro anos, o fato de que não se pode casar com seu pai ou com sua mãe, entre irmãos e irmãs, pode ser perfeitamente dito na escola, ao mesmo tempo em que as crianças brincam e continuam a fantasiar, pois o complexo de Édipo se vive e se resolve em fantasmas, sustentado pelo saber consciente de sua proibição na realidade. *A única lei comum a qualquer espécie humana, e a escola nunca fala a respeito, é a proibição do incesto, homossexual e heterossexual.* Deveria ser ensinado às crianças, na escola, que esta proibição se aplica tanto ao seu desejo frente a seus pais, quanto aquele de seus pais frente a elas, assim como à proibição das relações sexuais na frátria.

Todas as outras leis referentes à sexualidade genital, ou seja, as regras de validade e invalidade do casamento e aquelas que se referem ao reconhecimento legal das crianças nascidas de uma união fora do casamento, da mesma forma que aquilo que se refere aos divórcios, à guarda das crianças, à pensão alimentícia, todas estas coisas que elas ouvem frequentemente falar ou que lhes concernem diretamente, obedecem a leis diferentes segundo os países. As crianças deveriam, na escola, serem colocadas a par de tudo isto no momento em que estas questões lhes interessam, ou seja, entre cinco e oito anos.

E ainda existe nas escolas da França, agora, o problema colocado pelas festas do dia das mães e do dia dos pais. Que horrores as crianças são obrigadas a viver, na ocasião destas festas! As crianças têm por sua mãe e por seu pai sentimentos íntimos que não podem absolutamente coincidir com as afetações que lhes são ditas em classe a este respeito. A "mamãe querida", Deus sabe que estas palavras, em certas famílias, são completamente fora de propósito (porque a mãe está doente, depressiva, partiu, abandonou o lar, morreu ou… e ainda tantas outras coisas): o que fazem todas estas pobres crianças com estas festas de dia das mães que só fazem acentuar o problema, na medida em que nesta ocasião, justamente, e preparando a criança, poderia ser a festa da própria criança, de seu desejo de ter nascido na união sexual de seus pais, que teve um sentido, e que sempre terá algum, o sentido de seu desejo de viver que a liga às duas linhagens através daqueles que a conceberam. Certas crianças dizem em classe: "Mas eu tenho três papais. – É verdade, pode responder a professora, existem aqueles que têm três papais, mas cada um de nós tem apenas um pai de nascença e uma mãe de nascença. Podemos ter trinta e seis papais, são os companheiros da mamãe; eles podem mudar, mas cada um de nós tem um único pai, aquele que deu o germe da vida à nossa mãe, que nos carregou durante meses antes de nosso nascimento. Fomos todos concebidos por nosso pai e nossa mãe na ocasião de sua união sexual. Certos pais se amam durante muito tempo ou toda a vida, outros se separam ou se divorciam, mas isto não muda o fato de serem pais de seu filho".

Eis o que deveria ser o ensino da escola, se ela tem como alvo a educação. A verdade poderia ser dita a todas as crianças. Todas as crianças, atualmente, ouvem falar no rádio, na televisão, das leis referentes ao aborto. Elas ouvem suas mães falarem da pílula, dos meios anticoncepcionais. Por que não poderiam elas fazer estas perguntas? E por que a professora ou o professor não lhes deveriam responder? De forma natural, como deveria ser feito em família. E o vocabulário dos pais passaria, assim, a tomar sentido. O que é uma mãe, o que é um pai? O que é um tio, uma tia, um avô, uma avó? Como isto pode ser explicado, se a criança não tem informações sobre a genitura e a união sexual que faz com que seus ancestrais sejam os pais de seus avós, seus avós os pais de seus pais, e ela o ponto focal do encontro entre duas linhagens que, através dela, talvez continuarão?

A representação do tipo de uma árvore genealógica, na escola, seria já muito interessante para todos, e convidaria cada um a trabalhar ali com seu pai, sua mãe, seus irmãos e irmãs mais velhos, se ela tiver algum, seus avós. Damos às crianças horríveis folhas com desenhos a serem coloridos. Por que nas escolas primárias não lhes dão o esquema de uma árvore genealógica? Aqueles que provêm de famílias de diferentes províncias, até mesmo de diferentes países, ficariam muito interessados em ouvir seus pais lhes contarem, e também o mestre, sobre os diferentes hábitos de seus avós e parentes colaterais, de acordo com as regiões das quais eles provêm. Se são de etnias diferentes, e existem cada vez mais nas escolas francesas com a imigração, fazê-las tomar consciência da origem de suas famílias, olhando o mapa e falando dos costumes, dos hábitos, do clima, das famílias das quais se originaram; famílias talvez diferentes, do lado de seu pai e do lado de sua mãe, quando estes se conheceram na França: tudo isto, para mim, é o trabalho da escola, desde que se sabe, com a psicanálise, que é a maneira pela qual o adulto digno de crédito responde às perguntas da criança, que aparecem explicitamente entre três e cinco anos, que determina a abertura ou não de um entendimento humano, quero dizer, de um entendimento ligado à lei social. De outra forma, o entendimento da criança se entrega à malícia, por falta do conhecimento da Lei para todos.

Quando não lhe foram respondidas as perguntas sobre sua vida, sua genitura, a criança não faz mais perguntas, pelo menos em família. Estas questões devem ser levantadas novamente quando ela chega na escola, para esclarecê-las, responder-lhe e fazer dela não um cãozinho anônimo da espécie humana, mas um sujeito a quem a responsabilidade de sua história e de seu desejo lhe é devolvida, ao mesmo tempo que é reconhecido seu desejo nos objetivos masculinos e femininos longínquos, "quando eu for grande", com as leis deste desejo nas sociedades humanas, e particularmente naquela da qual ela faz parte.

Se falo do papel da escola na informação e na educação sobre a genitura e a sexualidade das crianças, é porque as crianças entram cada vez mais cedo na vida social, na creche, depois na escola, e que, ali, tudo o que não se pôde fazer em família pode ser aliviado. Ora, vemos pobres pequenos chegarem sem nem mesmo saber de quem eles são filhos, sem nem mesmo saber como, por quem e para quem sua vida e sua sobrevivência têm sentido, sem conhecer o sentido das palavras que eles empregam: avô, avó, mãe, pai, titio, titia, irmão, irmã etc. É o papel da escola o de lhes dar o sentido do vocabulário, e *a educação sexual consiste finalmente em explicitar o vocabulário do parentesco*. Desde Freud, sabemos que é ao longo dos estágios pré-genitais, ou seja, antes da entrada na castração primária que é a descoberta dos sexos, que se preparam as psicoses; e que a resposta à questão do sexualismo de cada criança é uma das mais importantes para que ela possa amar, cuidar e respeitar seu corpo, amar a vida que é a sua, e tomar ao encargo a si mesma na família que a educa, quer seja a sua ou não.

A criança vive cada etapa de sua vida segundo as palavras que lhe explicitam claramente as provas de cada uma delas. Cada etapa é, além do mais, vivida segundo a maneira pela qual a etapa anterior foi vivida e ultrapassada. As crianças de hoje, sobretudo nas cidades, são tão pouco educadas por seus pais que este papel educativo cabe cada vez mais aos professores. Aliás, a Instrução pública não se tornou Educação nacional?

A castração primária, ou seja, a descoberta pela criança de seu sexo e daquilo que pertence apenas a este sexo e o que isto significa para o futuro, pode fracassar completamente quanto a seus efeitos simbolígenos, em consequência da falta de informação, das broncas, adiamentos, que acompanham respostas ou reações dos adultos às perguntas que a criança levanta a respeito do que ela observou, ouviu dizer, sentiu.

Na escola, todas as perguntas das crianças deveriam ser válidas. Muitas escolas entenderam isto, ajudando as crianças a observar os seres vivos e a cuidar deles: vida dos vegetais, crescimento dos grãos, cuidados aos pequenos animais dos quais elas tomam responsabilidade em classe. Tudo isto é muito bom, mas não é uma educação para sua própria vida, suficiente para compreendê-la e conhecê-la. O extraordinário, para uma criança, quando ela descobre a diferença sexual e quando esta lhe é explicada, é que é a primeira vez que ela encontra uma lei que não depende nem de seus pais nem dos adultos, uma lei que é um fato da natureza e que vem, para alguns, transtornar seu mundo. Isto tem um efeito simbolígeno de valorização de sua pessoa, mas pode ter também efeitos contraditórios. Nestes casos, é importante que a escola possa ajudar a criança a superar o *handicap* que marca seu sexo segundo os dizeres, ou os valores inculcados em família. Ela mesma, por vezes, esta criança, menina ou menino, queria ser do outro sexo por razões que ela sabe e que ela poderia dizer, e que ela não se incomoda em dizer quando alguém quer ouvi-la. Quanto mais eu reflito sobre a questão da prevenção das psicoses das crianças ainda saudáveis quanto ao comportamento por volta de dois anos, e das neuroses naquelas para quem se desenvolvem dificuldades a partir da idade escolar, mais eu digo a mim mesma que é o papel informador e educativo da escola em relação às questões que concernem ao corpo e ao sexo das crianças que não está sob medida, agora que as crianças frequentam tão cedo a sociedade, tendo cada vez mais raramente famílias extensas, e tão pouco tempo para falar com seus pais. Além disso, tudo o que elas ouvem e veem nos *mass media*, na televisão, se acrescenta à confusão daquilo que elas sentem: emoções passionais que levam a condutas assassinas, relações amorosas exibicionistas de casais. Tudo isto, que se refere às relações de seus pais e à sua própria existência, acrescenta imagens às perguntas que elas se colocam. A escola deve mudar, a escola deve responder por um vocabulário preciso a todas as perguntas da criança, principalmente: "Por que tal criança leva o sobrenome de solteira de sua mãe ou o sobrenome de seu pai genitor que não é o mesmo que o de sua mãe ou de um de seus irmãos, ou aquele de um amante de sua mãe, que se tornou marido desta e que a reconheceu mas não é seu pai?". Tudo isto deveria ser explicitado na escola, já que é na escola que tudo isto se revela à criança. No momento da chamada, quantas crianças ouvem pela primeira vez um sobrenome que elas ignoravam e que no entanto é o de seu registro civil![43]

43. O desejo de saber mais a respeito de sua origem através de resposta verbal verídica dos responsáveis atuais de sua sobrevivência (seus pais tutelares) é o sinal da inteligência de uma criança. Dissipar este desejo, se abster de responder, proibir este questionamento como uma incongruência, ou enganar a criança respondendo nos termos do funcionamento fisiológico de uma mãe parturiente, significa embobecer este homem ou esta mulher a devir que a criança que questiona a respeito de

COMPLEXO DE ÉDIPO E CASTRAÇÃO GENITAL EDIPIANA (INTERDIÇÃO DO INCESTO)

O período que segue o momento em que as crianças descobriram sua pertinência a um sexo é o período no qual elas entram naquilo que em psicanálise denominamos de complexo de Édipo[44]. A partir do momento em que a criança tem o conhecimento desta definitiva pertinência a um único sexo, a imagem de seu corpo muda para ela: não é mais inconsciente, ela é conscientemente aquela que deve se conciliar na realidade a um corpo que será mais tarde aquele de mulher ou de um homem. Quanto ao sujeito, e ao desejo que ele tem no que se refere a este futuro, é um desejo de identificação com o ser que ele mais ama naquele momento de sua vida. E é por isso que é tão importante, por sua função – cumprida ou não – de iniciador da Lei, como espero tê-lo demonstrado detalhadamente, que tenha sido respondido à criança o que se refere ao papel de seu pai em sua concepção, depois, em seu nascimento: papel segundo a natureza na união sexual, papel segundo a Lei no reconhecimento da criança no registro civil, e papel afetivo no se encarregar da criança. O pai lhe deu ou não seu nome, ele ajudou ou não a educá-la. A criança pode ou não contar com ele para guiá-la, ajudá-la a se tornar uma mulher ou homem adultos.

Na falta de seu genitor, um outro homem, companheiro de sua mãe, pode lhe servir de pai tutelar. A partir da entrada no Édipo se desenvolve na criança uma visão de si no mundo onde sua vida imaginária é dominada por sua relação atual com seus dois genitores, na medida em que esta está ligada ao projeto – que a criança acalenta – de seu futuro como adulto, segundo seu sexo, sedutor e bem-sucedido. O Édipo pode ser, seja saudavelmente conflitual, seja patologicamente conflitual, em consequência da derrelição de pertencer ao sexo que é o seu. Isto pode se passar quando a mãe não pôde ou não quis dizer a verdade sobre a filiação da criança, menina ou menino. Mas isto pode ocorrer também se dramas contínuos entre os pais obrigam a criança a

sua vida, da qual – a seus olhos – os adultos têm o segredo. É o desejo de aliança carnal entre um homem e uma mulher, seus genitores, quer fossem eles prontos ou não a assumirem, a consequência, a vida e um novo humano concebido em sua união sexual, é isto que deve ser dito a uma criança que questiona a mãe ou o pai, ou qualquer adulto, sobre sua origem. É a aliança triangular dos desejos do pai, mãe e criança – menina ou menino – que as palavras do adulto devem significar, revelando assim à criança sua parte própria de desejo: de ser concebida, depois de nascer, e a partir de então, de sobreviver.

44. Cf., o capítulo sobre o complexo de Édipo em *Au jeu du désir*, op. cit.

sofrer por sua mãe pela atitude do pai, julgar mal seu pai, ou o inverso. Podemos dizer: o que se pode mudar na vida de uma criança que tenha a infelicidade de estar em meio a um casal capenga, ser educado por um homem ou uma mulher solteiros, ou pais divorciados etc.? Há muito a ser feito, colocando palavras corretas sobre a situação de fato, e ajudando a criança a dizer aquilo que ela acredita culpável de ser ouvido, a dizer aquilo que ela acredita culpável de ser pensado; pois uma criança sempre pensa coisas positivas concernentes a seu pai e sua mãe, ainda que pense coisas negativas, ainda que tenha provas visíveis de seu desentendimento e que sofra pela atitude educativa, por vezes terrível de ser suportada, de certos pais. Seus filhos sempre acham um motivo para desculpá-los. O importante, já que a criança vive, é sustentá-la, ajudá-la a se cuidar e a falar sem vergonha daquilo que se passa. Não é cômodo, ou agradável. Seus pais são problema para ela: mas, para poder continuar a se desenvolver na ordem de sua genitura, ela deve ser sustentada, no esforço para manter confiança em si, enquanto seu filho ou filha. É o que denomino em psicanálise "sustentar o narcisismo desta criança", seu narcisismo primário, o prazer de viver, e seu narcisismo secundário, seu interesse por si mesma, como indo-advindo adulto no sexo que é o seu: seja tomando por modelo as pessoas que ela conhece, seja sabendo que mesmo com modelos que ela não gostaria de imitar, existe nela um desejo que busca um modelo para se tornar adulto do sexo que é o seu.

Supomos que a criança esteja em condições satisfatórias de entendimento do casal parental para continuar sua evolução. Existe uma diferença entre a menina e o menino naquele momento. O menino quer se identificar com seu pai, como a menina, aliás. Cada um quer fazer como os dois genitores. Mas o menino, que tem a iniciativa sexual em consequência de sua intuição viril, decide que quer desposar Mamãe. A menina também, no momento em que vai entrar no Édipo, diz querer casar com sua mãe. É que ela acredita ainda que a mãe produz digestivamente as crianças e que, se ela se faz amar por sua mãe, esta lhe dará, totalmente ou em parte, aquilo que seu marido deu a ela, ou seja, os meios de ter crianças; pois, para ela, em seus fantasmas, a concepção e o parir são coisas exclusivamente femininas e têm ainda algo de mágico. Dos meios de fazer um bebê anal, eis aqui o que ela gostaria de receber do adulto amado, homem ou mulher. Papai, se está em casa, de qualquer maneira, seria e permaneceria o papai, dela mesma e de suas crianças. O menino está muito mais diretamente no Édipo. Se ele estima seu pai e se ele sente que sua mãe estima seu pai, ele está orgulhoso deste, ele quer se tornar semelhante a ele, busca se identificar totalmente com ele e, naturalmente, a ter as prerrogativas que seu pai tem na intimidade com a mãe. É aqui que *o pai pode e deve dar a seu filho o que denominamos, em psicanálise, de castração*; lhe declarar: "é impossível para sempre que um filho ame sua mãe como um outro homem a ama. Não é porque você é pequeno e eu grande, é porque você é seu filho e que nunca um filho e sua mãe podem viver a união sexual e engendrar crianças".

O Menino

Que imagem do corpo está em jogo para a criança que entra no Édipo? Falemos do menino. As pulsões genitais ativas, a respeito das quais vimos que se enraízam no uretral, permanecem funções parciais penianas, em sentido centrífugo em direção ao objeto do desejo. São estas pulsões que o menino transpõe para os objetos parciais representando eles mesmos imagens parciais de seu corpo, o sexo peniano em particular, que ele desloca para todos os instrumentos percussores, as armas destinadas ao ataque, à agressão penetrante, nos jogos balísticos, nas ações sádicas, de morte, tendo como alvo as meninas, supostamente para matá-las. Ele projeta aí, pode-se dizer, seja seu desejo de lançar um líquido assassino (os excrementos são apreendidos como maus, na medida em que são rejeitados pelo corpo), seja seu desejo de lançar os meios de fazer bebês, desde o momento que ele sabe que é aquilo que se passará um dia em sua vida, sabendo-o pelo dizer de adultos ou colegas de escola mais velhos. Esta alternativa não é em nada contraditória. As crianças que brincam de matar querem sempre que se ressuscite imediatamente depois. É "por dizer" e "para rir"; as pulsões, em fantasmas, não são "para a realidade"[45]. E depois, ele ouve falar do nascimento de um bebê: de onde ele veio? E a morte? Ela toca as pessoas do meio da criança. Para onde vamos? A vida e a morte é a questão mais importante para a criança quando ela está em pleno período edipiano. Ela vai renunciar, então, às suas brincadeiras agressivas penianas, pelo menos aquelas que não são regulamentadas nas brincadeiras quase sociais. E isto, graças à proibição do incesto, que deve ser dita tanto em relação aos irmãos quanto às irmãs, ou seja, tanto homossexual quanto heterossexual. Os meninos transpõem a agressão peniana de tipo centrífugo, inconsciente

45. Não "de verdade".

ou pré-conscientemente desejada, para a atividade manual, atividade intelectual, a atividade de todo seu corpo, lúdica e laboriosa. É pela palavra do pai e os exemplos dados por ele do respeito pelas mulheres, por sua mulher e por suas filhas, que o menino capta a diferença entre seu desejo uretro-anal de se tornar dono do corpo do outro, como aquele que percute agressivamente para se sentir viril (algo como o cio dos animais), e o fato de dar um dia à vida, com a escolha vinda do amor associada ao desejo; com a sentido da responsabilidade que engaja, um frente ao outro, os amantes, depois os genitores, aqueles que colocaram uma criança no mundo e que se engajam, cada um deles, frente a esta criança, a educá-la até sua maioridade. *Quando isto é dito pelo pai a seu filho, é a iniciação do filho à vida humana. É isto, a castração edipiana. "Eu te proíbo tua mãe, porque ela é minha mulher, e porque ela te colocou no mundo. Os dois são importantes. Tuas irmãs te são tão proibidas sexualmente quanto tua mãe.* Eu não sou casado nem com minha mãe, tua avó paterna, nem com tuas tias, que são minhas irmãs; tua mãe não se casou nem com seu pai, teu avô materno, nem com seus irmãos etc.[46]"

É assim que a criança ouvirá aquilo que irá introduzi-la na ordem da humanização genital. E aqui que a escola também teria seu papel a ser desempenhado, falando da diferença entre a pulsão genital humana, ligada ao amor, e o cio fecundador dos animais, que obedece a um instinto cego de acasalamento entre macho e fêmea sem amor, sem sentido da responsabilidade e do compromisso, ainda que certos animais observem um tempo de acasalamento para a assistência e provisão paterna e materna aos pequenos, até que eles saibam sozinhos achar seu alimento.

Carência do pai, inapto a dar a castração. Se o pai não o faz, ou se alguém não o faz, esta educação do domínio do desejo, proibindo o incesto, o menino pode permanecer por toda sua vida na ideia de uma escolha exclusivamente narcísica do objeto eleito, que não será, talvez, sua irmã ou sua mãe, mas que será destinado apenas a seus prazeres parciais genitais: objeto escolhido, eventualmente por ser sustentado por intimidação e violência em sua dependência. É a submissão do pai à lei do respeito, da não-agressão à sua cônjuge, a mãe da criança, que desperta o menino para o fato de que a vida relacional dos adultos não é do tipo

---

46. Isto é muito importante de se dizer e redizer a uma criança de mãe solteira, cujo patronímico pode parecer, por comparação àquele de outras crianças, aquele de seu pai.

AS IMAGENS DO CORPO E SEU DESTINO: AS CASTRAÇÕES 157

uretro-anal como ele a imaginava a partir de seu modo de sentir e segundo seu narcisismo infantil, mas de um outro tipo que não aquela que ele deseja em sua idade. Daí o papel perturbador de um pai violento, ou da ausência total do pai. Aqueles que são agressivos, odiosos de se viver em família ou bêbados, que voltam para casa e batem em sua mulher, aqueles que são irresponsáveis e que não falam com seus filhos, nenhum destes os forma do ponto de vista de seu desenvolvimento afetivo. Neste sentido, homens que não proporcionam nenhuma alegria para sua família, mas que são vistos possuindo violentamente a mãe, são patogênicos, porque o filho pequeno os admira assim mesmo. São machos que lhe parecem de uma potência fantástica, e que são para ele modelos animais muito mais do que humanos. Tais pais, com a cumplicidade submissa de sua esposa, dão a seus filhos o próprio exemplo de comportamentos masculinos irresponsáveis. Seu comportamento "viril" parece às crianças, quando são pequenas, como mágica, pode-se dizer: narcísico, oral, anal, fascinante. É o que encontramos nos ogros dos contos, os monstros dos mitos. A reivindicação da dominação, até mesmo do desprezo do menino pela menina[47], que faz, para este, momentaneamente, mais ou menos parte de seu desenvolvimento normal, desde a castração primária até o fim do Édipo, é dada nestes casos como exemplo pelo comportamento do pai frente à mãe.

Se o pai continua, sozinho, a fazer a lei em casa, no registro de suas pulsões orais, anais e uretrais, satisfeitas no etilismo ou no comportamento paranoico, o fato de que a criança veja este homem mestre absoluto de uma mulher atemorizada, que lhe faz de tempos em tempos bebês, confirma, no menino que leva o nome deste homem, que é pelas pulsões uretro-anais que o homem é cidadão valoroso em sociedade. Grande é então a sensibilidade de tal menino à homossexualidade: seja a homossexualidade passiva, por identificação com a mãe depressiva, por vezes, mas valorosa, já que ela é a única protetora das crianças diante do pai; seja homossexualidade ativa, estruturada na relação com o pai cujo exemplo o incita a pensar que é isto se tornar um homem no verdadeiro sentido da palavra. Assim, se fabrica este tipo de homem de comportamento paranoico, violentador de mulheres e de regulamentos, a partir do momento em que seu desejo impulsivo e irrepreensível é pouco contrariado. São adul-

---

47. Esta dominação e este desprezo, as crianças do outro sexo se vangloriam disto também – pelo menos, isto é muito frequente entre irmãos e irmãs (maneira de sublinhar o recalcamento das pulsões incestuosas que são correntes).

tos que, em sua infância, nunca se viram completamente colocados no Édipo, ou que nunca receberam castração de seu pai. Eles permaneceram indivíduos masculinos, não completamente humanizados, e levados por suas pulsões mais do que as dominando, falando, questionando, fazendo a lei, a sua, frequentemente inteligentes, lógicas, e – a criança vê isto bem no bar – apreciados por seus colegas. De fato, são, em sociedade, modelos de vida afetiva homossexual; e, em casa, na sua relação com sua mulher, animais movidos pelo cio. As mulheres que são obrigadas a aceitar uma situação semelhante, evidentemente, são também nascidas e provindas, familiarmente, de situações difíceis em sua juventude. Ali, o papel dos adultos do meio, dos adultos da escola, o papel dos médicos que conhecem as crianças, é muito importante: não separá-las de seu meio familiar, mas lhes permitir compreender a falha de educação que está na origem das dificuldades de seu pai. Elas não o deixarão de amar, mas será menos nocivo como modelo de identificação. No mais, tais pais foram frequentemente, no início de sua vida, amantes transidos de sua mulher, mas tanto enquanto filhos como enquanto amantes; são homens cujo Édipo se passou muito mal, e que, muito frequentemente, o revivem nos ciúmes que os sufoca em relação à afeição e aos interesses que sua mulher dedica aos filhos e mais especialmente ao filho. Um médico conhecendo a psicanálise, e a par do que é uma vida familiar deste tipo, pode muito bem dar a proibição do incesto ao menino e lhe dizer que ele não tem mais, mesmo que seja para consolá-la, que acarinhar sua mãe quando ele a vê infeliz com seu pai – não é mais próprio para sua idade, ele deve trabalhar bem na escola, honrar seu pai e sua mãe, não mais se comportar como um amigo exclusivo de sua mamãe. Seu pai nem sempre foi como ele o vê em casa e, aliás, a mãe pode dizê-lo diante da criança ao médico. O pai entra nesta situação frequentemente por razões de depressão, de sobrecarga, dificuldades devidas a uma vida material difícil. Tudo isto ajuda muito uma criança a relativizar os dramas de que é testemunha; e, de uma outra maneira, isto ajuda ambos os pais através de seu filho. Quando um menino atingiu um nível edipiano impossível em consequência de um pai patogênico, o trabalho consiste em lhe fazer compreender que ele aprenderá melhor em classe, será melhor sucedido se deixar o lar e pedir, ele mesmo, para morar em pensão, se isto for possível economicamente, ou com a assistência da sociedade. Mas o pedido deve vir da criança. Não é porque a situação é difícil que se deve, salvo exceções, separar a criança de sua família. Deve-se esperar que a criança o peça ela mesma. É em família que o Édipo deve se resolver.

A Menina

Falemos agora do Édipo da menina, da qual eu dizia que no início é tão homossexual quanto heterossexual já que a menininha entra na vida genital com o objetivo de seduzir alguém que a torne mãe como a sua mãe. Para ela, quando se refere ao falo, os homens têm pênis, as mulheres têm crianças, é claro. Seu desejo de identificação com sua mãe conduz a menina, se o casal parental se entende, a desejar ter as prerrogativas que seu pai reconhece à sua mãe. Mas a menina só pode entrar no Édipo na condição de tentar transgredir a proibição do incesto, fazendo cair seu pai na sua armadilha sedutora. A filha não tem as pulsões ativas centrífugas penianas do menino. Em relação ao falo suas pulsões são centrípetas. Ela atrai para si. Ela espreita o objeto que representa para ela o poder e que ela quer tomar para si. Em fantasmas, a transgressão da proibição do incesto por seu pai ou por um irmão dá valor à sua pessoa e à sua filiação. Ser pega, ser penetrada como mamãe o é por papai, até mesmo submetida por força a esta potência sedutora, eis o que explica seus sonhos de perseguição, e de rapto e violação por um senhor do qual não se vê a cabeça mas que tem tais características de seu pai ou de um de seus irmãos. Na realidade, seu desejo é o de agradar.

E este fato lhe faz desenvolver qualidades femininas que ela pode utilizar para o sucesso social: aprender suas lições, fazer bem seus deveres, se comportar bem, ter boas notas, e desenvolver qualidades femininas no lar, a limpeza, a louça, todas as atividades que ela vê os adultos fazerem, tanto a mãe quanto o pai, e que ela vai desenvolver para agradar a ambos e, se possível, para agradar mais ao pai, a fim de que ele a considere tão valiosa quanto sua mulher e, porque não, mais valiosa. Daí resulta que a atitude "perversa" das meninas é mais manifesta e mais visível que a dos meninos, no Édipo. Elas são "perversas" no sentido de sedutoras, para fazer contornar a lei pelo outro, a partir do momento em que ela lhes foi significada. É por isso que é importante que esta lei seja claramente significada. "Se eu lhe agrado verdadeiramente, se sou mais valiosa que mamãe, ele verá bem que sou eu quem o compreende melhor, que sou eu quem seria sua melhor cônjuge"; a isto se acrescenta o fato de que esta expressão dos desejos pelo pai assume um contorno mentiroso, malicioso, caluniador, mais ou menos ostentativo em relação à mãe. Assim quando o pai volta para casa: "Ah, você sabe, mamãe saiu, e eu não sei onde ela está, e eu não sei se ela voltará para jantar". Outras menininhas fantasiam chegando à mitomania de que elas agradaram a homens que tiveram intimidades sexuais com elas. Fantasmas que elas não verbalizam nunca junto à mãe: estas são destinadas a tornar o pai ciumento a fim de que ele faça o mesmo com elas, tanto ou melhor que estes supostos homens que elas dizem ter conseguido seduzir. As atitudes perversas da menina são, em suma, muito mais verbalizadas do que o são as atitudes perversas do menino, as quais são mais vivenciadas sem serem verbalizadas. Sabe-se, as meninas são bem tagarelas, e têm a malícia a serviço de seu fim (*fin* ou *faim**, sempre mais ou menos oral em sua genitalidade).

Este fato decorre de que *as meninas descobriram que seu poder de sedução tem sustentação em sua aceitação de não ter o pênis e em seu desejo de que um outro lhes dê um: não para ter o pênis, mas para serem amantes de quem o tem podendo assim satisfazê-las.* Que alvo seria melhor que seu pai ou o amante da mãe, aquele que satisfaz sua mãe? Como fazer a diferenciação entre estes fantasmas que as menininhas contam e a realidade? Lemos constantemente nos jornais histórias de sedução sexual e coletamos várias destas nas consultas. Como discernir o verdadeiro do falso? É bastante simples. Existe uma enorme diferença entre a maneira pela qual fala com detalhes realistas uma menininha que foi verdadeiramente um objeto de um sedutor, e aquela que mitomaniza. Infelizmente, estes fantasmas enganadores para os adultos conduzem por vezes a consequências sociais traumáticas para todos; e todos os psicanalistas tiveram que tratar de mulheres cujos fantasmas edipianos verbalizados tinham conduzido à credibilidade do meio, transtornado e estragado sua vida. Ou, pelo contrário, crianças que submetidas em consequências de sua imprudência sedutora aos assaltos de homens da família ou para-familiares, não puderam falar a tempo, porque elas se sentiam simultaneamente culpadas e orgulhosas de provocarem a atenção de um adulto. Neste sentido, penso que *o papel da escola seria muito importante para dar às crianças a lei da proibição das relações sexuais entre adultos e crianças*, a fim de que a realidade seja distinta para a criança de

---

* *Fin* (fim) e *Faim* (fome) são homônimas homófonas. (N. da T.)

seus fantasmas e, se a criança é submetida na realidade a uma situação tão perturbadora para ela, que ela saiba dizer ao adulto: "Mas é proibido"; em geral, elas não têm palavras para se furtar aos avanços dos perversos, porque nunca lhes foi falado a respeito, antes, de uma experiência que as encontra completamente desavisadas.

O dizer da proibição do incesto faz sair o menino do Édipo, faz, ao contrário, entrar a menina no Édipo, a sobrecarga em sua linguagem e em suas sublimações orais e anais do dizer e do fazer, por que meios chegar a transgredir a proibição, ou melhor, fazê-la ser transgredida pelo adulto. Sua vaidade suscita a doação apreciada de pequenos objetos, anéis, brincos, colares, destinados a brilhar, a atrair a atenção dos homens sobre sua aparência, e a se fazer se invejar pelas outras meninas. O pai e os meninos continuam a ter, para ela, um valor prevalecente e ela gosta de lhes agradar. Ela é também, muito mais que os meninos, atraída pelo espelho no qual ela mede a sedução de sua aparência. De fato, o narcisismo das meninas, por aquilo que elas têm a mostrar de sua feminilidade, é muito mais vivenciado em superfície do que o narcisismo dos meninos, que vivem o Édipo muito mais profundamente tanto nas emoções que eles experimentam frente às suas mães, quanto na rivalidade que eles sentem frente ao seu pai que eles amam. A atividade fálica enquanto expressão atuante e espetacular, da menina, utilizável em toda a parte, em sociedade, em casa, na escola, é enorme; é por isso que as meninas são tão facilmente bem-sucedidas no período edipiano, depois no período de latência, após a resolução do Édipo, principalmente se elas mantém a esperança de agradar, através de suas atividades fálicas, tanto às mulheres quanto aos homens. A proibição do incesto provoca na menina sublimações das pulsões pré-genitais, enquanto que no menino provoca sobretudo o despertar fortalecido de pulsões epistemofílicas. O que está em jogo para ele é a questão do *savoir* (saber) – que se pode ouvir e escrever como *ça-voir* (isto ver)*. Ele quer compreender como o mundo é feito, como se tornar chefe, quer conhecer as leis que regulamentam os direitos entre os humanos; enquanto que, para a menina, trata-se de *ça-être* (isto ser), *de paraître* (parecer), agradar, ganhar, tudo que se pode para se fazer valorizar pelas instâncias de amantes. Maledicência e calúnia são, então, armas para ela contra as outras meninas em sociedade.

---

* *Savoir* (saber) e *Ça-voir* (isto-ver) são homônimas homófonas. (N. da T.)

162 A IMAGEM INCONSCIENTE DO CORPO

Menino ou menina, a criança é fragilizada no momento da resolução saudável do Édipo, pois, o que quer que ela faça, não é possível para o menino seduzir a mãe, para a menina seduzir o pai, estes dois adultos tendo seus desejos ocupados por objetos sexuais que estão em outra parte, o cônjuge ou uma pessoa externa ao lar, a amante de papai[48], como dizem as crianças que ouvem suas mães se queixarem a este respeito às suas amigas. A criança não deixa de ter necessidade ainda da proteção de seus pais, ou em todo caso, da proteção de adultos que a sustentam; ela tem necessidade da tutela educadora para as dificuldades que vão surgir diante dela na sociedade. A proibição de seu desejo genital em família a impulsiona para um desejo de brincar com os companheiros de mesma idade; em direção às amizades auxiliares, com seres humanos de seu sexo, marcados pela mesma prova que ela em relação a seus pais. Dentre os humanos do outro sexo, ela procura conquistar objetos dos quais, apaixonados, ela ficará orgulhosa por obter intimidades sensuais e sexuais, um amor partilhado se possível; mas ela encontrará então a rivalidade daqueles de seu sexo pelo mesmo objeto. É o deslocamento social do Édipo que colore a vida social das crianças em particular na escola, ainda que elas estejam em fase de latência quanto à preocupação sexual genital enquanto tal. As preocupações afetivas sexuadas e a pesquisa narcísica de prazeres parciais não cedem nunca.

Muitas crianças viveram mal seu Édipo ou sua saída do Édipo por falta de uma castração, quero dizer falta de ser verbalizada a proibição da realização do desejo sexual em família, a qual libera o desejo para a sua realização fora do meio familiar. Por falta de ocasiões frequentes de ver outras crianças, seus pais querendo guardá-las para si nos dias de feriados, estas crianças procuram ter animais domésticos, tanto para amá-los quanto para terem em sua dependência. São gatos, cães, animais para companhia, hamsters, e também, agora, cavalos de quem as crianças gostam muito quando são dóceis. Isto não quer dizer, aliás, que estas crianças, com o tempo, não vão "se livrar" e chegar a resolver seu Édipo; mas será mais tarde, pois os animais são como seus objetos transicionais de outrora, que os religam imaginariamente

---

48. Existem muitos quiproquós imaginários, principalmente nas meninas, concernentes à palavra *maîtresse* (amante e mestra são dois significados possíveis para esta palavra), quando suas mães a empregam diante delas para falar de uma rival no coração de seus esposos. A palavra *maîtresse* de fato suplantou a palavra *institutrice* (também utilizada para designar mestra ou professora) no vocabulário escolar.

à sua mãe-seio. Estes animais que elas gostam de acarinhar, acariciar e pelos quais elas se fazem amar, a quem elas comandam ou pelos quais elas se fazem temer, são para elas objetos transicionais de sua relação sensual difusa com pais de antes da resolução do Édipo: antes que elas tenham se dado conta de que não havia esperança do lado do futuro fecundo e do desejo genital com os pais amados. Este apego a animais pode, aliás, se tornar um alvo de sublimações que, mais tarde, continuarão em uma vocação ligada ao mundo animal. Não quero dizer que toda boa relação com os animais seja para os humanos o sinal de uma imagem do corpo que não saiu da relação edipiana. Mas é o caso quando se trata de animais que em função do amor de seu dono é isolado de outros de sua espécie, pela necessidade narcísica, na criança, de ter um confidente afetivo e mudo.

Após o Édipo, no período de latência, o papel dos adultos, pais, educadores, radicalmente diferente daquele dos amigos e colegas, permanece muito importante para as crianças quando de seus fracassos, de seus insucessos narcísicos, das provas em suas amizades, em seus amores. A maneira de reagir dos adultos pode sustentar ou culpabilizar a criança quando esta está sofrendo. Ela é sensível à escuta discreta da presença casta, compassiva do adulto que, sem censuras nem discursos moralizantes, a escuta. Desenvolver sua confiança nela, incluindo seus fracassos, é possível para a criança quando seus pais são atentos e protetores e sobretudo confiantes em si mesmos. Um pai que diz a seu filho: "Você será bem-sucedido, porque você é meu filho e filho de sua mãe, e porque somos pessoas de bem, portanto você também é uma pessoas de bem, mesmo se para você, neste momento, está difícil", não é um pai que "dá lição de moral", mas um pai que sustenta a moral: e a criança tem necessidade de ser felicitada, nesta mesma medida, com conhecimento de causa. Da mesma forma para a menina que se mortifica e se queixa para sua mãe: "Os meninos não gostam de mim, eu sou feia, eu nunca acharei um marido. – Mas sim, responde uma mãe compassiva, você encontrará um marido bom, porque você é uma menina muito boa. Teu pai é alguém de bem, nós temos uma menina muito boa também. No momento, você fracassou, mas da próxima vez você conseguirá. Você também, será uma pessoa de bem". E lhe significar os trunfos que são seus, em realidade, no jogo da vida. É apenas pelo reconhecimento que os pais têm de seu próprio valor e, ao mesmo tempo, pelo amor e confiança que eles lhe demonstram, que a criança se sente valorizada e sustentada para ultrapassar seus fracassos na confiança em si mesma, ligada precisamente ao fato de que ela é filha destes pais.

Esta confiança, esta afeição, e este interesse casto, pode-se dizer, dos pais por seu filho, são insubstituíveis após o Édipo. Pois, a afeição de seus pais é necessária à criança no próprio momento em que, sabendo que está proibida para sempre uma intimidade sensual e sexual com eles, ela acredita que não tem mais nenhum valor a seus olhos, que ela não é mais amada e é, até mesmo, rejeitada. O discurso moralizador, tanto quanto as intimidades de uma ternura consoladora, são nocivos a curto e a longo prazo, pois a criança deve continuar a se liberar da dependência parental. O papel difícil dos adultos é o de contribuir para este impulso liberador através de sua verdadeira afeição.

A CONTRIBUIÇÃO NARCÍSICA DA CASTRAÇÃO EDIPIANA COMO LIBERADORA DA LIBIDO

O que é, após o Édipo, do narcisismo, portanto, da ética e da relação do sujeito com seu corpo? O que é da imagem do corpo inconsciente?

Para marcar bem os efeitos narcísicos próprios ao tropeçar do desejo sobre a lei da proibição do incesto, ou seja, quando é aceita a castração genital edipiana, denominamos de narcisismo *secundário* o nível de relação com si mesmo que o sujeito atinge no momento em que ele ultrapassa esta etapa estruturante da última das castrações. Esta última castração é iniciadora da vida social. Ela é delivrada pelos pais quando eles podem e sabem fazê-la, sendo sustentados, neste prova, tanto por eles quanto por seu filho, por seu Ideal do "Eu" parental e o amor casto por seus filhos.

É certo que os pais que, em sua infância, receberam à sua época a castração edipiana de seus pais, ou seja, dos avós da criança, têm muito mais facilidade do que outros para assumir este trabalho educativo. É por isso que, o papel, em sociedade, dos educadores e dos professores é importante, como auxiliares dos pais, *para sustentar a criança em sua superação dos tipos de raciocínio e de afetividade pré-edipiana e edipianas.* Especialmente para iniciar e sustentar a criança cujos pais, eles mesmos mal castrados edipianamente, vivem, na ambiguidade, sua relação de amor com seu filho: relação que pode ser fílica ou fóbica (carícias ou tapas), sentida pela criança como incestuosa em função do interesse que seus pais têm por seu corpo e das emoções que isto lhe proporciona. Iremos rever toda a evolução deste narcisismo desde a infância.

1. O narcisismo primordial está ligado à assunção de fato, pelo recém-nascido, da castração umbilical. O fato de que, em suma, ele tenha sobrevivido ao nascimento, descobrindo sua autonomia respiratória e cardiovascular, acompanhada do olfato e do peristaltismo do tubo digestivo em sua totalidade.

2. O narcisismo primário resulta da experiência do espelho que revela à criança seu rosto. Esta experiência do espelho é concomitante ou associada ao conhecimento de seu corpo enquanto sexuado, masculino ou feminino, e isto definitivamente, criando a distinção entre o possível e o impossível que não depende da vontade dos pais.

3. O que se acrescenta à proibição do incesto, fonte de um narcisismo diferente, aquele que denominamos secundário, é o impedimento para as pulsões sexuais em sociedade de permanecer sem uma lei humanizada: permanecer por assim dizer, animais, e enquanto instintivos (o "Eu não fiz de propósito!" da criança). Seus desejos, doravante, a criança deverá dominá-los e fazer a distinção entre pensar e agir. Ela aprende a agir em seu nome, o que constitui sua identidade de sujeito no grupo social. Sua responsabilidade está comprometida em seus comportamentos. É por si mesma que ela se sente obrigada a isto, com risco de perder a honra aos seus próprios olhos, se não for dona de seu desejo, e se agir sob o golpe de impulsões que ela sofre sem compreender as motivações destas.

A partir do momento da castração edipiana, a criança deve saber *conscientemente*, na realidade, que seu desejo, naquilo que tem de genital – como aquele de todos os seres humanos, adultos e crianças, sem distinção de raça nem de idade – e os prazeres de intimidade corpo a corpo sexuais e de fecundidade com os pais próximos, lhe são definitivamente impedidos para sempre. Seus primeiros objetos heterossexuais e homossexuais, pai, mãe, avós, irmãos, irmãs, sendo objetos incestuosos, ela deve renunciar a eles, como eles mesmos renunciam também à realização de seus fantasmas sensuais em relação a ela. Ora, é preciso saber, e toda criança o sente, que *é apenas o objetivo incestuoso que a sustentou, durante todo o tempo de sua promoção humanizante.* Desde seu nascimento, seus desejos e suas motivações eram focalizadas pela mãe, pelo pai, e os parentes próximos. Ei-lo desembocando em uma tal angústia de rapto e de violação dilaceradora, ou de castração e de assassinato, segundo seu sexo, segundo a dominante passiva ou ativa de suas pulsões, segundo seu ideal

166 A IMAGEM INCONSCIENTE DO CORPO

também, e os prazeres sensuais esperados pela receptividade ou pela emissão, aqueles das violências de suas próprias pulsões, que ela deve renunciar, para sobreviver, à erótica e à ética incestuosa de seu narcisismo primário. De fato, aquilo que até então caracterizava a dinâmica dos desejos das crianças que mesclam fantasma e realidade era o fato de serem sustentadas, sem seu conhecimento, por seu desejo incestuoso, indo, sem o saber, em direção da exclusividade do desejo genital do genitor de sexo oposto, sem renunciar, no entanto, nem a seu narcisismo fundamental de sujeitos, nem a seu festim futuro de fecundidade enquanto indivíduos.

Quando, sem o conhecimento dos pais, a satisfação é dada à criança, as suas pulsões eróticas incendiárias, em um corpo a corpo que ela se esforça em manter, quer seja por carícias, ou se deitando em sua cama, situação tão eroticamente perturbadora quanto as sevícias corporais que ela os faz impingir a ela, a criança corre o risco de regredir e não manter a coesão entre a imagem do corpo e o esquema corporal correspondente à sua idade, esta coesão que lhe permite simultaneamente permanecer como sujeito de sua história e conquistar seus *status* de humano. Este *status* de humano, os homenzinhos o conquistam à semelhança de seus pais. Mas eles não compreendem que a única semelhança humanizante é a aceitação das leis que regem o exercício das pulsões no agir entre humanos. Eles acreditam que esta semelhança humanizante consiste em imitar, mimetizar os modos dos adultos, como se os adultos desempenhassem um papel que eles mesmos têm que assumir. Isto viria das armadilhas da linguagem verbal naquilo que ela tem de estereotipado, incluindo todos os papéis, e daquelas da linguagem dos gestos da civilidade?

As palavras ditas pelos adultos são as mesmas que aquelas utilizadas pelas crianças, mas suas experiências sendo diferentes, elas não significam uma vivência de um mesmo nível. É pela imagem do corpo que subentende os temas da criança (e que ela nos entrega através de desenhos em sessão, e sobretudo os comentários que ela dá a respeito) que se pode compreender o fenômeno de ambiguidades e mal-entendidos entre crianças e adultos[49]. Existem, neste sentido, milhares de exemplos. Citando apenas um: "Amar" para uma criança de idade oral é colocar na

---

49. Um menino de oito anos que o ignorava, tendo sabido, por sua mãe, como nascera, reage horrorizado: "Mas não é polido nascer, vemo-los completamente nus!", *sic*.

boca como se faz com o alimento; depois, a partir do desmame, "amar" se significa não pelo canibalismo ou pela mordedura, mas pela mímica do beijo. Bem educada, a criança tem seu beijo silencioso e se serve ritualmente dele em família. Quando aos beijos de quem alimenta, aplicados com estalos nas bochechas ou nas nádegas dos bebês, quem ousaria pensar que é, para elas, assim como para eles, uma alusão aos gozos do canibalismo ao mesmo tempo que do peidar que preludia a defecação? Outro exemplo: recordo-me de uma reunião social onde, as crianças se falando após terem cumprimentado os convidados, duas dentre elas trocavam reflexões: "Eh, a senhora que chamamos de general, como seu beijo é molhado!". Esta senhora tinha simplesmente dado um beijo molhado por causa de sua dentadura. Mas um familiar reage horrorizado: "Calem-me, vocês não sabem o que estão dizendo!" – A malícia das palavras!

É em sua luta para manter, a seu modo, a semelhança com o adulto, para conquistar um *status* humano que *o neurótico recalca as pulsões não-castradas dos diferentes estágios, sem poder nem agi-las nem fantasiá-las, até esmagar com elas o próprio desejo. É o que faz tanto seu sofrimento como sua dignidade.*

É também sua diferença com os psicóticos, cujo narcisismo não sofre mais com a perda de uma semelhança humana referente ao prazer do agir suas pulsões. A distinção aqui não é mais entre fantasiar e pensar, fantasiar e agir na realidade.

Se, por narcisismo, a criança renuncia, quando das diversas castrações, às maneiras de gozo primeiras de satisfazer suas pulsões, isto decorre também daquilo que os humanos adultos são para ela, quando ela é pequena, representando uma imagem de si mesma valorosa, friso aqui: os adultos dos dois sexos, antes da castração primária, e, mais tarde, o adulto modelo de um único sexo. Quando a criança está na castração edipiana, a imagem daquilo que ela acreditava ter a devir para afirmar sua identidade não é mais a semelhança, mas sim uma total identificação com o genitor de seu sexo, tomando o lugar deste, os poderes e as prerrogativas. Ela se dá conta de que, até então, ela se tinha iludido. *E à identificação da submissão do genitor à Lei que ela se identifica e não à imagem do genitor nem tampouco ao seu modo afetivo de se apresentar aos outros e a si mesma.*

É de um outro sujeito, castrado como ele em relação a seus desejos incestuosos, que o sujeito criança deve receber o reconhecimento antecipatório do valor erótico – aos seus olhos, momentaneamente eclipsado – de seu corpo, de seu sexo, de sua pessoa, de sua dignidade de homem ou de mulher a devir: porque, o que

168 A IMAGEM INCONSCIENTE DO CORPO

quer que faça, não pode realizar seus desejos, até então incestuosos, e para ele não-separáveis do fato de amar seus pais ou de ser amado por eles. Ele não sabe mais, não compreende mais o que é o prazer de amar e ser amado.

Ora, a castração edipiana sobrevém na vida da criança no momento da perda dos dentes de leite. Quando ela se olha no espelho ela se julga desgraçada, e muito frequentemente alguém lhes diz: "Oh, como você está feia assim[50]!"

A perda dos dentes nos sonhos de adultos representa uma imageria* corrente da angústia de castração. A queda dos dentes, estes dentes mediadores das pulsões orais ativas e sádicas, assinalou no esquema corporal a aceitação edipiana, a mutação do narcisismo primário em narcisismo secundário. A regulação da economia libidinal inconsciente antes do Édipo podia ser descrita como uma homeostasia entre o "Isso", o "Eu" e o "Eu" Ideal guardado por um pré-Super"Eu". Esta economia é modificada, pois o "Eu" não tem mais "Eu" Ideal: um Ideal de "Eu", que não é representado por uma pessoa existente, tomou o lugar do alvo a ser atingido que sustentava as motivações conscientes e inconscientes do desejo: Se sua pessoa continua a existir, a crescer, não é mais um pré-Super"Eu" que estava sempre aparentado à entidade tutelar que controlava os atos da criança e de quem ela dependia. Agora, é um Super"Eu" articulado sob os fantasmas que ela mesmo se criou no momento de seu desejo impossível pelo objeto incestuoso, fantasmas castradores ou assassinos para o menino ("a bolsa ou a vida!"), fantasmas de homens raptores de seu corpo ou de violação dilaceradora de seu sexo para a menina, violação da qual uma mulher pode ser a executante cúmplice de um homem. Este Super"Eu", herdeiro inconsciente, simultanea-

---

50. É preciso que alguém, fora da família, a assegure que seu rosto e sua pessoa permaneçam capazes de suscitar o amor e o desejo. Não ser como sua mãe para uma menina, como seu pai para um menino, não se tornar semelhante a eles em sua aparência, confere à criança seu estatuto de sujeito e lhe assegura que ele se tornará o homem ou a mulher que seu nascimento prenunciava. É importante explicar-lhe muito bem isto (ainda aqui, este seria o papel da escola); pois até então, as crianças vivem na esperança ilusória de se tornarem uma cópia conforme o modelo de seus pais, e esta esperança, elas a sustentaram em seu rosto de criança ou em seus comportamentos, sempre validados pelo prazer ou pelo não-prazer que causavam a seus pais. É agora que pode lhes ser revelado o sentido por vezes contraditório que existe em honorificar seus pais e em amá-los ou ser amado por eles quando amar tem apenas o sentido de "dar prazer" àqueles que amamos. Sem a integração da proibição do incesto, dar prazer é ambíguo e pode ser perverso.

* No francês a palavra *imagerie* significa "conjunto específico de imagens". Optamos aqui por um galicismo, Imageria, ao invés da manutenção, em texto, de sua definição. (N. da T.)

mente, do pré-Super"Eu" e dos fantasmas provocados pela proibição do incesto, tem como efeito dinamizante impulsionar a criança a sair do círculo estreitamente familiar para conquistar na realidade social objetos lícitos, ou antes, não-proibidos a seu desejo amoroso e sensual de conotação genital. Que este desejo não apenas não seja proibido, mas que seja lícito e válido, se não se aplicar à busca de objetos incestuosos, eis aqui o que deve ser verbalizado às crianças.

É nestas conquistas que as valorizam diante dos meninos e meninas de sua idade que vão estar empenhados os anos de latência nas crianças que receberam a castração. A adolescência, com a impulsão fisiológica da puberdade, relança o desejo em suas manifestações ao nível dos genitores e os afetos de amor para objetos desejáveis. Isto confirma, reforçando-o, o narcisismo secundário que incita o rapaz ou a moça a se valorizar em sociedade: simultaneamente para reforçar sua própria imagem e para conquistar o direito de um encontro corpo a corpo com o objeto de amor, triunfando sobre rivais. Este fantasma de ser bem-sucedido em qualquer eventualidade de relação amorosa e sexual não-incestuosa sustenta o narcisismo secundário do sujeito a partir da fase de latência e mais ainda após a puberdade.

É portanto a interdição bem colocada pelo pai e pela mãe sobre o desejo de seu filho e de sua filha enquanto incestuoso que libera as energias libidinais da criança para sua vida fora da família. Esta proibição à qual eles declaram estarem submetidos tanto quanto a criança, repentinamente, enobrece a criança e a coloca ao nível de todos os cidadãos. Ela lhe permite o livre jogo de suas pulsões em sociedade, a partir do momento em que ela se expressa dentro das regras. É a partir daí que as brincadeiras, com suas regras, são tão importantes; e também a aceitação que o jogo seja reconhecido como bem mais divertido se não se driblar, ainda que seja vivenciado de forma terrível, por vezes, o não ganhar, quando se acha em jogo seja a sorte, seja a habilidade; o fato é que o outro é que ganha. Isto vai se manifestar ainda de outra forma. O prazer se dirige para o esforço, o trabalho, o aprendizado de tudo o que permite compreender o mundo, os outros, as leis da natureza, as leis do comércio entre os humanos, e tudo o que valoriza a criança em sua faixa de idade, tornada muito mais importante para ela do que papai, mamãe, irmãos e irmãs. É aqui que se faz importante que papai-mamãe suportem terem perdido muito de sua importância para seu filho. Se eles querem ensinar a seu filho o respeito que ele lhes deve, é somente lhe dando o exemplo de respeitar sua pessoa. Seu filho, em todo caso, não lhes "deve" nada.

É a seus filhos que ele (ou ela) fará – uma vez tornado pai ou mãe – o que seus pais fizeram por ele (ou ela).

Se, pelo contrário, os pais reivindicam, no período de latência, e ainda mais no período de adolescência, um direito de amor e de reconhecimento, há prejuízo para seu filho; e, pelos efeitos a longo prazo desta culpa, prejuízo para seus netos. Certos pais pervertedores falam incessantemente de sacrifícios feitos para seus filhos: estes "sacrifícios" são, de fato, inerentes à sua responsabilidade de pais e, portanto, não conduzem a nenhuma dívida de seus filhos frente a eles.

O período de latência recobre, inicialmente, uma latência fisiológica. O volume das partes genitais, proporcionalmente tão importantes no recém-nascido, como o é a cabeça em relação ao corpo, permanece o mesmo, para um corpo de menina ou menino de oito, nove anos. É o crescimento na puberdade acompanhado do desenvolvimento rápido dos órgãos genitais e dos caracteres secundárias da sexualidade, que faz retornar, no imaginário, as representações do desejo conhecidas no momento da iminente castração edipiana: como se o adolescente e a adolescente tivessem que reviver em alguns dias ou algumas semanas as etapas significativas de sua evolução da infância até o Édipo.

As aptidões tecnológicas e culturais, adquiridas ao longo do período de latência, para o prazer narcísico e também, por vezes, para triunfar sobre um ou uma rival, se remanejam e se orientam para aquilo que denominamos uma vocação. É o desejo de objetivo mais longínquo, de dedicar suas forças ou de pegar as armas para desempenhar um papel em sociedade. "Sair" é a palavra mágica dos adolescentes.

Eles desejariam assumir suas necessidades e viver em outra parte que não o lar familiar, não somente para ficarem disponíveis e livres para frequentar amigos de seu sexo e do outro sem vigilância, mas também para tomar parte da vida cívica e social. O valor do trabalho continua a ser julgado segundo o prazer que se tem com ele, qualquer que seja o esforço a ser dedicado ali; mas o dinheiro que as tarefas e os esforços, mesmo aqueles desagradáveis, permitem adquirir, para fins imediatos de liberação da tutela parental, é também levado em conta; é o trabalho alimentar como se diz. É por isso que as dificuldades econômicas atuais de nosso país com intenso desemprego, são dramáticas para os jovens, e muitos retornam a um narcisismo pré-genital. A impossibilidade lícita de escapar dos pais ganhando dinheiro por seu trabalho sabota o sentido da vida inerente às pulsões genitais e contraria as pulsões anais do fazer que valorizam o adolescente em sua faixa de idade se ele encontrasse trabalho. Este fato explica, em grande parte, a leve delinquência juvenil que parece se generalizar e traduz a prova na qual se encontra nossa juventude. Como ter dinheiro para viver sob um teto personalizado, e para poder levar para lá o objeto de seu desejo, viver a dois, em casal, se não é possível trabalhar? Como ter prazer, necessário para conservar seu narcisismo, se apenas desejos passivos – de espera paciente – são autorizados, na medida em que não há trabalho? O desejo passivo não honorifica o menino que quer conquistar uma jovem, e tende a privilegiar apenas a aparência atraente na jovem. Os desejos passivos articulados às pulsões pré-genitais, por exemplo o erotismo olfativo, a cola, o éter, e mais onerosa, a cocaína; o erotismo oral é beber, é a droga; o erotismo anal, a imaginação falsamente criativa no vazio, e muitos jovens afundam-se nestas regressões passivas.

Existe, felizmente, a possibilidade de utilizar pulsões ativas, socializadas: a música, a dança, o amor e a descoberta da natureza, os esportes; mas isto também custa dinheiro, daí a grande dificuldade atual, mesmo para os jovens que passaram as "provas de fogo" das diversas castrações, e que foram humanizadas pela educação mas que se reencontram ao longo da adolescência sem interesses culturais nem escolares e, jovens adultos, em uma dificuldade social que não lhes permite assumir sua própria subsistência nem seu desenvolvimento sexual, ao qual o acasalamento, ainda que transitório, daria sentido. Ora, as regressões para as pulsões ativas anais, com a angústia da desesperança, conduzem à violência.

3. Patologia das Imagens do Corpo e Clínica Analítica

PRIMEIROS RISCOS DE ALTERAÇÃO
DA IMAGEM DO CORPO

Podemos partir daquilo que vale aqui como uma espécie de lei geral. Um ser humano pode, sem ter anomalias neuromusculares ou neurovegetativas, se ter encontrado na impossibilidade de estruturar sua primeira imagem do corpo, e até mesmo de sustentar seu narcisismo fundamental. É suficiente que ele tenha sofrido rupturas danosas do elo precoce com sua mãe, seja ao longo da vida fetal simbiótica, seja ao longo de sua vida de lactante, naquele período em que o equilíbrio da díade mãe-criança é essencial ao seu devir humano.

Durante a Gravidez

Poderíamos nos espantar com o fato de que possa existir tais rupturas ao longo de uma gravidez, apesar desta ser fisiologicamente saudável e acompanhada pelo médico. No entanto, é o que encontramos, por vezes, junto às premissas arcaicas das estruturas de crianças ou adultos paranoicos. Isto pode se produzir, por exemplo, em um bebê no decorrer da gestação, ao longo da qual a mãe perdeu um ente querido, e se este choque a fez se

174 A IMAGEM INCONSCIENTE DO CORPO

esquecer, durante alguns dias, de sua gravidez: deste esquecimento, do qual apenas ela tem lembrança, é bem possível que
encontremos, ulteriormente, a marca em reações paranoicas da
criança. Esta observação só foi possível ao longo de psicanálises.
Sem dúvida, não podemos generalizar. É preciso compreender
que o que atinge o elo simbólico vital ao qual me refiro aqui não
é uma hostilidade consciente da mãe contra seu feto, seja quanto
ao fato de que ela não o quisesse, seja quanto ao fato de que ele
a parasitaria. Não se trata tampouco dos clássicos vômitos in-
coercíveis; pois estas atitudes de corpo pouco à vontade ou de
consciência afetiva pouco à vontade ao longo da gravidez, estas
manifestações e estes afetos, por mais negativos que nos possam
parecer, não deixam de ser prova de que o elo simbólico libidinal
mãe-feto não apenas não está esquecido pelo consciente da mãe,
mas se mantém em seu inconsciente e mobiliza até em sua afetividade consciente sentimentos que são destinados à criança[51].

É a manutenção deste elo inconsciente de desejo entre o feto
e sua genitora, e vice-versa, que permite à criança viver saudavelmente sua vida fetal. Não é isto que ocorre se, como indiquei
anteriormente, a mãe se esquece de que está grávida. De fato,
este esquecimento é impossível a qualquer mulher em gestação,
até mesmo durante o sono. Para qualquer mulher, tal esquecimento parece contra a natureza. De fato, trata-se de um traumatismo psíquico poderoso da gestante, que abalou nela até mesmo
o sentido de sua vida; talvez, até mesmo, para ter causado efeito
sobre o feto, como observamos em alguns, lhe fez também esquecer de sua própria existência, e até mesmo a de seu marido
ou de seu amante. Existem certos traumatismos psíquicos ao
longo da gestação – por vezes totalmente esquecidos pelas mães
que colocaram no mundo crianças psicóticas desde o nascimento
– que são reencontrados apenas na ocasião de um trabalho psicanalítico. Estes casos são certamente raros; pelo menos, é raro
que o feto não morra por um aborto, ou por um nascimento
prematuro com todas as suas complicações.

O Parto

Algo semelhante a isto se produz nas crianças cuja mãe foi
atingida por uma hemorragia expulsiva. É o perigo para as crianças que nascem, sem cesariana, em decorrência de placenta *proe-*

---

51. Não esqueçamos que, negativos ou positivos, os afetos, no sentido libidinal, são viventes, e portanto operacionais, dinâmicos.

via[52] e que sobrevivem a isto. Elas estão como que em ruptura do elo simbólico com sua mãe, e esta de seu elo simbólico com elas, durante as horas em que a mãe está em perigo de morte, e a criança, ela mesma, encontrando-se em reanimação. A ruptura do elo com a mãe é experimentada *après coup*. Se suas dificuldades psicossociais as conduzem para um tratamento psicanalítico, descobrimos que estas crianças vivem como se elas estivessem mortas ao nascer. É a coesão sujeito-imagem do corpo-esquema corporal que não pôde se constituir, porque, para elas, ir em direção à vida era correr risco de morrer. Algo também se rompeu no elo simbólico da mãe com seu recém-nascido, em consequência do fato de que no momento do nascimento a alegria deu lugar à angústia de uma morte iminente. A este "branco relacional" da genitora com seu bebê, chegando, por vezes, até ao desconhecimento de seu sexo antes que ela entre em coma, acrescentam-se frequentemente, provindos do amante da mulher, do genitor da criança, fantasmas assassinos em direção a este recém-nascido que teria causado um perigo mortal para sua mãe.

Se a mãe acaba por morrer em consequência deste parto dramático, após algum momento de intimidade com seu bebê, isto pode ter como efeito proibir à criança de se estruturar em um narcisismo primordial coeso. Estes dois choques, golpe sobre golpe para a criança – parto de alto risco, depois morte de sua mãe – provocam uma ruptura do primeiro elo humanizante, que, durante muito tempo, não encontra para onde se deslocar, e, mais tarde, como se reconstituir com as outras pessoas da família; sobretudo se for uma delas que toma o lugar da mãe morta. De fato, muito frequentemente, nestes casos, o luto familiar faz a criança carregar a culpa de ter matado sua mãe. É claro que estas pessoas não lhe dizem isto. Mas a maneira de estar com a criança, de considerá-la e olhá-la, os assuntos tristes que rodeiam seu berço, criam um clima depressivo, sentido pelo recém-nascido, que é sempre de uma sensibilidade extrema a todos os afetos que lhe dizem respeito. Ele é como um assassino e como um incestuoso ao mesmo tempo: violador, portanto, inconscientemente, dos dois grandes tabus da humanidade, que toda a criança tem que construir após o desmame e a castração anal (que é, recordemos, a deambulação autônoma).

---

52. Trata-se de uma placenta implantada ao nível do istmo e do colo do útero, região esta que deve se dilatar na ocasião do parto.

176   A IMAGEM INCONSCIENTE DO CORPO

Para o lactante cuja mãe morre precocemente por acidente, durante o período de amamentação e de cuidados em relação ao bebê, o que ocorre é que a mãe leva consigo o seio, como se este sempre estivesse agarrado a ela, o qual, na concepção que uma criança pode ter a este respeito, partiu com ela. E ela leva, ao mesmo tempo que este seio, com o desconhecimento de todos, se ela desaparece sem nem mesmo ter podido verbalizar à criança que ela a confia a uma outra pessoa, a boca relacional e linguageira do bebê, algo de seu nariz, de seus lábios, de seus brônquios, de sua língua, de sua audição, de seu olfato, que são imaginariamente solidários ao seio desaparecido com a mãe: sua voz, seu odor, seu tato vital. A morte precoce de uma mamãe que se entregava totalmente aos cuidados de seu filho suprime o lugar do elo no corpo da criança, mediador da criança com a linguagem e com a existência humana que este adulto lhe proporcionava. Ela continua a existir enquanto mamífero, mas perdeu aquilo que humanamente, de maneira única, a animava: sua mãe. Aquilo que come nele é "isto"; mas as mamadas não são mais o reencontro do prazer conhecido e reconhecido, criança-mãe, mãe-criança. O narcisismo deste lactante, menina ou menino, está profundamente ferido, fissurado, poderíamos dizer, e muito fragilizado para o futuro. Existem, neste sentido, dois níveis de feridas:

1. A ferida na relação do sujeito com seu corpo próprio, em decorrência do fato de que a imagem do corpo é amputada de uma zona erógena que partiu com a mãe, e que era olfato, a deglutição do bebê. Esta imagem do corpo pode lhe ser devolvida se lhe trouxerem, se é que podemos dizer assim, material ou sutilmente, o odor de sua mãe que permaneceu em suas vestimentas. O que reencontra a vida então, é seu corpo. É sua imagem de base, de corpo próprio; é a imagem de funcionamento, a possibilidade de sucção; enquanto que, sem o odor da mãe ele não sabia, por exemplo, mais mamar nem engolir.

2. A outra ferida, o traumatismo mais profundo, é a perda da relação Inter psíquica que já existia, e por vezes muito forte, entre o lactante e sua mãe. Esta ferida só pode ser reparada ou, antes, ultrapassada, por palavras verdadeiras, ditas por alguém que a criança reconhece como estando de acordo com sua mãe e com seu pai, e que lhe fala da prova que viveram, ela e sua mãe. Este trabalho psicanalítico com os lactantes precocemente separados de sua mãe, quaisquer que sejam as razões disto, morte, doença ou abandono, mostram que, além do hiato da imagem funcional erógena, existe um hiato da relação de sujeito a sujeito.

Apenas a palavra pode, de maneira simbólica, restabelecer a coesão interna da criança; mas não podemos, se queremos ajudar a criança a ultrapassar sua prova, lhe fazer economizar sua dor. As crianças, bebês, lactantes, compreendem as palavras, é espantoso, não sabemos como, quando elas são ditas para lhes comunicar uma verdade que lhes diz respeito; palavras que relatam aquilo que sabemos dos fatos, sem julgamento de valor.

Quando o bebê sobrevive a esta iminente morte simbólica, da qual ele correu o risco em suas zonas erógenas e, até mesmo em seu ser de desejo de comunicação, a consequência residual mínima destes acontecimentos traumáticos e mutilantes é o retardo e os defeitos de linguagem, o engate da língua no palato que torna impossível, totalmente ou em parte, a pronúncia dos fonemas. São gritos que são expulsões contínuas de sons, ou, pelo contrário, a ausência total de sonorização, pela morte simbólica da laringe enquanto lugar de prazer ativo para as modulações de comunicação[53].

O PERÍODO ORAL ANTERIOR À IDADE DA MARCHA E DA FALA. O DESMAME, SEUS FRACASSOS

O que pode se destacar, como ensinamentos de valor geral, destes distúrbios de traumatizados precoces, é que se trata sempre de consequências de efeitos nocivos de desmame não ocorrido. *Não houve desmame*, ou seja, separação do corpo a corpo até então constante em todas as refeições: separação experimentada como dolorosa por um lado e por outro, e significada, seguida do retorno da mãe que mima, fala do desmame, mas não dá mais de mamar. Não houve este "trabalho" que é o desmame, houve separação brusca e, ainda, sem explicações. Neste sentido, são sempre as dificuldades relacionais com a mãe, mas dificuldades negociadas com ela em torno da aquisição da marcha e da autonomia, que ajudam a criança a desenvolver seu narcisismo individual. Ao longo deste período (dito de castração anal) pode-

---

53. Esta morte simbólica parcial classificada, sem dúvida, em um sintoma histérico precoce, não deve ser confundida com as pulsões de morte do indivíduo, pois o lactante não está ainda individuado, e o sujeito – presente desde a concepção – não pode, portanto, ainda ter investido seu corpo próprio de seu desejo unificado. Seu corpo é parte constituinte de uma díade mãe-criança. O que se assemelha, neste caso particular, às pulsões de morte do sujeito desejante é que, perdendo o uso da laringe, o lactante salva a individuação futura do bebê. Este lugar da comunicação sonora com sua mãe é como se tivesse partido com ela. Seria um deslocamento do delivrar sobre a laringe assim como se deixar por conta da placenta na ocasião do nascimento, a primeira etapa da individuação?

-se produzir traumas. Quando, por exemplo, a mãe se entrega a uma educação esfincteriana severa, sem permitir a mediação do deslocamento do prazer excrementicial sobre o prazer da manipulação de todos os objetos não-perigosos ao alcance da criança. As castrações, o nascimento e o corte umbilical, o desmame e o alimentar de outra forma que não pelo corpo a corpo com a mãe, a autonomia e a satisfação das necessidades de forma autônoma quando a criança adquire a possibilidade motora, tudo isto deve se mediar – palavras, pequenos incidentes, cumplicidades, alegrias e dores – fazer-se lentamente e não bruscamente: nem absolutamente sem conflito, nem absolutamente sem palavras. São estas ocorrências *sem* (conflito, palavra) que provocam as graves perturbações de não-estruturação da personalidade da criança.

No caso extremo de um desmame feito pelo abandono ou pela morte da mãe-alimentadora, o que pode permanecer no lactante como sujeito desejante, se manifesta por uma regressão no comportamento devida à remanência de fantasmas anteriores ao trauma daquilo que denominarei um desmame selvagem, ao invés de um desmame humanizante. A origem arcaica daquilo que contribuiu para constituir a imagem preensiva da boca e da língua, na comunicação de desejos tanto quanto de necessidades, pode assim reaparecer de uma maneira que faz involuir as possibilidades do esquema corporal ligado, até então, à imagem do corpo inconsciente em comunicação com a mãe. A laringe e o cavum podem perder, como acabo de lembrar, as aptidões de sonorização que o bebê tinha adquirido anteriormente.

Trata-se, então, da entrada em um mutismo psicogênico sem atingir a audição. Mas pode-se também assistir à aparente perda de reconhecimento das vozes familiares do meio da criança; esta se torna não apenas muda, mas também não-ouvinte psicogênica. Ela não ouve mais as vozes humanas, as palavras, mas somente os barulhos da vida. Ela anula o que lhe é dito, mas recebe referências úteis para sua sobrevivência tirando de sua atenção os humanos que a rodeiam. Quanto à imagem do corpo mais arcaica, a imagem respiratória, sobre a qual se articulam os ritmos cardio vasculares vegetativos e a paz do sono, ela pode ser alterada pelo sofrimento afetivo nascido com o desbastar doloroso do elo bebê-mãe. Podemos explicar a banal patologia da perturbação respiratória bronquítica e do impedimento do cavum visível por estas secreções reasseguradoras que tantas crianças têm a necessidade de manter sob o nariz, como uma tentação de retorno à imagem pré-natal onde esta região, o cavum e as vias respiratórias, ainda não-erotizadas, banhavam-se no líquido amniótico, que assegurava a imagem do corpo fetal. Quanto às crianças ditas psicóticas, mudas, instáveis, amuralhadas na incomunicabilidade ou no sofrimento psíquico, elas têm raramente o funcionamento orgânico alterado. O sujeito, que estava na origem de sua encarnação no momento de sua concepção e que sobreviveu ao momento do nascimento parece ausente. Mas, onde se encontra ele? Em todo caso, ele não assume, pela mediação da imagem do corpo, um esquema corporal que vive sozinho, como um espécime anônimo da espécie. Quando o sujeito se dessolidariza de seu corpo, é isto que – de minha parte – denomino de pulsões de morte do sujeito. Estas não devem ser confundidas com o desejo de dar a morte a um outro corpo, nem mesmo ao seu. É somente como uma retração do desejo do sujeito, que tende a descansar do trabalho de viver com seu corpo na realidade; é como se ele se reduzisse a um ponto focal onde os ritmos de manutenção vegetativa do corpo são bem mantidos, conservando a perenidade do sujeito momentaneamente em "férias" de libido. Podemos ver, dentre estas crianças que farejam tudo e que nunca fazem nada do objeto farejado, que, por vezes, elas os recolhem para depois deixá-los cair. Elas farejam os corpos, os pés das pessoas que se aproximam delas. Parece que elas estão em busca obsessiva de um cheiro: talvez aquele das vias genitais de sua mãe, mãe arcaica; talvez aquele de seu nascimento que as faria se reencontrar sujeito do desejo, da comunicação inter psíquica. Por vezes, ao lhes verbalizar a hipótese que elaboramos quanto ao sentido de sua busca, vemos – em um olhar intenso que nos é dirigido ao fundo de nossos próprios olhos – que algo de verdadeiro referente à sua aflição os despertou por instantes para uma relação humana, que não tem sequência.

Tais *dissociações bruscas e duráveis da imagem do corpo e do sujeito, sem reparação possível, se encontra frequentemente como consequência de hospitalizações precoces e de trocas sucessivas de alimentadoras antes da idade do permanecer sentado e da deambulação voluntária*, ou seja, antes dos quatro meses, e ainda entre quatro meses e nove, dez meses. A criança regride a um estado onde suas necessidades vitais são satisfeitas por um meio com o qual ela não tem mais trocas sutis, linguageiras, nem mímicas, nem motoras. Ela se torna autista. Suas pulsões de desejo permanecem sem saída, elas se simbolizam teratologicamente em alucinações de mandíbulas perigosas em algum lugar no espaço. Seria sua própria boca que ela teria perdido, e, sob forma de vocalizações aterrorizantes, alucinadas, não seriam seus próprios gritos que partiriam no espaço, que ali permaneceriam fora do

180 A IMAGEM INCONSCIENTE DO CORPO

tempo, de maneira alucinatória? O todo constitui o quadro de uma sintomatologia fóbica importante na criança muda e psicótica. O fantasma ou a lembrança de seu corpo carregado nos braços da mãe desaparecida se manifesta como um pedido, uma tentativa de comunicação de boca com o seio, não ligadas a uma imagem consciente coesiva, pedido irreconhecível *a priori* pelo observador. Este sujeito inconsciente ligado talvez ainda a um pré-"Eu" mutilado de sua mãe, seu "Você", parece estar reduzido a algo da imagem erógena e funcional da mandíbula que pinça, como o é, sem dúvida, seu balanço perpétuo, sem prazer e sem gritos. Ela se pega por vezes em seus próprios braços, antebraços ou mãos, que permanecem fetiches do seio materno em seu corpo, únicas lembranças fiadoras de uma relação de aleitamento associada ao seio e aos braços maternantes que significam o amor. A clínica das crianças psicóticas lida com estas crianças autodevoradoras, cada vez elas experimentam (mas, onde então?) mais do que de hábito, a mordedura de sua aflição, de uma impossível comunicação perdida, e de aterrorizante solidão psíquica pela enfermidade de qualquer linguagem.

Qualquer fobia corresponde a imagens parciais arcaicas que utilizam pulsões do sujeito atual que ele não reconhece como suas, e que se projetam no mundo circundante. Esta sintomatologia fóbica precocíssima e defensiva invade mais e mais toda a libido da criança. Ainda que ela chegasse a utilizar, a traduzir, a fixar a angústia e que a imageria fóbica, se pudesse ser partilhada e entendida pelo adulto, pudesse reassegurar a criança, a angústia não permitiria, quando o estado fóbico é tão precoce, a expressão destas pulsões e sua partilha humanizante com um outro no mundo exterior. O autismo se agrava então, dia a dia, visando debelar as fobias, proibindo ao desejo qualquer alvo de objetos, sem poder chegar a eles, porque o viver é acompanhado o tempo todo de uma função simbólica no ser humano, e que esta, em suas imagerias isoladas de objetos parciais sem intenção, se torna cada vez mais aterrorizante[54]. A fobia se torna persecutória e a criança cai nos estados psicóticos graves. O autismo traumático que acabamos de descrever pode aparecer sem que seja possível ser situado claramente em um incidente acontecido na realidade. Pode ser uma separação precoce brusca com a mãe. No entanto, é sempre devido a um traumatismo simbólico, acrescentado a uma prova na realidade ou a acompanhando. Estas provas, sempre

---

54. O desejo obriga o sujeito a disfarçar suas necessidades – como se fossem o desejo de um outro invisível.

associadas a castrações, permanecem não-simbolígenas, e é disto que o lactante sofre. A prova da criança é, além disto, frequentemente concomitante a provas vividas pela mãe-alimentadora, que, em consequência disto, é pouco atenta a seu bebê a não ser pelos cuidados materiais urgentes – alimentação, trocas – mas sem palavras, nem carícias, nem discriminação fina daquilo que se passa nele e que a alertaria em um outro momento. Tratar-se-ia de fato, de ausência de estruturação, provocando mutilações parciais da imagem do corpo? É o trabalho do psicanalista, pela transferência aceita das pulsões de morte sobre a sua pessoa, nestes casos de início de psicose, de decodificar o sentido humano ético pervertido comparado ao primeiro sentido humano ético que é o desejo de se comunicar. Trata-se, no psicótico, de um desejo prudencial e preventivo frente à angústia de qualquer relação na realidade. Como se o sujeito, nesta criança, raciocinasse dizendo: "Se eu sou não, não, não, em qualquer presença" (perigo eventual de comunicação e, portanto, eventual arrancamento secundário doloroso), "Eu não sou presente, eu não sou visado, portanto não corro risco de mais nada". Claro, é para melhor compreender a aparente não-transferência da criança sobre o terapeuta que eu digo isto. Mas, a partir do momento em que o terapeuta compreende o entendimento agudo de uma criança psicótica e seu tipo de resistência diante do sofrimento, podemos falar com ela, sem a culpabilizar pela máscara com a qual ela se disfarçou: indiferença, mutismo, ações animais. Ajudamo-la, assim, a se reencontrar humana e sujeito de seu desejo, ajudamo-la a aceitar novamente sua humanidade ferida em seu esquema corporal e a reconstruir, graças à transferência, uma imagem do corpo em relação com o esquema corporal que se encontra aqui como que desenfeitiçado.

A criança psicótica é o lugar de um verdadeiro tumor da simbolização, podemos dizer, de um tumor imaginário construído por *uma função simbólica que andou no vazio e sem nenhuma possibilidade de relação com um outro humano*. Porque o humano que as pulsões da criança visavam estava ausente ou, se seu corpo estava presente, estava psiquicamente fora do alcance para uma criança desde então solitária.

São fenômenos aproximadamente semelhantes, que encontramos naquilo que denominamos, segundo Spitz, o hospitalismo. Eles sobrevêm nas crianças que vivenciam numerosas mudanças quanto à pessoa que alimenta ou instituições durante os primeiros dezoito meses de sua vida, mas sobretudo ao longo dos primeiros seis meses que são decisivos. Podemos também falar do hospitalismo burguês onde o lactante foi deixado por seus pais aos cuidados de inúmeras mulheres interesseiras, frequentemente frustradas pela vida em sua sexualidade, que o educam como a um animal ou como a uma planta, sem outras palavras dirigidas à sua pessoa que não aquelas que concernem às suas necessidades, sem estima pelos pais da criança, por vezes até mesmo com uma hostilidade em relação a eles a qual a criança herda.

Em todas estas crianças crônica ou sucessivamente traumatizadas precoces, as pulsões orais e anais passivas se satisfazem solitariamente, de uma maneira que se deve qualificar como masturbatória imaginária invisível, portanto, sob uma forma não-observável; ela pode ser olfativa, óptica (o estrabismo, por exemplo), labial, glótica, lingual, rectal ou de micção, características do erotismo de regiões parciais na época destes estágios precoces. Este erotismo lhes faz elaborar fantasmas de corpo a corpo com a mãe ausente que seu próprio corpo-coisa lhes serve para presentificar na solidão do berço. O sugar do polegar, comum na maior parte das crianças, mas que se torna uma paixão inveterada em certos bebês, é, aqui, certamente uma das manifestações menos graves, já que compatível com o desenvolvimento ulterior em direção a uma neurose comum. É que a imaginação do bebê, sustentada por todos os desejos normais de sua idade, tem aqui como referência estável apenas os momentos em que se traz o alimento ou em que se leva os excrementos, assim como os cuidados de higiene e as manipulações de seu corpo enquanto objeto do adulto. Este tipo de educação, quando ocorre sem alegria partilhada e sem palavras, como é o caso com certas mães, faz da criança um objeto e não permite ao sujeito do desejo, e sobretudo ao pré-"Eu" da linguagem verbal que ele é virtualmente, se construir por trocas de percepções cúmplices com o outro. Se esta criança se desenvolve assim, solitariamente, até a descoberta da preensão manual, sua necessária atividade masturbatória, associada ao sugar do polegar, se fixa em um objeto inominável que ela mantém sob seu nariz, sugando, respirando, sendo que seu ser no mundo fica totalmente absorvido nas sensações que, assim, ela se proporciona[55].

Este objeto inominável constitui um fetiche arcaico de sua relação com a mãe lactante que fora indispensável para a sua se-

---

55. Winnicott nomeou este objeto de "objeto transicional", estudando a função protetora deste na educação das crianças. Podemos compará-lo aos coringas nos jogos de carta, que servem de substitutos a todas as cartas que faltam, particularmente associados ao *l'atout* (trunfo) – aqui, a mãe, *la Tout* (a Tudo) para seu bebê.

gurança, e este fetiche é metáfora, para esta criança, dela-sua mãe, como prometidos um ao outro no corpo a corpo, assim como em uma mamada interminável. A ausência ocasional deste fetiche, único símbolo do sujeito em relação de continuidade com seu meio conhecido, protetor, situado nas entidades tutelares do espaço maternante, mergulha a criança na maior angústia. Conhecemos esta angústia das crianças que não têm, ao deitar, seu pequeno objeto transicional; mas, se a mãe está presente e as consola, e lhes permite regredir com ela, quanto mais falar abundantemente da perda deste objeto com elas, mais rapidamente elas sairão da regressão reativa a esta perda. O que é grave é quando as crianças têm apenas este objeto que permanece de seu passado, e mais nada além deste, nenhuma relação pela qual ela possa renovar sua relação com a mãe, nem brincadeiras variadas, nem canções, nem palavras. Estas crianças estão em um perigo muito grande com o risco de perderem seu fetiche. Pouco tempo depois caem progressivamente, sem que ninguém se dê conta disto, em um autismo, sendo este secundário. Enquanto elas tinham seu fetiche, estavam, relativamente, em relação com o mundo. O fetiche desapareceu, elas entram progressivamente em um autismo que faz pensar em um tipo de sonambulismo. As pulsões arcaicas orais só podem ser permutadas pelas pulsões anais e pré-genitais nas relações com aquela que alimenta ou com outras pessoas. O sujeito perde certos componentes de sua imagem do corpo que ligavam seu desejo a seu corpo, e chega a apresentar perturbações somáticas (sobretudo insônia) e perturbações digestivas acompanhadas de aflição. Este estado provoca nos pais fantasmas de maus cuidados referentes àquela que alimenta, junto a quem a criança adoeceu. Internam-na no hospital, em observação, e são as reações em cadeia de crianças traumatizadas pela perda do objeto que vêm substituir a mãe; a perda opera como se fosse uma separação precoce com a própria mãe tal como a descrevi acima. Todas estas perturbações precoces na comunicação conduzem sempre a sequelas, ainda que a criança consiga superar a prova. Permanecem sempre algumas anomalias da linguagem no sentido amplo do termo. O esquema corporal, que corresponde à sua idade, não estando cruzado com as mediações necessárias à elaboração de uma imagem do corpo correspondente, segue-se de um retardo psicomotor e de um retardo de linguagem.

O que são, então, as mediações simbólicas necessárias? Vimos a este respeito: são as percepções auditivas, visuais, tácteis, informadoras, vindas da mãe que reage a seu filho, estando atenta ao gozar e ao sofrer de seu bebê, e lhe falando a respeito. Além dos indispensáveis cuidados corporais, de alimentação e trocas, que se referem às mãos da mãe no corpo da criança, além do carregar o corpo da criança pelo corpo da mãe, são as palavras desta, suas canções, seu ninar, suas carícias, suas broncas, toda a linguagem da compreensão do coração das mães – quando a neurose não foi esterilizada, pela angústia de ser mulher – as ocorrências da intuição materna.

Cada bebê, nascendo, suscita na mulher que se faz mãe fonte familiar, ressurgida da relação esquecida com seus próprios mãe e pai, do fundo de sua primeira infância, alimentadora de sua relação de mãe com filho ou filha, a que se acrescenta sua relação atual de amante com o homem que é ou não o genitor de seu filho. Este bebê, menina ou menino, suscita nesta mulher, sua mãe-alimentadora, palavras que são aquelas de seu coração com ela, que despertam o sorrir e o coração da criança, e que despertam seu espírito a se abrir à escuta: da mesma forma que, desertando a matriz do corpo desta mulher, ele suscitou a subida do leite, de seu leite, e que lhe convém, para continuar seu desenvolvimento. Esta dialética corpo-coração-espírito do feto, depois do lactante com sua mãe, está enraizada na fisiologia; mas no ser humano, em sendo simbólico, elabora-se um componente físico inter-relacional que é a metáfora deste. É assim que, para cada ser humano, sua relação com sua mãe, fonte de sua própria existência, parece mergulhar suas raízes naquilo que na falta de outra palavra denominamos de "sagrado". Trata-se de uma evidência sentida, simultaneamente ética e estética, por todo ser humano em contato com a natureza e com sua beleza. Este sagrado o nimba com a luz do rosto inclinado sobre o seu nas primeiras horas de sua vida, nos primeiros dias de suas experiências.

Toda mãe é o modelo da mediação pacificadora das necessidades e também, em virtude da articulação dos desejos com as necessidades, fonte da confusão entre necessidades e desejos. Segundo o que a mãe foi nas particularidades emocionais que seu filho captou, intuídas nos primeiros sofrimentos e alegrias esquecidos de sua vida, centrados sobre ela, uma sensibilidade reativa se elaborou, sensibilidade que se umbilicou ao sonho de existir, inicialmente induzido pela mãe, e que, este sonho, dia e noite, de se encontrar e de se continuar, se torne realidade.

Ouvimos dizer frequentemente: "Esta mulher não é uma boa mãe". Esta colocação é absurda. Nenhuma mãe pode ser dita boa ou má. Ela é a mãe, portanto é nela em que este ser humano se enraizou valorosamente, já que ele não morreu e sobreviveu a esta suposta má mãe. Que ele tenha sorrido com isto, já é um outro assunto; mas, ainda uma vez, não existe boa ou má mãe, existem mães que sustentam mais ou menos o narcisismo na superação das castrações que são para cada um as provas necessárias para a construção de sua identidade.

É em torno das primeiras percepções de nossa mãe, tal como a sentimos e a qual para nós era a vida – mesmo que estivéssemos sofrendo e se fosse difícil – que se umbilicou nosso sonho de existir. Este sonho, o longo sonho de nossa primeira infância, à proporção de nosso crescimento, é retomado por nossa razão se animando em alguns *flashes* de lembranças, em referência ao olhar, ao ouvir, às palavras, aos acontecimentos que, para nós, são associados à ideia de mãe. Este prazer pelo "sagrado", ligado à ideia de mãe, é para cada um de nós uma instância tão masculina como feminina. Parece surpreendente dizer isto, já que toda mãe é mulher. No entanto, é suficiente pensar nas construções nas quais o ser humano honorífica a providência para ver que ele as coroa de formas com referências fálicas, abóbodas e cúpulas referindo-se aos seios, torres e flechas referindo-se ao pênis. São formas corporais, objetos parciais "sagrados" do corpo de nossos pais, percebidos como gigantes. Nossas próprias pulsões ativas e passivas se projetam nas formas genitoras e tutelares destes adultos mágicos, que nos remetem à fonte vivente de nosso ser, poderíamos dizer, a este coito inicial de nossa concepção, que associa a permanência da consciência de si ao fruto vivente de uma hierogamia; união fecunda e permanente das pulsões sexuais ativas e passivas sublimadas, desde as mais arcaicas até as mais atuais. Para dizê-lo de outra forma, cada um de nós, bebê, totalmente dependente do adulto, só pode sobreviver tendo sua sede e sua fome apaziguadas, e protegido dos perigos do mundo exterior. Estas duas condições são asseguradas pela mãe, com seu seio, pelo pai, com sua vigilância armada que a protege. Quanto ao bebê, ele busca o seio vital e a força protetora. O bebê está em uma posição libidinalmente passiva frente a estas duas instâncias parentais que ele sente, tanto uma quanto a outra, ativas em relação a ele. Enquanto ele é fatalmente passivo em seu corpo, vive em seu coração um amor ardentemente ativo por esta instância parental no duplo aspecto protetor a seus olhos. Estes mestres onipotentes do espaço, estes dois corpos fálicos deambulantes como cipós animados, ele os percebe dotados de prolongamentos acariciadores e palpadores que reinam como que magicamente sobre um espaço no qual ele é totalmente impotente, entregue a seu bel-prazer e a seu poder discricionário. Com seu rosto iluminado pelo tom de suas vozes que lhe falam, e pelas estrelas brilhantes de seus olhos, sua segurança amarra seu frágil espírito, que sem sua presença de amor e de segurança estaria afastado na indiferença dos elementos naturais que constituem seu corpo, um corpo que, sem eles, estaria sem referências de tempo e de espaço. Não é surpreendente o fato de que, tornados adultos, sempre impotentes diante da criação, os humanos constroem seus templos com as formas de beleza fálicas masculinas e femininas.

A mãe é também a primeira informante digna de crédito no que se refere aos perigos, e a mensageira do amor que, dado por ela, por ela não pode ser retomado. Mas ela é também aquela que pode dar a morte. O homem não é o representante da morte para o inconsciente. A mulher o é, porque é dela que vêm os gozos que fazem o sujeito esquecer seu corpo e seu ser à criança. Quando, esfomeada, a mãe a acalmou, quando, angustiada, ela a consolou, a criança se sente como se tornando a mãe, mas é a mãe também que ela deve renunciar – tanto a menina quanto o menino. A mãe não retoma o que deu, mas a criança deve se retirar de sua solicitude a partir de um certo ponto de seu desenvolvimento, e se recusar a lhe dar o prazer que ela lhe pede a partir de um certo momento, que é, mais tarde, o do Édipo. É por esta razão que penso que a mãe pode ser tanto o símbolo da morte quanto o da vida.

Talvez seja a razão pela qual as crianças psicóticas temem sua mãe, quando a encontram, pois aquela que encontram não é aquela que elas buscam, a mãe arcaica, nem a percepção que elas esperam desta para se encontrarem. Entre o momento em que elas foram separadas e o momento em que elas a encontram, a mãe não é mais a mesma. Vimos como a separação precoce e longa de certas crianças de sua mãe, na idade de cinco a nove meses, pode fazer entrar certas crianças no autismo. Elas temem reatar com a mãe como se esta encarnasse a morte para elas. A permanência do sujeito em busca de um gozo arcaico perdido faz dele um ser humano inadaptado à sua idade, sem linguagem com o outro, sem cumplicidade do olhar, sem reencontro dos jogos motores anteriores ao traumatismo. Por vezes, pelo contrário, ele se move incessantemente sem objetivo, instável, como se costuma dizer. Por vezes, ele é completamente imóvel, cristalizado, era estado de estupor. Ele não aceita ser desviado de sua aparência estereotipada, a não ser pela tensão de suas necessidades excremenciais, ou pela necessidade de comer qualquer coisa. Brincar com seus excrementos seria a única distração que parece ter um sentido para ele. De fato, ele sobrevive como a criança não desmamada de uma mãe fantasmática, a morte, que a ameaça, e à qual, para conjurá-la, ela se mimetiza como se se tornasse, esquecendo de si mesma, outra, tal como sua mãe, quando, pequenina, a tinha apaziguado. Existe em cada um um destes níveis mais ou menos arcaicos e por mais ou menos tempo estagnados, de um resquício de um tipo de relação com o mundo e com a mãe, anterior ao nível narcísico do Eu-você e da linguagem falada, e, mais tarde, do Eu-eu[56].

Alguns atrasos da palavra são, de fato, retardos de linguagem, devidos a uma enfermidade do desejo de se comunicar que, infelizmente, só é reconhecida a partir da idade da marcha. Poderiam me dizer: a partir de que idade podemos falar de atraso da palavra? Bem, desde o início da vida, toda a criança está em estado de palavra, ela não pode, ela mesma, falar verbalmente, mas tem o entendimento das palavras, e está constantemente em busca de comunicação com o outro, a não ser enquanto dorme. E ela necessita estar rodeada de comunicação, constantemente, prova de sua participação no mundo; e mesmo enquanto dorme, a palavra não a incomoda. A não-estruturação ou a desestruturação da imagem do corpo oral e anal aparece clinicamente de maneira indubitável somente quando a criança atingiu a idade da deambulação individuada; é, então, que o meio social alerta os pais que não se tinham dado conta de nada em uma criança cuja aparência, no entanto, se tornou aquela de um animal doméstico que não se comunicaria mais, nem mesmo com seus donos. Teria sido, no entanto, fácil remediar sua aflição, se a mãe, o meio, o pediatra, que certas mães preocupadas alertam por vezes em vão – "A senhora cuida muito bem dela", "Vai passar, quando ela entrar na escola" – soubessem compreender e detectar os primeiros sinais de indiferença, que traduzem as primeiras provas. A ausência do sorriso, a ausência do olhar, de balbucios, a ausência da procura da mãe pela criança, da comunicação constante com ela, de chamados, o silêncio de uma criança quieta ou, pelo contrário, os gritos contínuos e estereotipados, eis os sinais que permitiriam observar, a quem está atento, uma criança que não está em comunicação cúmplice, elástica, e verdadeiramente em relação com a sua mãe.

Este bebê passivo, indiferente, que dizemos quieto, plácido, mas que não tem reações frente à sua mãe e a seus familiares,

---

56. Não seria a consciência disso, em cada um de nós, aquilo que qualificamos como núcleo psicótico?

A IMAGEM INCONSCIENTE DO CORPO

sem expressões, sem preensão lúdica, aparentemente sempre satisfeito, adormecendo quando sua mãe o põe para dormir, comendo tudo o que lhe dão – este bebê é, no entanto, preocupante. Mas não para muitos médicos. Contando que ele pegue peso, faça fezes boas, que seus dentes cresçam... "O que a senhora quer mais?", dizem eles à mãe. "Ele está indo muito bem!". E é assim que se preparam as psicoses, silenciosamente, ou neuroses precoces, em crianças que se poderia muito bem ajudar se nos tivéssemos dado conta a tempo de seu sofrimento e de sua perda de comunicação, e do defeito de expressão deste próprio sofrimento. Na idade do desenvolvimento onde o esquema corporal deveria se tornar o mediador com o outro para a imagem do corpo, as pulsões predominantemente ativas são submetidas apenas às satisfações das necessidades naturais de tais crianças. São estas pulsões que fazem se expressar todos seus desejos, disfarçados em necessidades insaciáveis de beber ou de comer, não verbalizados. A criança põe tudo na boca, os pequenos objetos, os pedregulhos, os excrementos, tudo o que se apresenta. Se existe algo neste sentido, as únicas manifestações reconhecíveis deste desregramento são as do sono e do tubo digestivo. "Ela come tanta porcaria!", se costuma dizer. Raramente diarreias, mas vômitos ou constipação. Ela faz de tudo para conservar dentro de si um pouco de seu espaço protetor de referência recém--adquirida[57]. Mas este espaço desumanizado, que ela engloba e vomita por vezes, não fala, e não a alimenta nem psiquicamente nem afetivamente. Crescendo, esta criança pré-psicótica age seus desejos de maneira compulsiva. Ela chega, por vezes, a extremos: por exemplo, em corridas loucas quando foge de casa, se perde, entra na água até se afogar; ela não tem nenhuma discriminação do perigo. Comete atos depredadores e destruidores, é perigosa para si mesma, para sua própria conservação, e para o outro. Agride as plantas, as flores, os animaizinhos, tornando, em todo caso, impossível sua aceitação em um pequeno grupo de crianças: justamente o que a mãe esperava para tirá-la de suas dificuldades. E é isto que observamos frequentemente, infelizmente como uma constatação da "inadaptação" que, no espírito dos pais e de muitos médicos, se conclui por uma colocação, ou seja, a segregação em um meio para "crianças assim". Uma educação dita especializada procura, de fato, da melhor maneira, adaptar este marciano ao comportamento dos terráqueos de sua época e de sua idade aparente, mas não pode promover este sujeito.

57. Ver os casos clínicos mais adiante, p. 192 e p. 197.

Para isto, seria necessário deixá-lo em sua família, o tempo necessário para o estabelecimento da troca da família por um outro meio sustentador, e ocupar este tempo com um trabalho psicanalítico com o pai e a mãe. E em uma situação triangular (o psicanalista, o papai-mamãe ou alternativamente um e outro, e a criança, se a criança o aceitar), que uma psicoterapia psicanalítica pode ser empreendida. A psicoterapia psicanalítica de uma criança psicótica sozinha, se possui uma família, é inútil. No caso em que, em uma família onde a criança é enxertada, colocada, se quisermos dizer assim, e ajudada por uma psicoterapia, a criança retomaria consciência de si mesma, do trauma de sua separação dos pais, sem o trabalho da palavra entre a criança e seus pais juntos ao psicanalista, impediria o reencontro do sujeito anterior ao trauma. Existe uma lacuna irremediável. E por isto que insisto muito que nenhum trabalho com uma criança psicótica comece com ela sozinha; inicialmente, é preciso um trabalho com os pais, depois com os pais e a criança, antes de pensar em qualquer outra solução educativa.

Não se trata de uma educação nem tampouco de uma reeducação, mas sim de encontrar uma autencidade, de distingui-la da vida imaginária maternal em relação ao feto, depois ao bebê, e da vida imaginária do pai frente à criança, e em seguida, da vida imaginária da criança frente a seus pais, seguindo os acontecimentos relatados pelos adultos, os quais foram vivenciados pelos três. Estão em jogo, para a mãe, os resquícios de sua filiação, como eu já havia mostrado, em todos os casos de maternagem; da mesma forma, no pai, o resquício de sua filiação com sua mãe ou com seu pai, conforme se trate, no momento, de uma menina ou de um menino psicótico. O trabalho psicanalítico com uma criança psicótica é a recolocação em circuito de uma comunicação entre as três pessoas – pai, mãe, criança – de sua cena primitiva. A transferência do psicanalista sobre a criança ajuda os pais. Seu tipo de trabalho, a busca do interlocutor fechado na prisão que seu filho se construiu, modifica, por vezes, sob seus olhos, a aparência estereotipada da criança. Questionada a criança, por esta pessoa diferente, o psicanalista, que se interessa realmente por sua vida e por sua história, os pais podem constatar que uma relação diferente se estabelece então entre este adulto e ela. Isto reabilita neles a esperança de relação humana com seu filho. Esta esperança, eles a tinham perdido dia a dia, diante da gravidade de um estado do qual, até então, ninguém compreendia nada. Isto não quer dizer que hoje o psicanalista compreenda mais este fato. Aliás, não é isto que importa. O im-

portante é que a criança se reencontre ali. Neste trabalho psicanalítico, os pais podem compreender, a partir daquilo que eles
mesmos vivenciam, as interferências, na prova que constitui a
criança psicótica, de sua relação com ela, e a prova que ela é para
os outros membros da família, particularmente seus irmãos e
irmãs, se tiver algum, enquanto que, até então, eles não se tinham
absolutamente dado conta disto. E ainda esta não seria uma des-
prezível vantagem ou fruto de uma psicoterapia de criança psicótica, ainda que não se conseguisse lhe devolver sua alegria de
viver como cidadão livre e autônomo, e que as outras pessoas da
família, seus irmãos e irmãs, não mantivessem um rastro traumático por toda a vida dos sofrimentos suportados por eles em
virtude da existência desta criança.

Para a própria criança psicótica, é em torno das primeiras
relações reencontradas como a de um pequenino lactante com
seus pais, que o tratamento começa a mostrar seus frutos. A dificuldade vem do fato de que as crianças psicóticas devem passar
por temores, pânicos de viver diferentemente, para sair de uma
angústia geralmente acumulada. Elas passam, no início do tratamento psicanalítico, e principalmente a partir do momento em
que este tratamento é atuante, por períodos agressivos e desre-
grados em seu comportamento e em seus aspectos exteriores
mais contundentes que, muito frequentemente, fazem suspender
o tratamento, porque estas perturbações são tomadas como contraindicação ao tratamento psicológico ou como uma doença
orgânica. Hospital, exames etc., o ciclo angustiado dos adultos é
retomado. Novamente, isola-se a criança, ao invés de continuar
o tratamento, apesar das perturbações ocasionais funcionais ou
somáticas, que o psicanalista deve buscar compreender com a
criança, como uma linguagem reativa à sua angústia de cura.
Angústia que ela comunica a seus pais, à sua mãe e aos médicos.

Estes desregramentos do funcionamento somático em relação à aparência bastante estereotipada, cristalizada, de boa saúde
da criança antes do tratamento psicanalítico são, pelo contrário,
a favor da continuação do tratamento. Eles provam que o sujeito,
nesta criança psicótica, está na busca do reencontro com a comunicação; mas que, antes de poder expressá-la através dos afetos e das palavras, das representações, desenhos, modelagens,
mímicas, jogos, ela começa a reagir pela linguagem funcional do
corpo, este pré-"Eu" inconsciente. Seria desejável, então, que
muitos médicos tivessem informações de ordem psicanalítica, e
que psicanalistas fossem pedopsiquiatras. É preciso clínicos ge-
rais ou pediatras para assumir o tratamento médico funcional

destas crianças, encorajando os pais e a própria criança a continuar a psicanálise apesar dos desregramentos diversos pelos quais os sofrimentos se expressam. Não pode ser aquele que cuida do corpo da criança quem assume a sua psicoterapia; mas é possível que um seja sustentado pelo outro, para que a criança possa continuar este trabalho, difícil é claro, mas que vale a pena, na medida em que as crianças psicóticas são geralmente seres humanos particularmente inteligentes, precoces e sensíveis, por trás de sua máscara despersonalizada.

Muitas crianças, atualmente, apresentam este tipo de problemática de inadaptações precoces, em função das quais o diagnóstico hesita entre neurose e psicose. Podemos dizer que a psicose infantil sobrevém em família onde ambos os genitores tiveram que superar, cada um em sua respectiva família, um episódio traumático inconsciente devido às suas relações com seus pais antes da idade do Édipo. Este episódio, recalcado no que se refere aos pais, se expressa em seu filho de maneira irreparável, a não ser através da psicanálise. No entanto, podemos ver crianças qualificadas como psicóticas, segundo seus sintomas, cujo estado destaca, de fato, apenas perturbações precocíssimas de sua história particular, sem que tenham entrado em ressonância traumas infantis dos pais.

IDADE ORAL, ANAL E PERÍODOS ULTERIORES ATÉ A CASTRAÇÃO PRIMÁRIA

Antes de continuar com exemplos clínicos, e para que estes assumam seu pleno sentido de ilustração de meu tema, que é a articulação a cada instante da imagem do corpo ao esquema corporal, é necessário resumir as grandes linhas do processo de regressão ou de desestruturação cada vez mais próxima das imagens do corpo, processo inverso de sua estruturação. Não esqueçamos que estes processos referentes à imagem do corpo são sempre, para se desenvolver, dependentes de uma relação afetiva, enquanto que o esquema corporal pode se desenvolver mesmo em condições de aflição afetiva.

Peço desculpas pela aridez abstrata de certos quadros clínicos, mas é uma grade necessária para compreender aquilo que é da patologia humana. Tomemos o cuidado de não chegar precipitadamente a um determinismo – que estaria no limite quase organicista; pois é da relação de linguagem entre o sujeito criança e seu meio que a generalidade do processo de articulação da

192   A IMAGEM INCONSCIENTE DO CORPO

imagem do corpo e do esquema corporal se elucida enquanto personalização narcísica defensiva do sujeito. É também através da transferência, tanto do paciente quanto do psicanalista, que a reversibilidade será ou não possível ao longo dos acontecimentos de uma psicoterapia. Eis, portanto, as generalidades referentes à compreensão clínica da patologia através das imagens do corpo.

Recordemos, puxemos pela memória[58], que a imagem do corpo é trinitária: imagem de base, imagem funcional e imagem de zona erógena, todas sujeitas a representações sensoriais fantasiadas e comunicáveis entre os sujeitos. As crianças nos revelam a existência, seja associada a esta imagem trinitária, representável no desenho ou modelagem, seja dissociada dela, de uma imagem dinâmica sem representação, à exceção de um esboço de espiral ou de um traço com o limite pontilhado; imagem dinâmica cujo desejo indissoluvelmente apegado a esta, absorve as potencialidades de representação. Esta imagem dinâmica, solidária do sujeito em estado de vigília e durante o sono superficial, se torna, pelo que nos consta, punctiforme no sono profundo, deixando às pulsões de morte, apoios do esquema corporal na ausência de qualquer cumplicidade do sujeito, o gozar sem afeto de uma falta qualquer, e sem representação da paz vegetativa dos órgãos.

Caso de Nicolas

Eu me recordo de Nicolas, criança dita psicótica, que tinha quase seis anos quando o recebi. Ele tinha três dias de vida no momento da evacuação de Paris. Ele permaneceu sem leite, sem possibilidade de ser trocado durante mais de dois dias, felizmente com sua mãe. Tanto um como outro sem alimentação e sem água, sozinhos dentro de um vagão abandonado.

Nicolas era o último de uma família de cinco crianças; os quatro mais velhos, meninas e meninos, tinham se perdido durante algumas semanas, separados da mãe, sendo os quatro evacuados, ao longo de um bombardeio do trem que conduzia todos ao reencontro com o pai, já evacuado para o sul da França com seus companheiros. A mãe e seu lactante deveriam ser levados para um hospital, mas se viram conduzidos para uma outra cidade que não a prevista. No mais, o trem logo pararia em pleno campo, detido por um bombardeio da estrada de ferro, não permitindo atingir a estação anunciada. Não havia mais ninguém

---

58. Ver Capítulo 1, p. 37.

ali, nem vacas, nem água, nas fazendas da vizinhança. Todo mundo tinha sido evacuado e todas as canalizações haviam sido explodidas. Esta mulher separada de seus quatro filhos mais velhos e preocupada com eles, permaneceu portanto sozinha com seu bebê em seu seio sem leite, após uma vinda do leite aparentemente normal, mas que a angústia tinha retido. Ela viveu quarenta e oito horas pavorosas, assistindo à morte por inanição e por sede de seu bebê que ela não podia trocar, ela mesma estando completamente esgotada e impotente. Enfim, as coisas se ajeitaram, ela e seu bebê foram socorridos, Nicolas escapou da morte por desidratação e cresceu. É o que ela pôde me contar a respeito desta criança. Quando o vi, ele tinha mais de cinco anos e era psicótico; ele pôde se salvar pela psicanálise. Não posso contar o desenrolar deste tratamento aqui, mas repenso nele, pois a história deste caso, dito de psicose, nada tinha de patológico nas relações do pai e da mãe, ao longo da infância deles, nas relações com seus pais. A guerra tinha passado pelas duas famílias sem dilaceramentos nem lutos importantes. As quatro crianças mais velhas tinham superado o choque da evacuação e todo mundo ia bem. Permanecendo em zona livre, no campo, durante o período da guerra, as crianças, em particular Nicolas, não tinham sofrido carências. Tinha-se, então, uma criança que parecia selvagem, indiferente, sem, no entanto, fugir do olhar. O que existia de notável, imediatamente, nesta criança – apresento este fato como uma indicação clínica – era um tufo de cabelo não penteável. Ele tinha uma voz rouca, era angustiado, deambulava sem direção, como seus cabelos, indo, vindo, os cotovelos dobrados, os joelhos meio flexionados, falando mal, não era maldoso, nunca mal-intencionado, mas imprevisível. Ele não brincava verdadeiramente. Ele "vagava", daqui para lá, deslocando os objetos. Era preciso vigiá-lo o tempo todo para que não ocorresse nenhum acidente ou incidente.

Era 1946, eu tinha pouca experiência. O único sinal dado por Nicolas, que suas vindas ao consultório onde ele me encontrava contavam para ele, é que, naquelas manhãs, ele estava de pé às seis horas, tentava se vestir e esperava sua mãe perto da porta. Foi uma das coisas mais curiosas ver evoluir logo de início o sistema capilar desta criança. Dentre tantas anomalias e comportamentos bizarros, a mãe não tinha pensado em me falar sobre este fato que chocava à primeira vista. Os efeitos do tratamento começaram a tornar seus cabelos leves e penteáveis, com surpresa por parte da mãe que, naquele momento, me falou disto, ao mesmo tempo que a criança reencontrava um ritmo normal

194 A IMAGEM INCONSCIENTE DO CORPO

de sono, nunca instalado anteriormente; depois, pouco a pouco, a continência diurna, depois noturna, a marcha com o corpo vertical, o prazer de brincar, a expressão de sentimentos ternos por sua mãe, e enfim a palavra, de início gramaticalmente pobre, mas adequada àquilo que se passava.

Qualquer enfermidade de uma imagem funcional, qualquer que seja a razão e a natureza desta, quando o sujeito está movido por um desejo, estimula inicialmente a intensidade deste desejo. Em contrapartida, se esta enfermidade não cede, provoca a ressurgência de uma imagem passada do corpo, de um passado onde o gozo associado ao apaziguamento das tensões foi conhecido e cujo narcisismo permaneceu informe. O sujeito pode, por um tempo mais ou menos longo, viver do fantasma de uma satisfação arcaica, enquanto que sua vitalidade real, no esquema corporal, esgota totalmente suas forças.

A representação da morte real, representação do corpo tornado algo inanimado, arcaico, como um objeto cocô, ou uma coisa, estimula todas as pulsões atuais a se focalizarem no reencontro da imagem funcional e da imagem erógena em busca de um objeto, sempre articulado a um primeiro objeto perdido na realidade sensorial, mas não no imaginário[59]. Em caso de não-

---

59. Isto fica bem ilustrado pelo final do tratamento de Nicolas: após alguns meses de sessões semanais, a cura do estado psicótico de Nicolas foi anunciada em várias sessões onde ele parecia mimificar sua morte. Ele se jogava ao chão, se esparramando, com mais ou menos violência, e permanecia ali por um momento, recomeçando em seguida. Recordo-me, talvez na última ou em uma das últimas sessões (eu anotava), o mais elaborado destes fantasmas: ele mostrava sobre seu próprio corpo, antes de cair, seu tórax-abdômen, ao redor do umbigo, como se tivesse uma massa que o ocupasse. Eu: "O que tem ali?" Ele: "Pedregulho". Depois, como se este peso o desequilibrasse, ele caía para frente completamente estendido. Ele permanecia assim por um momento, e depois se punha de quatro, andava um pouco, em seguida recolocava-se em pé e recomeçava. "Faria um desenho?". Rapidamente Nicolas desenha: "casa, janela, um homem" (ele se mostra), uma enorme mancha negra sobre o corpo. Ele faz um traço balístico: o corpo caído da janela, ao chão. Ali, tornou-se não mais cabeça, tronco, braço, mas um vago pequeno retângulo com três prolongamentos "patas" (parecia vagamente com um cão sem cabeça nem cauda), no chão, rodeado de grafemos mais ou menos fechados, "folhas". Estas folhas "o que são"? Ele mostra seu rosto, suas mãos, como que despedaçadas em "folhas" ao redor do "corpo jogado pela janela". "Quem é?". Nicolas se mostra e diz: "Caído, velho, morto, a água não está ali, acabou, eu não tem mais". Seria este o trauma inicial? Esta cena não era "para mim", mas eu era testemunha dela. Espécie de mímica sonora, executada com uma paixão sustentada, espécie de jogo de Mistério da Idade Média. O desenho, embora executado sob minha sugestão, não me era mostrado, e ilustrava o mimodrama deste sonâmbulo. Eu, jovem psicanalista, estava ali, aceitava, não compreendia nada. Nem bom dia, nem até logo. Ele entrava, impaciente, tenso, partia cada vez mais feliz ao reencontrar sua mãe. "Isto" estava se curando. Nicolas estava reto sobre suas pernas, as costas

-satisfação, no caso de não-adequação de nenhum objeto ao desejo, em estado de falta da pessoa enquanto objeto total, à falta de um objeto parcial associado a ela, a imagem dinâmica, após ter tentado uma superativação que permaneceu em vão, no próprio lugar da zona erógena, se desloca para uma zona erógena correspondente a uma imagem do corpo erógena ou funcional anterior. No caso em que esta zona regressiva perdeu ela própria qualquer relação com seu objeto arcaico, ou se se trata de uma imagem funcional, que não proporciona nenhum prazer, a imagem dinâmica coloca em tensão a imagem de base que, por definição, é desprovida de zona erógena. O sujeito se perde, na falta de ter um objeto para seu desejo, na falta da representação em seu corpo de uma tensão para este objeto. Seu mal-estar, então, aparece enquanto somático; nem a consciência nem a emoção se encarregam dele. São as perturbações do sono, seja o sono profundo, seja a crise de epilepsia, sejam as ausências.

Quando a imagem de base se dissocia das imagens funcionais e erógenas, o que não pode se produzir sem um certo pânico liminar, temos o esquema que Freud encontrou nas neuroses, a respeito do narcisismo secundário, e que ele explicou em "Inibição, Sintoma e Angústia". Nas situações que ele descreve, mostra como os sintomas do estágio genital vêm das pulsões pré-genitais que só podem se expressar pelo turgimão de imagens do corpo pré-genitais. Por exemplo, ao invés de poder realizar o coito, o sujeito homem é acometido de diarreias; ao invés de gozar, a mulher tem câimbras uterinas ou náuseas. O sintoma se torna anal ou oral, seja o estreitamento, como um esfíncter que se contrai, vaginismo, seja vômito, rejeição de um objeto parcial fálico, oral, a alimentação. São imagens do corpo orais ou anais que estão em jogo, desviando o desejo, e até mesmo recusando o prazer destas pulsões regressivas para as quais se deslocou uma libido que recusa a imagem do corpo genital. Tudo se passa a respeito do lugar genital dos parceiros, mas com imagens fóbicas orais ou anais. Tudo isto que, como podemos observar, é amplamente interpretável nos termos da imagem do corpo inconsciente vale apenas para indivíduos que tenham, ao menos em princípio, atingido a possibilidade de uma assunção genital da

tensas, a cabeça livre sobre o tronco, ao invés de afundada, como no início do tratamento. Ele tinha encontrado rapidamente o sono, o comer, como humano, em seguida, a continência diurna esfincteriana, depois a noturna urinaria. Ele falava melhor, com palavras gramaticalmente ligadas. Nicolas tinha passado a beijar ternamente mãe e pai, a agir de forma coerente. Nele também se ordenavam sujeito, verbo, complemento.

196 A IMAGEM INCONSCIENTE DO CORPO

imagem relacional de seu corpo, ou seja, o estágio do espelho, do qual falei anteriormente[60].

Mas quando se trata de uma criança antes da castração primária, ou seja, antes da inteligência dos três anos, ou seja, antes do conhecimento de seu sexo e, mais ainda, quando se trata de uma criança antes da marcha, antes da conclusão neurológica do esquema corporal, se ela não tem, ao menos, à sua disposição o sugar do polegar salvador, as frustrações de apaziguamento de tensões têm para ela como lugar de angústia apenas aquilo que lhe serve como elo com a mãe, acompanhado, principalmente, de sintomas de desregramento que podemos dizer vegetativos: do tubo digestivo ou das saídas do cavum, encoprese, enurese, ou rinofaringite, otite. Quando as zonas erógenas, rosto, boca e ânus, nádegas, associadas às pulsações orais e anais, não são mais integradas ao prazer, nem em relação de linguagem com a mãe-alimentadora (mesmo quando ela não está presente), nem às imagens funcionais (a imagem funcional oral constituindo o peristaltismo não perturbado da boca ao ânus), nem à imagem de base correspondente (o ventre, estômago, intestinos à vontade), há regressão do sujeito até às imagens cardiorrespiratórias e peristálticas perturbadas. Pode existir neste sentido um chamado a um retorno impossível para a mãe fetal, no caso de não-reconhecimento olfativo de si mesmo pela criança, ou o chamado em vão pela mãe táctil e vocal, o que provoca certas crises de asma, os espasmos de soluço, as laringites estridulantes. Ocorre que estas angústias, e sobretudo os acontecimentos que as desencadeiam, passam despercebidas para a mãe ou, pelo contrário, a desesperam. Ela não pode, então, aninhar, reassegurar, ninar, ou seja, devolver ao seu bebê, já que ela não está alerta ou então porque está muito angustiada, os ritmos da vida pelo menos fetal, depois oral, aérea, dos primeiros dias, segurando-o nos braços, ninando-o, falando-lhe sobre aquilo que está se passando e o reassegurando. Esta criança sofre e não tem mais a segurança de sua relação de sujeito com o objeto total que é sua mãe nem por um objeto parcial específico desta, como sua voz ou seu odor. Então, a imagem do corpo desta criança, a quem as expressões de seu corpo doente não são verbalizadas, falta ser significada, em seu sofrimento de não ter suscitado palavras e gestos de compaixão da mãe. A imagem se torna muda para ela, e a reduz a um esquema corporal em luta com as pulsões de morte. É o que ocorre nos isolamentos, no hospital, sem a presença frequente

60. Ver p. 120.

da mãe para as refeições e as trocas, com o hospitalismo que pode se seguir a esta situação se a experiência se prolonga: o hospitalismo ao qual eu já aludi e que veremos, em breve, no caso de Sebastien. Existe então, nestas crianças, a menos que escapem à dissociação entre sujeito e imagem do corpo, perturbações graves do caráter, sempre difíceis de fazer desaparecer e nunca sem regressões.

Além destas angustias, reforçadas pelo silêncio da mãe, ou da pessoa que cuida, se ela não fala com a criança sobre os eventos traumáticos que esta viveu ou vive, os traumas psíquicos precoces que são associados neste sentido alteram durável ou definitivamente o desenvolvimento da imagem do corpo, principalmente se os sintomas reativos secundários conduzirem, com o não-reconhecimento deste sentido linguageiro somático que assume a aflição psíquica, a prolongação da estadia da criança no hospital, consumindo a ruptura da díade mãe-criança que, através do turgimão de sintomas regressivos, tentava se reconstruir fantasmaticamente nesta última. É aí que se encontra a origem de grande parte dos casos de crianças traumatizadas precoces em sua imagem do corpo como são os psicóticos; em particular aqueles que são traumatizados na imagem de base do estágio fetal ou oral, e menos gravemente na imagem de base do estágio anal (a imagem de base do estágio anal sendo a coesão cabeça, tronco, membros).

Este quadro de conjunto é de uma importância capital para a compreensão daquilo que está em jogo em pediatria, na creche ou no hospital. Sustentaremos, principalmente, que a imagem de base é sempre associada, na origem do sujeito à imagem fetal anterior à castração primeira umbilical que se segue ao nascimento, e que ela remete, portanto, à cena primitiva, à cena de concepção da criança, e à questão do desejo original deste ser humano para com seus genitores assim como do deles, não somente para a sua concepção no momento de seu desejo recíproco de amantes, mas para sua sobrevivência, e também para a aceitação do sexo que é o seu.

Caso de Sebastien: uma entrada no autismo aos cinco meses

Para tornar mais perceptíveis os efeitos precoces das dificuldades psicotizantes da imagem do corpo, intercalemos aqui o exemplo de um lactante de cinco meses, Sebastien, cujos pais tiveram que se mudar de casa três vezes em uma semana. Os pais, um jovem casal – a criança era então filho único – esperavam por um alojamento definitivo que não estava pronto. A criança tinha sido amamentada até os quatro meses, e foi neste intervalo entre quatro e cinco meses que a mãe a tinha desmamado. O desmame se passou sem dificuldades, ela pensava retomar seu trabalho para pagar a instalação da nova residência, procurando então uma mulher que viesse cuidar da criança. Já que ela teve que se mudar por duas vezes no espaço de alguns dias, e já que a residência que lhe emprestaram era apenas temporária, esperando a definitiva, ela teve também que trocar a pessoa que cuidava da criança, sendo que as residências se achavam em bairros distantes uns dos outros. No intervalo de alguns dias, portanto, a criança já tinha tido duas residências diferentes e duas babás diferentes. Para poupar a criança de uma terceira deambulação cotidiana, a mãe decidiu procurar uma mulher que pudesse cuidar da criança em sua própria casa até que eles tivessem, enfim, sua residência. Nem a mãe, nem a criança, nem o pai, conheciam a nova babá, antes do dia em que a criança fora levada à casa desta, certa manhã, enquanto que a mãe, chegada a ocasião, recomeçara o trabalho com o qual se tinha comprometido. Quando, à noite, a mãe passara para ver seu bebê antes de voltar para casa, a babá lhe diz: "Seu bebê está no hospital, ele teve uma diarreia verde às onze horas. Eu já tive um bebê que morreu disto, e então eu o levei imediatamente para o hospital". Naturalmente, no hospital, aceitaram o bebê, em caráter de urgência; no entanto, quando a mãe chegou, lhe disseram: "Não vimos diarreia, mas mantenha-o em observação".

Eis o testemunho materno sobre o início da separação criança--mãe. É um caso que eu vim a tomar conhecimento quando Sebastien, esquizofrênico mudo, já tinha sete ou oito anos. Ele nunca se sentava, como se isto o fizesse sofrer. Ele vivia de pé ou deitado. Descobri então, fazendo a mãe falar, aquilo que ela denominava de constipação da criança, referindo-se às palavras do médico do primeiro hospital, no momento em que Sebastien o deixou. A esta palavra constipação a mãe se referia frequentemente, mas, dizia ela, sem interessar os diversos médicos consultados a respeito de Sebastien. "Ponha-lhe supositórios", dizia um. Este tal medicamento dizia o outro. De fato, esta criança tinha terror de defecar. A cada quinze dias, aproximadamente, urrando de dor, expulsava uma enorme quantidade de fezes, que, dizia sua mãe, nem mesmo o aliviava. O médico a quem aconselhei a mãe a levar seu filho diagnosticou uma fissura anal que tratou, e depois, tendo medido o perigo da hospitalização para esta criança, realizou em seu próprio consultório, sob anestesia geral, e em presença da mãe, a extração de um fecaloma tão grande quanto a cabeça de um bebê. Ele teve que adiar todas as outras consultas do dia, tal era o odor de putrefação em seu consultório. Esta criança trazia esta putrefação fecal, este corpo estranho fecal, desde há muitos anos, desde a idade de quatro anos. Apenas, de tempos em tempos, fazia um enorme e "grande cocô", urrando de dor. A mãe dizia aos médicos: "Ele está constipado, é só". Sebastien recusava qualquer alimentação suscetível de constipá-lo, tal como chocolate que a mãe e a avó – por que será? – acreditavam ser bom para ele. Era, aliás, uma ocasião de conflito entre as duas mulheres, este chocolate que Sebastien recusava. A partir do momento em que seu peristaltismo foi restabelecido, inicialmente pela intervenção médica, depois pelo tratamento empreendido comigo, que lhe verbalizava tudo o que se tinha passado, em presença de sua mãe, Sebastien pôde se sentar e sentir prazer em comer de tudo. Infelizmente, não estava, nem por isso, curado de sua psicose. Mas já podia viver de forma mais agradável estando menos angustiado.

Retomemos a gênese desta psicose. É, portanto, aos cinco meses que, sem nenhuma explicação, Sebastien, que era muito esperto, colocado na casa de uma ama que não conhecia, teria sido desregrado em sua imagem peristáltica digestiva, secundariamente, sem dúvida, em consequência de se ter visto rejeitado e colocado, sucessivamente, na casa de três mulheres diferentes no período de uma semana. A terceira tinha cuidado de um bebê que morrera de toxicose, a qual se iniciou em sua casa através de uma diarreia. Ela tinha se desesperado, no primeiro dia, com uma evacuação diarreica de Sebastien às onze horas da manhã. Ela o tinha acolhido às oito horas. Ela o conduzira ao hospital onde deixaram-no isolado em observação. Foi assim que, à noite, apavorada pela babá, sua mãe foi ver o bebê, sendo que não lhe deram o direito de entrar no local onde este estava isolado, nem tampouco de falar com ele. Ali, Sebastien, em alguns dias, sofreu uma profunda regressão, secundariamente agravada por uma broncopneumonia contraída no hospital. O pediatra havia dito à mãe: "Eu não vi diarreia, penso que seja mais uma constipação, ele está bem, mas por medida de segurança é bom mantê-lo aqui por alguns dias". Esta proposta era conveniente para a mãe, na medida em que eles não tinham ainda o apartamento prometido. Aos cinco meses, representava, é claro, para ela, uma experiência de estar separada de seu bebê; mas ela tinha seu trabalho, e diziam-lhe que o bebê estaria tão bem ali como com uma babá desconhecida. E, no mais, ela não se dava conta da situação como um todo. Foi falando deste período que ela se recordou da aflição deste pequeno em seu isolamento. Por trás do vidro, em alguns dias ele estava irreconhecível. Ele teve, em seguida, a tal broncopneumonia. De onde vinha ela? À sua imagem respiratória faltava o odor da presença da mãe. Ele a procurava, quando a percebia por trás dos vidros do isolamento; inicialmente, urrava; mas ao cabo de três ou quatro dias tornou-se indiferente. Sua imagem respiratória pulmonar estava privada do odor da mãe, que tinha desertado sua zona erógena olfativa. Seus olhos, suas orelhas, não ouvindo mais sua mãe, as pulsões de morte tinham se mobilizado sobre a imagem funcional respiratória, abandonada pelo sujeito do desejo. Existem sempre micróbios ambientais que não precisariam de uma situação melhor do que esta, criaturas vivas como são, para se precipitar pululando em um corpo cujo funcionamento não está circulatoriamente falando, perfeito. O esquema corporal é mal ventilado quando a criança sofre, na imagem do corpo oral olfativa, por não encontrar o odor de sua mãe amada. Quanto à imagem peristáltica, já que se trata disto na constipação, a imagem funcional do tubo digestivo regula o percurso do conteúdo alimentar segundo o esquema corporal do tubo digestivo: esta imagem funcional tinha se cristalizado, como havia dito o médico. "Ao invés de diarreia, seu filho se mostra constipado, mas está tudo bem. Coloque supositórios nele e depois leve-o para casa, ele está se entediando aqui": isto foi dito quando a broncopneumonia estava curada. Mas não, não se podia levar o bebê para casa, o apartamento não estava pronto. E eis que, este bebê de cinco meses, ótimo, ao chegar, teve de permanecer durante seis semanas no hospital. De uma afabilidade precoce, reconhecendo muito bem a mãe, o pai, os avós, passou a ser uma criança triste, apática, perdida, não olhando mais nada e não brincando mais. Quando a mãe, começando a mudança para seu apartamento, foi buscá-lo pensando que tudo se ajeitaria a partir do momento em que ela o levasse para casa, Sebastien não apresentava melhoras, tornando-se progressivamente autista. Como se encontrar, em um novo apartamento, aquele que seus pais esperavam, com uma cama de criança, para eles muito boa, mas que não era mais seu cestinho (seu objeto parcial associado a ele-sua mãe, que conhecera antes dos cinco meses)? A mãe que tinha momentaneamente parado de trabalhar, mais para fazer sua mudança do que para cuidar do bebê, não pedia nada à criança e esta tampouco pedia qualquer coisa à mãe. Ela estava muito ocupada e, como ela mesma afirma, ele estava muito quieto.

Se quisermos generalizar a partir de um tal exemplo dramático, mas, infelizmente, não excepcional, diríamos que, sem palavras dirigidas à criança, palavras através das quais ela pode se ouvir reconhecida como sujeito, a função simbólica corre o risco de ser perturbada, tendo por consequência desordens fisiológicas, devidas aos efeitos descriativos mortíferos operando cada vez mais na desorganização e perda das imagens do corpo, indo da imagem atual às mais precoces, as quais são "carnalizadas" por seu cruzamento com o esquema corporal.

Infelizmente, qualquer desordem fisiológica parece aos adultos exclusivamente do domínio do corpo, o único doente: o que angustia, não sem razão, os pais e o médico. A dialética da imagem do corpo trinitário se fecha sobre o narcisismo da criança, e esta, enquanto sujeito que expressa a linguagem pré-verbal, sofrendo por não ser compreendida nem reconhecida em sua afetividade, em seu amor por sua mãe, regride. O desejo de comunicação sutil de sujeito para sujeito se acha assim recalcado pela criança, e se torna impossível, em seguida, em função de uma perturbação funcional que não é decodificada como sendo uma linguagem. Pensando no adulto, este vive a angústia diante da perturbação somática da criança, portanto deste corpo objeto, o único reconhecido como representante da criança. A partir de então, a angústia e seu corpo parecem ser tudo o que, da criança, é reconhecido pelo meio circundante. Reconhecido, o sujeito não mais o é naquilo que ele procura dizer. São de sintomas de criança que falamos. Mas, infelizmente, nunca mais falamos à sua pessoa.

No novo apartamento a mãe se recorda, de fato, que ela não falava mais a Sebastien. Ela lhe tinha falado muito durante os quatro primeiros meses quando ela o amamentava, e também durante o desmame, durante o mês em que estavam juntos, quando ela se angustiava de ter que retomar seu trabalho. Depois, tantas coisas a ocuparam, e em seguida, ele ficou doente, ela o via por trás dos vidros do isolamento. Ele se tornou inerte, indiferente, ela não lhe falava mais nem dele nem com ele. De Sebastien ela falava para os outros, dizendo "o pequeno", ele não era mais "Sebastien". Ela o olhava com olhos tristes, angustiados. Após estes dias catastróficos de sucessivas mudanças de casa, de babás, e finalmente o isolamento, a observação-ambiente hospitalar, julgada temporariamente cômoda pelo médico para os pais em dificuldades, foi completamente mortífera para a relação da

202 A IMAGEM INCONSCIENTE DO CORPO

criança com eles, e portanto, de Sebastien com ele mesmo e com o mundo. E isto, com o desconhecimento de todos. Ora, Sebastien tinha cinco meses, a idade mais frágil, logo após o desmame, para o desencadeamento do autismo, quando uma separação se produz entre a criança e sua mãe, e não somente entre a criança e sua mãe, mas, neste caso, entre a criança e seu espaço de segurança conhecido com a mãe e o pai. Esta mudança nos aspectos exteriores da vida de uma criança, que até então tinha sido completamente enxertada em uma única pessoa, no próprio momento em que o desmame foi bem executado – sendo este o caso, quanto à passagem do seio para a alimentação variada e mamadeiras – pede muitos cuidados e mediações. Qualquer modificação de lugar, de aspectos exteriores da vida, devem ser explicados, ditos à criança. Ela pode compreender. Ela sofre, mas não se torna louca. É importante dizê-lo, sabemos disto agora: talvez, dentre aqueles que lerão esta observação, certos pediatras guardarão a lembrança disto e saberão prevenir perturbações semelhantes, comunicando ao bebê as coisas que irão se modificar para ele, explicando-lhe as razões das condutas de seus pais, obrigados a confiá-lo a outros temporariamente.

O Sintoma como Equivalente de Linguagem Destinado aos Pais

O sintoma se tornou um meio de se expressar através de um desfuncionamento ansiógeno destinado aos pais; é, igualmente, aquilo que se passa no que chamamos de mericismo, quando o bebê vomita para sua mãe, sem ter digerido, o leite que engoliu. Em todos os casos que pude observar, a relação bebê-mãe é perturbada porque ela se ausenta dele a partir do momento em que ela lhe deu a mamadeira, ou até mesmo durante o momento em que ela o alimenta, enquanto que a criança, precoce, inteligente, deseja uma troca de conversação, rosto a rosto. Ela gostaria de, após o jantar, uma relação interpessoal, cúmplice, afetiva e animada. Em geral, trata-se de meninas, e, mais raramente, de meninos. Quando se trata de meninos, os vômitos precoces do lactante, vômitos em jatos característicos, vêm, como o sabemos, de uma leve má formação do piloro, cujo tratamento é muito fácil. Mas, então, não se trata de mericismo, ou seja, de vômitos sem nenhuma causa orgânica. No mericismo, encontramos frequentemente uma menina inteligente, precoce, cuja mãe parece menos astuta, pode-se dizer assim, que sua filha, e geralmente, depressiva após o parto. Ela não fala com seu bebê, ela está preocupada apenas com as horas e as doses, com o peso e com o tempo de sono; ela não está atenta às manifestações deste pequeno humano e não estabelece uma relação alegre, cúmplice, com seu bebê. Cada vez que a criança chama, ela interpreta como um desejo de comer ou ser trocada. Mas quando ela troca o bebê, ele não vê seu rosto da mesma maneira do que quando ela lhe dá a mamadeira. Tanto que o lactante compreende a partir disto que a única relação intrapsíquica passa pelo comer. Então, ele devolve o comer ou o beber, já que se trata de mamadeira, para que a mãe recoloque o que foi devolvido; assim, pelo menos, a troca dura um tempo maior e a mãe permanece presente graças a este subterfúgio. De início trata-se de um erro de rota que se instala de maneira crônica. Ao invés de sonoridade que vêm, da imagem funcional pulmonar, o ar passando pela laringe, o lactante se engana entre a laringe que funciona, para o esquema corporal são, nos dois sentidos, e a faringe vizinha, que deve funcionar em um único sentido; e isto fica ainda mais evidente na medida em que sua mãe nem canta nem fala se dirigindo ao bebê. Ele se utiliza então do objeto parcial da necessidade, o leite que chegou em seu estômago, para devolvê-lo, este leite, pela faringe, enquanto que, na verdade, são sonoridades doces e acariciadoras, a presença reasseguradora de sua mãe que ele desejaria prolongar. É de ser carregado em seus braços que ele tinha vontade naquele momento; e regurgitar seu leite era tentar desajeitadamente lhe significar isto.

Ao invés de obter mimos e palavras da mãe, este regurgitar constante angustia a mãe e, por consequência, o médico. Ela não ousa mais pegar nem balançar sua criança. Aconselham-na a observação em hospital. É a separação, que nada mais faz além de agravar e provocar a manifestação em cadeia de uma relação perturbada com a mãe, que se culpa disto. Existe a supervalorização da boca que vomita e que se tornando boca que grita, do funcionamento bucal a partir do momento em que ela não tem mais nada a engolir ou a vomitar. E a expressão de um sujeito que reivindica em vão o rosto definitivamente perdido daquela mãe que o tinha acolhido na ocasião de seu nascimento. A boca que vomita se torna uma boca que berra, ao mesmo tempo que permanece uma boca que vomita. Para esta boca, enorme abertura larga, escancarada, barulhenta (aos três anos) e que não fala, todos os objetos parciais são bons (cocô, terra), tudo o que, inomeável, está associado a uma mãe que não a nomeia de outra forma que não "a pequena". Tudo o que pode se embocar e se vomitar, se põe a substituir, assim que ela puder, a relação mãe-

-criança que nada mais tem a lhe ensinar. A mãe é repetitiva e estereotipada em seu narcisismo de martírio exacerbado. "A pequena" engole qualquer coisa, ela põe tudo em sua boca. A mãe se queixa e "grita com ela". Estes mericismos perduram, por vezes, dois ou três anos, onde a criança come e devolve tudo, e no entanto, ela pega peso, cresce; mas são de fato neuroses graves, experimentais, pode-se dizer, provocadas pelo fato de que não foi reconhecido um pedido do sujeito para sua mãe sujeito, um pedido de palavras, de comunicação psíquica e de afetividade. Este pedido se expressa então pela única linguagem ao alcance da criança, ou seja, os vômitos de leite não digerido, assim que acaba a mamadeira, para dar continuidade à relação perfusional da mãe com o bebê; talvez seja o deslocamento da perfusão do cordão umbilical.

Cada vez que existe o mericismo entre a mãe e o bebê, assim como quando existe anorexia do lactante, o tratamento deveria consistir em entrevistas da mãe não apenas com um ou uma psicóloga, mas com um psicanalista, o bebê estando presente e reconhecido como interlocutor da mesma forma que a mãe, nos braços desta. Ao invés disto, o médico, preocupado pela angústia da mãe, se deixa levar para dentro de um círculo infernal dos tratamentos orgânicos, das observações, dos calmantes, e na denegação do sujeito (a criança e seu desejo), fazendo com que só se cuide de seu corpo objeto. O corpo se torna a única coisa de que se fala, na falta de se ter sabido falar à pessoa do lactante, dirigindo-se a ele através de seu nome, quando fosse necessário, e na falta de se ter sabido que um lactante, menino ou menina, já é um sujeito, alguns mais precoces do que outros para manifestá-lo, mas todos receptivos à palavra verdadeira que lhes é dirigida concernente à sua história e à sua busca para se fazer compreender. Para isto, é preciso ainda ter uma escuta suficientemente aguçada em relação às crianças e aos bebês como mostra o exemplo seguinte.

O que Pode Querer Dizer Falar sobre o Seu Mal

Caso de Pierre

Pierre é um menino de três anos que me foi trazido após um longo périplo à procura de neurologistas, porque ele se queixava de dores de cabeça desde o mês seguinte à sua entrada no maternal. Na ocasião da primeira entrevista, vejo chegar uma criança completamente embrutecida, o rosto congestionado, os olhos umedecidos, meio escondidos sob as pálpebras superiores, repetindo em um tom monótono: "Tenho dor de cabeça, tenho dor de cabeça, tenho dor de cabeça". Fiquei surpresa, primeiro, porque era uma criança de três anos dizendo: "Tenho dor de cabeça", sem tocá-la. Em geral, uma criança de três anos diz, tocando na cabeça: "Tenho dor *na minha* cabeça". Ela não diz apenas "cabeça".

Diante desta maneira de falar, que me deixou intrigada, pergunto-lhe, por minha vez: "Você tem dor de cabeça onde? Mostre-me onde você tem dor de cabeça". Pierre mostra sua virilha, próximo ao púbis, talvez seu pênis. "Aqui" diz ele. Eu: "Você tem dor ali, na cabeça de quem?". Ele: "A cabeça da mamãe". Tudo isto diante de dois pais completamente estupefatos. Eu pergunto então à mãe: "A senhora sente, às vezes, dores de cabeça? – Ah, sim, tenho enxaquecas catameniais. Cada vez que tenho minha menstruação, desde que era jovem, é assim, sou obrigada a permanecer em casa durante dois dias e, como sou secretária em um local onde eu já trabalhava há sete anos, tendo sido empregada antes do nascimento de Pierre, as pessoas me conhecem ali, sendo que eu posso então faltar ao trabalho por dois dias, repondo-os em seguida. – Quando começou a dor de cabeça de seu filho? – Ele estava indo ao maternal havia pouco tempo, aliás, muito feliz, e, certa manhã, foi seu pai que o levou à escola, eu não me sentia bem, e meu filho voltou, trazido por uma atendente com um bilhete da professora: 'Seu filho está doente, ele se queixa de dor de cabeça'. Felizmente, eu estava em casa, eu tinha justamente ficado em casa em virtude de minha menstruação e de minha dor de cabeça".

Graças à sua dor de cabeça, a mãe não ia ao trabalho. A criança sabia que já que ele ia ao maternal, a mãe poderia retomar seu trabalho, do qual estava licenciada desde seu nascimento. Trabalho da mamãe, escola para ele, era algo combinado desde longa data, entre eles, e Pierre era uma criança muito inteligente. Mas naquele dia, ele tinha entendido. Depois de três anos ele conhecia bem sua mãe. Era o seu dia de ficar menstruada, ela tinha o cheiro disto. Ela não iria ao seu trabalho. Então, por que ele deveria ir à escola? Ele queria ficar com ela, já que ela ficaria em casa. Ele dizia as palavras, ou melhor, os fonemas, para ele, de efeito mágico, aqueles que faziam a mãe ficar em casa. Por que não ele? "Tenho dor de cabeça". E pronto! Tínhamos tomado estes fonemas, esta sequência de palavras, como a expressão de uma dor de cabeça dele, ele tinha sido levado ao hospital, mantido em observação e, de procura em procura, após

206 A IMAGEM INCONSCIENTE DO CORPO

todos os exames somáticos possíveis, como não se achasse absolutamente nada de orgânico, tinham-no enviado a um psicanalista. A cabeça onde? Ali, no seu sexo. A cabeça de quem? A cabeça de mamãe. Que cabeça, ali? É claro, a cabeça (*la tête*), ou a *tétête* (teta-cabeça), cortada, sem dúvida, quando existia sangue ali, como esta criança inteligente não pôde deixar de observar quando sua mãe se deitava, e ele ao lado dela, nos dois dias de sua menstruação.

Esta pequena história demonstra que *escutar uma criança é importante, mas na condição de compreender o que o falar quer dizer naquela idade da criança*. E isto depende da imagem do corpo, que é uma linguagem e uma linguagem que só se torna uma linguagem em nome da criança após a aquisição da autonomia completa, e principalmente após a castração edipiana. Neste momento, a criança que passou pela prova, "sua" palavra assume o que "ela" sente. Ela nem sempre pode dizê-lo, mas é aquilo que sente que ela assume, e não mais dizeres, palavras de passes, ou palavras de efeito mágico sobre o outro.

A coesão dos três componentes da imagem do corpo, ligados entre si pela imagem dinâmica, é sinônimo de segurança. Sua dissociação, pelo contrário, pode permitir às pulsões de morte ter preponderância sobre as pulsões de vida. É esta a cota de alerta para a integridade narcísica do "Eu" e do pré-"Eu"[61].

Há riscos de organicidade patológica quando a dissociação faz com que não exista mais referência à história do sujeito; então, as pulsões de morte se põem a prevalecer, o que mantém, pelo menos, a vida, pode-se dizer, vegetativa do corpo. Quando cuidamos muito bem de uma criança no que se refere a seu corpo, às suas necessidades, mas não a situamos em seus desejos particulares, em seus prazeres, em seu agir, em seu sexo, em sua relação com seu pai e sua mãe, em seu futuro, em sua história desde seu nascimento, para ela é como se não existisse outro valor que não o de organicidade. Se é seu corpo e suas necessidades que fazem com que cuidem dela, ela então é induzida a fingir, a desempenhar o papel que lhe é atribuído, o de não ser mais que um objeto. Por exemplo, ela é tomada de necessidades imperiosas, ou então lhe falta algo de material, ou então ela deve sofrer

---

61. Recordemo-lo. O pré-"Eu" designa a consciência do sujeito em seu esquema corporal e em sua imagem do corpo anterior à castração primária (imagem do corpo não ainda conscientemente sexuada, mas já erógena, em decorrência da eretilidade local; esquema corporal percebido como erógeno em relação, aos objetos desejados: pênis erétil para o menininho, clitóris e vagina eréteis para a menininha).

PATOLOGIA DAS IMAGENS DO CORPO E CLÍNICA ANALÍTICA

para que cuidem dela, para que lhe deem ou façam qualquer coisa. O que ela diz é estereotipado, sempre bombons, sempre um brinquedinho, sempre fazer xixi ou cocô. Em certos casos particulares de mãe-criança, é a dor de ouvido, a dor de barriga ou qualquer patonomia, contanto que cuidem dela. Então, apenas seu esquema corporal mantém a criança em uma espécie de narcisismo das trocas metabólicas. Se uma verdadeira dor sobrevém, esta pode lhe proporcionar, em seu isolamento afetivo, a ilusão de que a criança existe enquanto sujeito, torná-la atenta a esta percepção variante a qual ela é a única a perceber. Seu narcisismo primordial se dissocia do estar à vontade sensitivo para se ligar a um estado patogênico, esta dor que se torna uma companhia, na falta de uma pessoa a seu lado. *O mal-estar fisiológico pode, assim, se tomar o significante específico do* status *relacional imaginário do sujeito com qualquer outro*[62], *na falta do outro*. A imaginação faz com que uma parte de seu corpo seja como um outro, cuidando um do outro, a criança de seu mal-estar, e seu mal-estar, dela, a criança outorgando a esta ou àquela parte de seu corpo este mal-estar[63]. É assim que devemos entender o fundamento simbólico da hipocondria, que é uma neurose no limite da psicose narcísica, completamente diferente da histeria: o histérico não tem outro objetivo que não o de manipular uma outra pessoa, enquanto que o hipocondríaco manipula a si mesmo. Quando ele tem dinheiro e visita muitos médicos, os torna impotentes para curá-lo, mas ele nem mesmo sente prazer com isso. Eles são as testemunhas de seu colóquio interminável com a dor em seu corpo, impossível de se curar, e isto não sem razão. Ocorre como em certos neuróticos e em certos doentes psicossomáticos, para quem a cura não deve sobrevir completamente: é preciso somente aliviá-los, sendo que a cura seria símbolo de perda narcísica, de morte ameaçadora para eles. Eles são muito sozinhos. Estes estados de estrago crônico, pouco graves segundo o diagnóstico médico, e que não põe a vida dos doentes em perigo, incomodam consideravelmente sua existência e suas relações, mas lhes são necessárias. É um tipo de amor por si mesmo, onde são simultaneamente a mãe e a criança (não seria o tema

62. *Qualquer outro!* Ou seja, vozes? Odores? Imagens tácteis antropomorfizadas que justifiquem, sem que eles possam dizê-lo, as fobias precoces dos bebês?... Tanto os Deuses como os demônios. No adulto "razoável", situamos a existência deste período não concluído do narcisismo primordial sustentado por uma dor crônica psicossomática: "É meu fígado fazendo uma das suas". O fígado é o "qualquer outro" que não si mesmo.

63. Ver o caso de Tony, p. 303.

da canção: "Prazer de amor dura apenas um momento, sofrer de amor dura toda a vida"?). É um amor que preenche.

Dizer que a imagem do corpo é a encarnação simbólica do sujeito significa que estão inscritas ali apenas as emoções simbolizadas, ou seja, aquelas que têm um sentido linguageiro, de comunicação inter-humana, em todo caso, aquelas que tiveram este sentido para o sujeito. A simbolização de que se trata aqui é de fato uma pré-simbolização. A simbolização propriamente dita intervindo apenas com a castração edipiana e o acesso à ordem simbólica da Lei é a mesma para todos, sem prerrogativas para certos sujeitos em relação a outros que estariam isentos desta. De fato, é somente após a castração edipiana que o sujeito pode dizer "Eu" em seu próprio nome, Eu filho ou filha de X..., este nome que significa sua filiação e justifica a proibição do incesto. Ele se sabe individuado, nascido de seus pais, mas diferente de seu pai e de sua mãe de onde veio, e ligado através deles a duas famílias de origem. Ele tem acesso à responsabilidade de si mesmo na sociedade, sob o nome que lhe foi dado por seus pais e seu patronímio recebido deles, mas que rege também sua genitude segundo a lei do país do qual são cidadãos. *Quanto à forclusão do nome do pai*[64], conceito lacaniano, penso que ela se instala muito precocemente na criança, muito antes da castração edipiana, no início da castração primária, mas eu não estudei especialmente a elaboração desta ausência de pré-simbolização patogênica para a economia psíquica. A forclusão do nome do pai produz um encrave psicótico, mas este próprio encrave é o fiador da conservação do narcisismo do sujeito e sobretudo de uma ética oral, ela própria fiadora da conservação e da coesão das primeiras imagens do corpo, respiratórias e digestivas.

Patologia da Imagem do Corpo onde
Somente o Desmame Falhou

O desmane falhou se não conduziu a criança a uma relação de comunicação com sua mãe ainda mais rica do que quando estava ao seio; e não somente com sua mãe presente, mas com uma mãe imaginada, quando ela está ausente; uma mãe com quem está constantemente em conversação através de seus balbucios na ocasião de suas brincadeiras, através da tentativa de

---

64. Esta forclusão é correlativa, parece-me, a uma ausência não-formulada, a uma denegação ou a uma derrelição do elo filial a seu próprio genitor, que é coexistente ao narcisismo de pelo menos um dos dois genitores do psicótico.

colocar fonemas sobre todas suas observações, e suas sensações tácteis, como se fosse com sua mãe que ela estivesse em colóquio permanente.

Reafirmando, os efeitos do desmane mal simbolizado podem deixar marcas nas crianças através de terrores de devoração que encontramos, aliás, em maior ou menor grau enquanto vestígios em muitas delas. Na escuridão, elas imaginam lobos, crocodilos, que poderiam devorá-las. Como se zonas erógenas orais que não foram suficientemente simbolizadas pudessem vagar pelo espaço e pegá-las, como objeto de seu desejo. Esta patologia do desmame se desenvolve em decorrência de erros maternos ao longo do desmame, em decorrência da falta de palavras ouvidas da mãe, explicando à criança a razão do desmame. Isto poderia ocorrer também, talvez, em decorrência do sofrimento que a mãe experimenta ao se privar do prazer de ser mamada pelo seu bebê. Uma outra situação de desmame que não permite a simbolização das pulsões proibidas, sob a forma do canibalismo em relação à mãe após o desmame, se apresenta quando existe uma passagem brusca da criança ao seio para um outro espaço que a separa, o momento de várias mamadas e várias trocas de fraldas, de sua mãe, esta sendo substituída por uma outra pessoa encarregada de cuidar da criança. Quando, por exemplo, a mãe retira a criança de seu seio, no próprio dia em que ela a confia a uma creche ou a uma babá, seu bebê não pode conservar, em sua integridade, a imagem do corpo adquirida. Ela é amputada, pelo menos em parte, da imagem da zona erógena e até mesmo de uma parte da imagem funcional do cavum (olfato, audição, imagem linguopalatal) que partiu com sua mãe. Para que a zona erógena oral permaneça vivaz para além do luto do objeto parcial, o seio, é indispensável que a criança mantenha uma relação sensorial com a mãe, que sua mãe objeto total permaneça presente, retorne em ritmos bastante frequentes, e que o seio do qual ela é desmamada permaneça em sua memória. Para isto, a mãe deve cuidar de seu bebê, que não está mais ao seio, no mínimo tanto quanto antes. A criança deve continuar a construir sua imagem do corpo, a zona oral, ao invés do mamar e do tocar o seio, descobrindo todas as outras tatilidades, gostos e odores do funcionamento alimentar, no clima conhecido de sua relação com a mãe, alternativamente presente e ausente e sempre retornando, falando com ela e a mimando, fazendo-a despertar para todas as novas percepções alimentares sob o *continuum* conhecido do odor, da voz, do olhar e dos ritmos, que são suas manipulações específicas.

A passagem para uma outra pessoa, com uma outra voz, ao mesmo tempo que a perda do seio e dos cuidados de higiene pela mãe, ainda mais se este se produz em outro espaço que não naquele onde a criança vivia há meses com sua mãe, pode ser suficiente para provocar um trauma, uma ruptura na imagem do corpo esboçando um início de psicose em uma criança sensível e inteligente[65]. Como efeito do desmame falho, pode também haver a longo prazo solução de continuidade na imagem do corpo quanto à relação entre a boca (língua-palato) e a laringe, faringe; de maneira que a laringe se acha herdeira, por contiguidade do esquema corporal, da deprivação da faringe, deglutindo o leite materno ao mesmo tempo que a respiração de seu odor. A laringe pode, por ausência da imagem de prazer, desinvestir o prazer da sonorização dos fonemas; a criança grita ainda, mas não "tagarela" mais, sozinha em seu berço ou nos braços de sua mãe. Isto provoca, por consequência, perturbações tais como o gaguejar, o atraso de linguagem, ou a inaptidão para o aprendizado do falar, em decorrência de uma suspensão de imagens desta região simultaneamente funcional e erógena, suspensão passada despercebida durante algumas semanas que se seguiram ao desmame malfeito, ou seja brusco e não mediatizado por palavras de amor vindas em lugar do corpo a corpo, e sobretudo, tornamos a afirmar, quando ocorre o desmame do seio ao mesmo tempo que a ausência da mãe e que a perda do espaço conhecido. Aproveito aqui para dar uma indicação sobre o *gaguejar*, o qual, acredito, provém da brusca desestruturação de um tabu que data da idade oral, após um desmame aparentemente sem problemas, no qual a sublimação consiste no apetite por todos os outros alimentos que não aquele que provém do seio materno, e a elaboração de uma nova ética inconsciente construída sobre o tabu do canibalismo. Este tabu está em relação com as pulsões fálicas; o sintoma do gaguejar expressa a confusão da criança, enferma, por uma imagem ou uma experiência real, em seu orgulho fálico, esbarrando através dele, com a impossibilidade de retornar à imagem ativa de devoração oral não somente do seio, mas do objeto total, substrato vivente físico do sujeito humano.

Para me fazer entender melhor, citarei o caso deste jovem que atendi quando ele tinha dezoito anos. Chamemo-lo de *Joel*. Seu gaguejar sobreviera à idade de três anos. Ele se encontrava, então, em um salão de chá com sua mãe e sua tia, a irmã de seu pai. As duas mulheres se reuniam a cada oito dias neste lugar

---

65. Cf. o caso de Sebastien, p. 197.

com ele. Ambas, naquele dia, estavam, conforme era seu costume, pelo que nos consta, falando, zombando, dos defeitos do pai da criança, seu esposo e irmão. De repente, Joel desapareceu sob a mesa, escorregando de sua cadeira. Ela tinha perdido o tônus de seu esquema corporal pelo enfraquecimento de sua imagem do corpo fálico. De sentado sobre sua cadeira, comendo, ele passou para baixo da mesa sem que ninguém compreendesse o porquê. Levantaram-no, colocaram-no novamente à mesa, ralhando com ele, é claro. Ele tinha, pelo que parece, um ar embasbacado. Tudo isto foi relembrado mais tarde pela mãe quando, em sua análise, Joel se recordou desta cena do salão de chá, falou a respeito com a mãe, recebendo dela a confirmação da exatidão de sua lembrança. Ora, esta tinha sido a ocasião do primeiro gaguejar, um gaguejar que nunca mais cessou desde então, associado ao bolo de chocolate que Joel comia enquanto que as duas mulheres se "matavam" de rir debochando de seu pai. Lembrança encobridora que apareceu como representando simultaneamente uma derrelição do pai e o gaguejar do filho. Podemos dizer que Joel supradeterminou o falo enquanto mestre estênico motor da imagem do corpo vertical, a ponto de que ele não pôde manter a postura sentada, e perdeu o domínio da fonação, sublimação do falismo oral enquanto compatível com um futuro de menino. É preciso dizer também que o chocolate é por analogia de cor uma imagem do excremento anal. Houve um enfraquecimento das possibilidades de transferência fálica uretral e anal sobre o falar que foi adquirido e sobre a escansão da coluna de ar. Joel apresentava um gaguejar particular: ao invés de emitir os sons, ele falava tanto inspirando quanto expirando. Isto caracterizava seu gaguejar. Ele inspirava a coluna de ar no momento em que queria pronunciar os fonemas, e ele enchia tanto seu tórax de ar que não conseguia mais sustentar sua respiração. O ar que ele tinha assim inspirado gaguejando, saía novamente, enquanto estranho à escansão das palavras que ele tentava associar em uma expiração simultaneamente ventosa e sonora. Nenhuma reeducação, desde sua infância, tinha podido ajudá-lo e só Deus sabe por quantas ele tinha passado (ele não gaguejava lendo baixinho, nem recitando de cor as poesias). O tratamento psicanalítico, remontando à história libidinal, o livrou totalmente de suas perturbações de fonação, após ter liberado sua imagem do corpo anterior à idade de três anos.

Além das diversas perturbações da linguagem, a importância da época oral e da castração que se acha associada a ela, com a nova ética do tabu do canibalismo (o recalque da mordedura),

212 A IMAGEM INCONSCIENTE DO CORPO

faz com que seja nos fracassos nos quais ela se encontra marcada que se originem as neuroses fóbicas, como indiquei largamente acima. Um paliativo corrente a esta neurose fóbica é encontrado por muitas crianças em um objeto transicional, verdadeiro fetiche táctil e de odor associado ao sugar de um ou dois dedos. Este fetiche é destinado a suportar as pulsões passivas tanto quanto as ativas cuja satisfação é rompida pela perda devida à ausência da mãe sem mediação suficiente de palavras da parte desta. Esta perda, para muitos, chegou a atingir o interesse vocal, auditivo ou afetivo pela linguagem verbal, insuficientemente investido em substituição ao corpo a corpo, substituição que ocorre na relação da criança com sua mãe, depois com seu pai. Após o desmame, o pai, mais ainda nos meninos, é a referência enquanto objeto total que sustenta a imagem inconsciente do corpo em seu desenvolvimento, e nas meninas tanto quanto nos meninos, o narcisismo é sustentado pela relação com o pai tanto quanto com a mãe; por vezes, a imagem que serve de "Eu" Ideal é uma superposição, como uma entidade bicéfala, a mamãe-papai ou papai-mamãe[66].

O objeto transicional, uma vez investido, não pode deixar a criança sem que esta fique em uma angústia de pânico. Ele traduz o desejo que a criança tem de conservar uma sensação liminar táctil do seio em sua boca. Infelizmente, é um seio deserto de palavras e de linguagem significantes. Se ela perde este objeto, é como se perdesse definitivamente não somente sua boca e sua língua, mas também uma parte mais ou menos importante da entidade "Eu" Ideal, que para ela é associada a qualquer completude de imagem do corpo. Ela perderia também, assim, sua coesiva certeza de ser, associada à imagem de base da imagem inconsciente do corpo (no momento do desmame, entre cinco e sete meses, é o abdômen, o tórax, respiratório e cardiovascular), uma certeza de ser, em vida vegetativa assegurada.

Patologias de Imagem do Corpo que Permaneceram Sãs após o Desmame, no Momento da Analidade e da Deambulação Individualizante da Criança. Patologia da Castração Anal

O período de aprendizagem da marcha e da autonomia corporal no espaço pode estar na origem da destruição de uma imagem do corpo, até então sã, ou seja, a dificuldade de estruturação intervém na base de uma boa relação entre a criança ao seio e

---

66. Cf. "Mots et fantasmes", *em Au jeu du désir, op. cit.*

sua mãe, tendo a criança, em todo caso, evoluído sem dificuldade até os dezoito meses. Entendo por "imagem do corpo sã" uma imagem do corpo que permite a comunicação inter-humana, a manipulação lúdica e utilitária dos objetos, associada a uma certa intencionalidade, criadora de cumplicidade em relação a tudo o que se passa, que permite a relação fecunda entre a criança e as pessoas de sua família, criação e fecundidade produtoras em relação ao estágio de evolução desta criança. Uma imagem do corpo que permite, em suma, à criança se desenvolver "indo--advindo no espírito de seu sexo", com o narcisismo em seu devido lugar, na comunidade humana que é a sua.

A desestruturação circunstancial em questão sobrevém em uma criança cujas experiências e descobertas próprias à idade da deambulação não são parametrizadas através de palavras encorajadoras, certamente prudenciais, mas que lhe explicam adequadamente, enquanto que ela está desejosa de novas performances, as manipulações necessárias para a descoberta, sem incidentes mais graves, do mundo das formas. Antes da marcha, a criança, em consequência de sua atenção visual e auditiva, já participava por identificação fantasmática daquilo que olhava, de todas as atividades dos adultos e dos mais velhos que via se deslocar. Ela fazia, se é que podemos dizer, experiências através de pessoas interpostas. Era uma antecipação de seu futuro próximo. A partir da marcha, trata-se, para ela, através de dificuldades e fracassos, por vezes incidentes e dores físicas, de reduzir a imagem do corpo – que ela assim fantasiou frente à imagem onipotente dos adultos – às únicas dimensões do realizável para sua pequena pessoa que acaba de se verticalizar, tornando-se autônoma através da marcha. Trata-se de reduzir esta imagem à realidade das experiências possíveis para seu esquema corporal de criança ainda pouco hábil quanto à sua bacia, aos seus membros inferiores, em virtude da conclusão tardia do desenvolvimento da medula espinhal no ser humano (de vinte e oito a trinta meses), retardo este responsável pela descoordenação motora prolongada nos filhotes de homem e pela incontinência excrementicial infantil.

Experiência da Realidade

A criança descobre, por vezes através de golpes de experiências penosas, os limites do espaço de segurança que a rodeia, espaço definido por que ela pode se deslocar ali sem muitos riscos, e os determinantes de uma temporalidade, que, em sua duração, não é mais somente escandida pelos aparecimentos e desaparecimentos de sua mãe. É ela mesma, agora, que, através de seu poder de se deslocar e deslocar objetos, pode modificar as aparências do quadro mobiliado que a rodeia e buscar a presença de sua mãe ou se subtrair dela. É preciso compreender que a aquisição deste novo poder, que, habitualmente, desemboca na autonomia, é um período difícil para a criança e também para as mães, sobretudo se elas são ansiosas, e para muitos pais que por vezes o são ainda mais que as mães. A partir da marcha espontânea, em pé, entre doze e quinze meses, até trinta meses, o tipo de educação, e as palavras ditas ou não ditas à criança, concernente às suas atividades, os elogios ou as reprovações, que ela recebe de sua mãe, referentes às iniciativas que a fazem agir sem sua ajuda, a atenção que ela dedica ou não em aceitar sua participação por vezes ainda desajeitada nas tarefas onde a criança quer ajudar, os encorajamentos ou os alertas ansiosos que ela recebe da instância tutelar, uma liberdade controlada somente pelo olhar, com uma ajuda cada vez menos necessária ou, pelo contrário, a limitação de sua liberdade física através de seu aprisionamento em um chiqueirinho ou em um espaço reduzido e sem surpresas – tudo isto tem uma influência sobre toda sua vida de ser humano. Dezoito meses, é o período que se pode denominar de "mexe em tudo", representando um período de testes para as mães. Os quatro a seis meses que se seguem são os mais importantes para a educação se são empregados para o enriquecimento da linguagem associada às experiências motoras livres em uma relação de confiança com o adulto. Verbalizar o que interessa para a criança, o que ela olha, procura atingir, toca e manipula, cria nela a riqueza do vocabulário, não para aquele momento, mas para oito ou dez meses mais tarde. A criança "levada" por esta linguagem de informação, até mesmo de iniciação, que a mãe lhe delivra para conhecer o mundo que a rodeia pode renunciar ao socorro de ser carregada nos braços. Ela ficou muito pesada e pode renunciar progressivamente à assistência física de sua mãe para suas necessidades. Chegando aos vinte e dois meses, se, após a idade da marcha (entre doze e quatorze meses), ela pôde se exercitar fazendo de tudo como os adultos, a criança é completamente capaz de comer sozinha, higienicamente, pegar habilmente tudo o que lhe é necessário, se utilizar dos instrumentos à mesa, se servir no prato, tudo isto a exemplo dos adultos, se ela "deseja" ter suas refeições com eles. Ela fica orgulhosa, se a liberdade lhe é dada dia após dia, no sentido de fazer sozinha suas necessidades, no mesmo lugar que os

outros utilizam, se limpar sozinha, se, evidentemente, lhe ensinaram a fazê-lo dando-lhe assistência durante o tempo necessário,
de progressivamente se lavar, se vestir, se despir sozinha. Deitar-
-se sozinha quando tem sono, e deixar os outros dormirem,
quando ela não dorme. Brincar com tudo o que encontra, escutar
canções e histórias, fazer constantemente perguntas, certa de que
vão lhe responder tornando-se assim rapidamente confiante em
si mesma e em sua autonomia.

Autonomia da Criança

Esta autonomia da criança em relação às instâncias tutelares
e em um espaço de segurança, é a conquista do sentimento de
liberdade, sentimento inseparável daquele de ser um humano.
Ela depende essencialmente, para cada criança, da tolerância em
relação a ela do narcisismo progressivo maternal ou da pessoa
incumbida de seus cuidados. Ela depende também da introjeção
desta tolerância pela criança. É certo que uma criança sempre
fechada em casa, carregada nos braços ou em carrinho fora de
casa, que não pode tentar explorar a seu ritmo o espaço que a
rodeia, enquanto que já atingiu há vários meses o desenvolvimento muscular que lhe permitiria isto, está em grande perigo:
porque ela só tem experiências visuais, imaginárias, como por
procuração, identificando-se com o outro, sem nenhuma experiência real de sua pequena massa, a de um objeto parcial do
espaço quando é separada de sua mãe que, anteriormente, a
deambulava, a carregava diretamente ou por intermédio de um
carrinho. É evidente que uma criança educada de tal forma,
como prisioneira, assim que puder escapar, seja fora de casa, seja
fora do chiqueirinho em casa, correrá riscos de acidentes: ela não
tem nenhuma experiência, nem de seu corpo nem do espaço,
fazendo com que a mãe, que já não era tolerante anteriormente,
em relação à sua liberdade, se torne mais ansiosa e recoloque
constantemente a criança dentro de seu chiqueirinho "para ficar
tranquila"; assim, o círculo vicioso se instala. A criança vai em
direção a uma inexperiência total de seu esquema corporal, ao
mesmo tempo em que desenvolve o fantasma da onipotência de
uma imagem do corpo puramente narcísica oral, sem experiência motora, que irá torná-la cada vez mais inábil, inexperiente;
ela estará cada vez mais em perigo no dia em que não tiver mais
nenhum impedimento exterior que, para a mãe, é uma segurança, mas que para a criança é uma prisão patogênica. Nesta

216   A IMAGEM INCONSCIENTE DO CORPO

prisão, suas pulsões anais sem possibilidade de serem descarregadas, reprimidas sem palavras, portanto nem mesmo simbolizadas, se reforçam e se entregam, no registro oral imaginário (em duas dimensões), a fantasiar uma onipotência associada a um esquema corporal ignorado, não enfermo, mas sempre experimentando quase como sendo sem relações com a imagem funcional do corpo que a criança constrói não pela experiência mas se identificando com os outros, olhando-os se movimentarem e dominarem o espaço. Em imaginação, ela empresta sua imagem do corpo imobilizado às imagens da deambulação dos outros, que ela observa e memoriza. Ela não se torna Eu-eu, ela é *Você*, Eu-. Você. Aliás, muitas destas crianças falam de seus desejos colocando-os na segunda pessoa (você): "Você quer isto, você quer aquilo", é como se elas falassem delas enquanto o outro. São crianças muito inibidas do ponto de vista motor. Após um desmame que tinha sido suficientemente bem vivenciado, já que a criança estava em boa relação com a mãe e que tolerava o que esta lhe impunha, é a castração anal que falhou. O cordão umbilical imaginário, poderíamos dizer, que ainda liga a mãe à sua criança, limita ou libera a criança segundo a mãe o tolere pouco ou muito. Bem, existem aquelas que não toleram nenhuma liberdade para seu filho, e outras que sabem retirar todas as situações de acidente grave ao redor da criança e, nesta área de liberdade, deixá-la tomar as iniciativas e fazer experiências. A linguagem comportamental, emocional e verbal da instância tutelar, cruzada com experiências lúcidas e utilitárias que a criança tem prazer em fazer, permite à criança memorizar tudo o que a mãe lhe explicou, concernente aos objetos ao seu alcance e à tecnologia adequada para ser bem-sucedida em sua manipulação, para que tudo isto ocorra sem incidentes nem fracassos. É isto que contribui para a aquisição da autonomia. Para a criança é assim que se constrói um pré-"Eu" limitado por um prudente pré-Super"Eu" que sustenta e encoraja o desejo. Este pré-Super"Eu" é a voz interiorizada da mãe e do pai, o Você ao qual a criança se refere indo-advindo "Eu". Esta voz, se a mãe não tolera suas iniciativas, inibe a relação da imagem do corpo com o esquema corporal. Se, pelo contrário, ela tolera suas iniciativas e verbaliza os diversos aspectos do sucesso, ou as causas de um fracasso, o sujeito assume arriscar seu desejo pela aplicação de seu esquema corporal às incitações que motivam este desejo no mundo exterior. Esta voz introjetada, memorizada na criança, é como se esta lhe dissesse diante das novas iniciativas de ações: "Vai em frente, você pode fazer isto, mamãe (ou papai) permitiriam se ela (ele) estivessem aqui". Ou, pelo contrário: "Não, você não pode, é perigoso, mamãe (ou papai) diriam isto, ela (ele) disse isso". Isto explica, aliás, porque aquilo que pode ser uma transgressão para uma criança não será para outra. Cada criança desenvolve sua autonomia em função das palavras – dos fonemas, de sua sonoridade, do timbre da voz tensa ou divertida, preocupada ou feliz, com a qual a mãe acompanhou suas primeiras iniciativas. Mamãe estava ali, ela viu, ela disse sim, ou ela nada disse, portanto, eu posso ir mais longe da próxima vez. Mamãe me viu, ela estava zangada, portanto, não devo recomeçar. É esta audição interior, interiorizada, que põe a criança em segurança ou em insegurança, conforme ela foi controlada com ou sem angústia, amada ou rejeitada em suas experiências cotidianas motoras, conforme as palavras de proibição da mãe e como foram ditas, gritarias, ameaças de tapas, ou ameaça do pai, do policial, do homem de preto etc., estiveram ou não em relação com a realidade de um perigo que a criança corria risco. De fato, se um dia, por acaso, ou por um impulso violento, a criança transgride esta palavra proibidora e os muros artificiais que foram levantados a seu redor, e que ela seja bem-sucedida sem encontrar nenhuma das profecias das desgraças anunciadas, então ela perde qualquer Super"Eu" e, portanto, também, qualquer critério de segurança, portanto qualquer prudência. Já que Mamãe tinha se enganado ou a tinha enganado, não há mais Mamãe no sentido de instância tutelar de referência. E não há mais necessidade de se cuidar da segurança. É, então, um incidente, ou uma pessoa exterior à família, ou um fato mais prejudicial, um acidente, que irão trazer seja a restrição verbal, seja o impedimento da lei, o da natureza das coisas, a esta criança que não é mais controlada e que, sem o saber, pelo desejo sadio de viver, está em perigo, sem ter mais confiança em seus pais. Vemos que da criança inibida à criança prudente e à criança descontrolada, que constitui um perigo para si mesma e para os outros, as nuanças de comportamento traduzem uma imagem do corpo que vem do tipo de educação e criação às quais ela foi submetida por seus pais.

Simbolização da Realidade

É seguindo duas grandes dimensões, o espaço e o tempo, que a realidade se simboliza nas relações da criança com sua mãe. *O espaço de segurança* é aquele deixado à sua liberdade e que a mãe investiu de palavras. Estas palavras memorizadas assistem a criança enquanto permissivas e auxiliares em todas as ocupações que ela pode encontrar neste espaço em sua ausência. Pelo contrário, através de uma redução do espaço de segurança devida a palavras referentes ao tocar, ao agir, à motricidade, e a uma limitação de seu livre espaço de vida, a criança sente que seus desejos e suas iniciativas são ansiógenos para sua mãe. *A duração da separação da mãe* ou de qualquer pessoa tutelar é também uma referência para sua segurança. Esta duração pode ser compatível ou não com o ritmo necessário para reencontros eufóricos após os momentos de eclipse: isto depende das crianças, mas também da frustração que a mãe sente na separação e que as crianças percebem. Na melhor das hipóteses, esta separação é o sinal da liberdade da criança em relação à sua mãe: não é abandono, a partir do momento em que ela avisou a criança a respeito e que esta está em segurança com pessoas conhecidas. Elas se reencontram com alegria se, pelo menos, a mãe não esteve ausente por muito tempo, e se este fato não conduziu a criança a experimentar uma angústia que iniba seu desejo de liberdade. A autonomia só pode ser conquistada na segurança ligada à atenção de amor da instância tutelar. Todos os conhecimentos da criança, alguns deles adquiridos pelo desejo de transgredir aquilo anteriormente desconhecido, outros adquiridos no clima de confiança da instância tutelar, todos estes conhecimentos experimentados no brincar lhe trazem sensações novas, agradáveis ou desagradáveis. E é esta percepção que organiza *a imagem do corpo cruzada com o tempo e com o espaço do esquema corporal*, como o são a trama e a urdidura de um tecido. É o tecido das relações entre seu desejo e o mundo que a rodeia, que ela consegue dominar ou não, que estruturam aquilo que denominei de seu *narcisismo primário*. Tudo isto se passa durante o período onde se conclui o desenvolvimento neurológico da medula espinhal. Ele traz a capacidade sensório-motora, que a criança experimenta com prazer, sensações finas nas plantas dos pés, do períneo e de toda região uro-ano-genital, portanto, referências sensoriais da continência esfincteriana assumida para seu prazer. É a época em que a criança brinca de manter ou expulsar voluntariamente seus excrementos, ainda que ela já esteja relativamente limpa, como dizem as mães, ou seja, quando já tem a continência adquirida através da atenção que a mãe dava às suas funções excrementiciais, e o prazer reassegurador, para um bebê inexperiente e imaturo do ponto de vista neurológico, de ser dependente dela.

A Educação no Estágio Anal

A continência esfincteriana chega espontaneamente em qualquer ser humano, pelo próprio fato de ser um mamífero superior. Todos os mamíferos são continentes, por natureza, a partir da conclusão de seu desenvolvimento neurológico. Esta continência não tem, no entanto, em si mesma nenhum valor cultural. Mas um valor cultural advém secundariamente quando a criança descobre que a continência, quando ela brinca de dominá-la, pode ser utilizada para seu prazer, e, também, que ela lhe permite satisfazer ou manipular sua mãe, que reage intensamente àquilo que ela denomina de desastres nas calças e que não são mais a partir de trinta meses, desastres, mas sim, provas do prazer em estado bruto tido pela criança com suas pulsões anais. É por identificação com adultos e pelo prazer de se tornar "como eles" que a criança, doravante neurologicamente completamente capaz de controle esfincteriano, deseja ir, assim como os pais, aos banheiros estabelecidos como local de excreção para todos, pequenos e grandes. E isto, desde sempre, a criança observava; e, se ela recebeu uma resposta sobre aquilo que os adultos iam fazer nestes locais onde se vai sozinho, ela também, em um belo dia, por volta dos trinta meses ou mais, irá querer se comportar como um adulto. Assim, em dois dias, a continência esfincteriana é adquirida para agradar a ninguém mais além dela mesma.

As mães que proíbem a liberdade esfincteriana à criança unicamente para que ela não se suje, antes que ela tenha a possibilidade anatômica, sensorial, sensório-motora de controlar neurologicamente seus esfíncteres e de experimentar o prazer ligado a este controle, agem como se lhe proibissem de se individualizar em relação a elas, de conhecer a paz do corpo e de se interessar por aquilo que a criança questiona e que tem meios físicos de dominar para seu prazer.

Deixar a criança fazer seus progressos em ritmos que são os seus é uma das chaves da educação da criança, se quisermos prevenir perturbações futuras das relações consigo mesma (ou seja, perturbações narcísicas), e perturbações das relações com os outros. Uma mãe que, através de suas palavras, impõe as necessidades de seu filho, as impede de se satisfazerem em seu ritmo, que ralha com seu filho no sentido de urinar ou defecar, o obriga ao mesmo tempo a se inibir, ainda que não seja isto o que ela visava. Ela visava o xixi, o cocô, tocando de maneira global a habilidade, física e manual, por vezes até mesmo a habilidade de palavra, de se expressar. Na época do mexe em tudo, a criança tem necessidade, para todos os objetos em que ela quer mexer, de que lhe seja ensinada a técnica para fazê-lo, através das palavras da mãe ou de uma outra pessoa familiar, mostrando-lhe que ela tem mãos, assim como os adultos, certamente menores, mas que podem ser mais hábeis sendo menos fortes. Se ela se utiliza de suas mãos com inteligência, obterá os mesmos resultados que os adultos. Se fizer qualquer coisa, de qualquer jeito, não chegará a seus fins. Este ensinamento do mexer através de palavras que acompanham os interesses manipuladores da criança constitui uma educação muito mais importante do que a da higiene esfincteriana; é a educação para a simbolização das pulsões uretrais e anais pelo deslocamento do objeto parcial para todas as coisas. Mas, para muitas mães, existe apenas a higiene esfincteriana e o comer adequadamente que fazem parte de sua educação. Elas tentam desinteressar, o mais brutalmente possível, a criança do cocô e do xixi (objeto parcial anal), sem passar pela transposição do interesse esfincteriano sobre as mãos, que outrora eram mãos--boca, e agora, se tornaram mãos-ânus, e que, pelo mexer e pela manipulação dos diversos objetos, do qual a água e a areia fazem parte, sentem um prazer cruzado com aquele da inteligência. As ideias através das quais a criança acompanha tudo o que faz com sua mãos, são inicialmente representações imaginárias, depois, a simbolização, graças às palavras do meio circundante, as quais a criança sente prazer em repetir, associadas às suas atividades lúdicas. Seu desejo de "fazer", de "desfazer", de "refazer", de "jogar", de acumular todo este prazer físico e manipulador, tem origem nas pulsões anais deslocadas desde o prazer do peristaltismo em relação ao objeto parcial sólido e líquido que são as fezes, para todos os objetos de manipulação que estão constantemente à disposição da criança.

Não se pode suprimir o interesse pelo prazer uro-anal onde está em jogo – na ocasião da necessidade repetitiva associada ao prazer dos cuidados de higiene maternos – o desejo de comunicação de sujeito para sujeito, sem que o objeto parcial primeiro (as fezes) seja substituído e, ainda melhor, por outros.

A proibição de um desejo, ou do prazer ligado à satisfação (qualquer que seja ela) de um desejo, sem que a libido tenha uma outra saída para apaziguar suas tensões, põe em perigo a vitalidade, a inteligência e a sensibilidade do ser humano.

A Continência Esfincteriana

É na ocasião em que a criança conquistou uma grande habilidade manual com a água, terra, todos os objetos suportes de seus fantasmas, derivados do desejo originado nas pulsões anais, brincadeiras de agilidade motora do corpo, acrobacias, e com as quais ela se ocupa em sua solidão ou na companhia de outras crianças, que a continência esfincteriana sobrevém de forma completamente normal, não antes dos vinte e dois meses, em geral por volta dos vinte e cinco ou vinte e sete meses. Nas meninas, é um pouco mais cedo do que nos meninos, não antes dos dezenove ou vinte meses, por outras razões, que são a independência total do aparelho excrementicial em relação ao aparelho genital. (A continência esfincteriana pode ser solicitada a uma menina um pouco mais cedo do que a um menino). Todas estas aquisições manuais fazem parte do prazer de viver de uma criança que ama a instância tutelar e que é capaz de se antecipar em seus progressos para dar prazer à mãe ou ao pai. Mas a antecipação não deve ser excessiva. Se for muito cedo, o primeiro teste afetivo em sociedade faz a criança correr o risco de perder uma continência esfincteriana adquirida pela submissão e dependência em relação ao adulto, e não por um prazer que ela mesma, independentemente do adulto, encontra ali.

O sentimento da dignidade humana é muito precoce. Qualquer agir e qualquer dizer pelo adulto que não respeita seu sentimento enfraquece o desejo de autonomia da criança como se esta fosse culpada de seu prazer em crescer, em dominar sozinha suas necessidades, em descobrir o prazer de dominar a si mesma nos funcionamentos de seu corpo no espaço, o que lhe permite, dia após dia, o desenvolvimento neurológico, concluído por volta dos trinta meses, de seu esquema corporal.

A continência esfincteriana, a autonomia para a satisfação das necessidades excrementiciais, faz parte do exercício da dignidade humana. Nem mais nem menos do que a autonomia para a atividade e o repouso, ou o comer sozinha e o prazer com a técnica observada nos irmãos mais velhos e adultos modelos.

Estes meios de autonomia gestual, que integram a criança ao grupo de seus familiares como um ser humano dentre outros e por eles respeitado, é preciso, para conquistá-los, não ser tratado como um animal doméstico submetido a injunções verbais imperativas; é preciso que o prazer da autonomia, a ser descoberto cotidianamente (com risco, por vezes, de desprazer, de fracasso, quando não se é ainda dono de sua coordenação), não seja retirado da criança como consequência do prazer que ela dá, em sua dependência, ao adulto: uma dependência da qual ela deve se desprender; ou ainda, o prazer da autonomia não deve levantar culpa por um adulto que tem necessidade, para seu próprio narcisismo, da dependência da criança, de seu poder sobre esta, revelando-se ansioso diante desta liberdade de viver que a criança quer assumir.

Todos os conflitos que rodeiam, na criação e na primeira educação, a aquisição da autonomia e a disciplina esfincteriana, provêm das contradições do desejo entre a criança e sua mãe-alimentadora educadora, ou seja, os golpes inconsciente ou conscientemente infligidos pelas mães ao sentimento de dignidade humana de seu menino ou de sua menina.

Aqui a chave é a confusão que elas inculcam em seu filho, ou que elas não desfazem se a criança a faz por si mesma, entre seu estado de infância ou de impotência neurológica para dominar seus esfíncteres e a vergonha que ela pode ou deveria ter a respeito. Esta vergonha espontânea da criança testemunha de sua impotência, ou esta vergonha inculcada e cultivada, infelizmente, enquanto meio educativo pela mãe, se estende por contiguidade a todas as sensações naturais de prazer que proporcionam uma região que é também a região genital, cujo valor ético, erótico e estético deveria ser conservado, mas fora do controle parental que é intuitivamente sentido pela criança como incestuoso.

Para retornar ao narcisismo ligado à imagem do corpo naquilo que ela tem de funcional, o sentimento da dignidade humana é articulado ali muito estreitamente. Assim como também são articuladas ali todas as conquistas do domínio de si e do espaço, progressivamente tornadas possíveis à criança que deseja isto, muito antes que seu desenvolvimento neurológico concluído (vinte e oito a trinta meses) a torne fisiologicamente capaz disto.

Fazer seus excrementos como os adultos fazem, ou seja, no mesmo lugar, e do mesmo modo, e sozinho, sem a ajuda de sua mãe, com isto qualquer criança fica orgulhosa. A higiene esfincteriana prematura requer a ajuda da mãe ou de qualquer outra pessoa. Quando chega em época apropriada, a criança "se vira" rapidamente sozinha, e é isto que é humanizante para ela.

Um referencial para saber se não é muito cedo para começar a solicitar à criança uma continência esfincteriana voluntária é a habilidade que ela demonstra no prazer que ela tem em subir e descer sozinha uma escada dobrável ou uma escadaria, assim como o prazer que ela manifesta em se agachar por muito tempo para brincar. É a prova de que o sistema neurológico da medula espinhal está suficientemente desenvolvido para das as referências, simultaneamente, de coordenação e de sensório-motricidade tendo em vista o próprio prazer.

Colocar a criança no penico precocemente leva ao risco de induzir a retardos psicomotores importantes, ou ainda aos embasamentos de uma neurose obsessiva. De uma maneira geral, é importante que as performances exigidas das crianças pelos pais sejam agradavelmente realizáveis por elas. É importante também que pai e mãe só deem a seus filhos proibições progressivamente modificadas em função de seu crescimento e de sua coordenação neuromuscular.

É importante que as crianças recebam encorajamentos quando correm pequenos riscos, felicitações quando conseguiram algo ou tentaram algo, e quando um pequeno incidente as fez fracassar. Os fracassos são formadores, se forem aceitos e se for refletido a respeito. Diante de uma dificuldade encontrada na ausência de seus pais, a criança deve poder se dizer; "Ah, sim, mamãe ou papai tinham-me dito que era um pouco difícil"; então, diante de um fracasso que a vexa, ela se consola como sua mãe o faria, se ela estivesse ali, em relação à sua impotência atual, despertando confiança no futuro. Ela sabe que a cada dia ela vai se desenvolvendo. É um momento extraordinário na descoberta do mundo pela criança, e no desenvolvimento de sua motricidade, sobretudo quando ela constata que todo mundo está feliz com este desenvolvimento.

Erros de julgamento, fracasso nas ações não devem conduzir a sentimentos de culpa ou de derrelição. Estes sentimentos depressivos assim como, pelo contrário, o desprezo da realidade e rejeição da responsabilidade sobre os outros impedem o entendimento das coisas e o investimento do esquema corporal; tanto um como os outros são o fruto de uma primeira educação ansiosa e "culpabilizante" da criança já antes dos vinte meses e nos meses que precedem a castração primária (dois anos e meio a três anos).

A Castração Anal e suas Sublimações

Uma criança muito pequena compreende perfeitamente que uma proibição lhe seja dada momentaneamente, mas que, em breve, lhe dirão: "Agora, você pode, você cresceu, você não podia antes, você pode agora". Ou, pelo contrário, quando se trata de um acordo social de boa vizinhança, por exemplo: "Não é permitido aos outros, tampouco é permitido a você, não seria permitido a mim se eu brincasse da mesma coisa que você"; a proibição decorre aqui dos regulamentos de uma vida social, não é relativo à pessoa da criança, à sua falta de jeito, é relativo a tal lugar e a tais regulamentos válidos para todos, ou pelo menos para todos aqueles de sua idade, regulamentos que são aplicados neste lugar por uma instância superior aos pais e que não a visam pessoalmente. Quando algo é proibido a uma criança que confia em seus pais, ela admite esta contenção porque sabe que esta é destinada a lhe evitar um risco muito grande. Talvez não seja agradável, mas não é vexatória, já que não é sentida como um trote aplicado a um novato. Quando algo é proibido para todos e de uma maneira durável, a criança sabe que é por razões de interesse geral que ultrapassam o interesse particular de cada um inclusive aquele de seus pais. O importante é combater o instinto gregário, tão facilmente explorável no ser humano mamífero tribal, e educar seu sentido cívico e social para a aceitação das regras sem proibir a crítica destas.

Passado o estágio anal, a criança deverá, em todo o caso, ter aceito a interdição de pegar, sem pedir, depois sem devolver após o uso, aquilo que pertence ao outro e mesmo aquilo que pertence ao grupo familiar. Se sua dignidade humana é respeitada em palavras e em atos, ela irá integrar perfeitamente a proibição de qualquer comportamento que se faz em detrimento de um outro, a proibição de prejudicar conscientemente a si mesma ou de prejudicar o outro. *Esta interdição do roubo, do rapto, da agressão a pessoas ou a objetos que pertençam a outro deve lhe ser verbalmente significada*. A criança compreende e admite perfeitamente estas restrições às suas pulsões quando ela vê os adultos, eles próprios, se submeterem a estes regulamentos, sobretudo se estes adultos não usam, em relação a ela, sua força física, tratando-a como um animal ou uma posse da qual eles dispõem.

Seu corpo próprio, até o momento, era fatalmente o "objeto" de seus pais. Como ficam as crianças quando elas se causam verdadeiramente muito mal? É suficiente que a mãe coloque um pouco de mercúrio cromo, ponha a mão no lugar dolorido, para que as crianças não sintam mais nada; e no entanto, esta ferida, esta queimadura, levarão vários dias para sarar. Doravante, *a proibição de atingir seu próprio corpo ou colocá-lo perigosamente em risco deve lhe ser verbalizada*: vivificador para a criança é demonstrar confiança nela, ao sujeito, à pessoa. Certas crianças, para o melhor assim como para o pior, consideram-se como um objeto de sua mãe, de seu pai, da pessoa tutelar. É importante *despertá-las à responsabilidade por si mesmas. É um momento muito importante, entre a criação e a educação.* O corpo próprio da criança não é, na realidade, um objeto particular pertencente a sua mãe ou a seu pai, ou a uma outra pessoa tutelar: é um objeto libidinal, em relação àquilo que é nela prazer oral (imaginário e sensorial), anal (motor); prazer narcísico nos limites de uma castração – as proibições referem-se à oral e à anal – que constitui a humanização da criança. *Mas, para isto, é necessário que a mãe também (e o pai) tenha aceito ser castrada analmente de seu filho.* O que isto quer dizer? Que ela não tem necessidade o tempo todo de seu filho para seu prazer oral e anal, nem mesmo necessidade de gozar de sua presença, de agir em função dela, não tendo necessidade o tempo todo de vigiá-la, beijá-la, não ter o tempo todo a necessidade de tocá-la, manipulá-la, vesti-la, despi-la, enfeitá-la, lavá-la, deitá-la, quando mais lhe agradar... Ao contrário, a criança é chamada a se assumir, ela própria, em todos os gestos os quais ela pode dia após dia descobrir, e pode fazer sozinha e deseja fazer sozinha. É necessário que a mãe se interesse pela criança, que ela não seja indiferente a seus progressos é claro. Se, após ter dito: "Você pode fazer sozinha" ela não cuida mais da criança, esta se sente abandonada e não sabe mais nada. Ela sabe de maneira autônoma no olhar de sua mãe e nas palavras que esta lhe dá, para lhe delivrar sua liberdade enquanto uma relação dela com a criança; e é então a criança que se automaterna, com sua autorização, e necessariamente, de início, com sua ajuda verbal. Ela necessita que a mãe se junte em palavras, às suas alegrias, seus sucessos, quando a criança vem partilhar com ela; e que ela se compadeça consolando a criança, pelo menos em palavras, e por vezes com pequenos gestos maternais, carícias confortadoras, na ocasião de uma experiência que se revelou penosa para ela, mas também rica de ensinamentos. Ela pode, consolando a criança, verbalizar os fatos sem julgar, sem ralhar com ela porque teve um fracasso. E, sem sempre acusar o outro, se a criança diz que este fracasso veio do outro. Teria ele vindo da relação entre ela e o outro? Deveria se entender isto se for possível. Tudo isto quer dizer para a criança que ela é considerada como um ser em constante devir, projetada no futuro, no imaginário de seu pai e de sua mãe, tornando-se uma menina crescida, um menino crescido, e, em breve, homem ou mulher; que ela seja reconhecida pelos adultos tutelares como um sujeito animado de desejos, cuja liberdade e fantasmas são respeitados. *A criança fala quase tudo o que ela faz.* Isto não deve ser entendido pelo adulto assim: ela não pode fazer de outra

226 A IMAGEM INCONSCIENTE DO CORPO

forma. Ela fala o que faz porque assim ela humaniza seus atos; mas se aquilo que ela diz for utilizado contra ela, ou mesmo, para espionar o que ela faz ou o que ela pensa, destruímos a liberdade que estava se construindo. Ela sente, quando é educada como acabo de sugerir, que é estimada como representante vivo do desejo verdadeiramente genital dos adultos. Ela se sente seu filho ou sua filha no olhar dos pais, quando eles se encontram com seu sujeito, e isto prepara a identificação com o adulto de seu sexo. O que, em breve, será possível para ela, quando estará concluída, graças a seu crescimento neurológico (por volta dos trinta meses), esta assunção de seu ser motor e humanizado. Até então, o pai e a mãe são vistos como um "Eu" Ideal bicéfalo, tutelar (talvez seja o que a escola de Melanie Klein denomina de pais combinados).

Efeitos Patogênicos sobre a Criança da Erotização Oral e Anal de seus Pais. Seu Efeito Retroativo sobre o Desmame com Efeito Mutilador.

Uma mãe para quem o corpo próprio de seu filho é um objeto libidinal, oral, anal, sobre o qual ela usa de poderes discricionários para seu próprio prazer, que ela beija e brinca como se fosse uma boneca, que ela devora com os olhos, com carícias, que ela não deixa brincar com nada além daquilo que pode divertir ela mesma, esta mãe mostra ter permanecido ela própria, de forma passiva, em relação ao desenvolvimento da proibição anal e sobretudo genital, e sua criança desempenha para ela o papel de um animal de companhia. Ela é sua boneca ou então seu bom-bom* como ela a chama abraçando-a com gula. A criança não pode então continuar a se desenvolver sem se tornar fóbica ou obsessiva e, é por sintomas relativos a estas duas *neuroses* infantis, que perturbam sua adaptação fora da família, que ela é conduzida para o psicanalista (ainda são consideradas felizes se forem levadas ao psicanalista).

A obsessão é um meio de deter o desenvolvimento libidinal, em referência a uma ética anal onde a proibição concerne a todos os objetos parciais de prazer. A criança se põe a ser, frente às coisas que a rodeiam, como se todas fossem cocô proibido pela mamãe; mais proibido na medida em que se ela a chama de seu bombom, isto prova que só ela é cocô valioso. Ela é, portanto,

---

* *Crotte* é utilizado para designar fezes de animais e bombons de chocolate que teriam uma aparência semelhante a estas. (N. da T.)

investida de uma potência erógena sobre sua mãe, potência que a inibe cada vez mais, já que é patogênico para uma criança ser objeto erótico de sua mãe, e sobretudo um objeto erótico arcaico que não tem como imagem de desenvolvimento a atitude genital de uma mulher frente a seu marido e vice-versa. As pulsões de vida desta criança avivam uma dinâmica eternamente bloqueada, como um disco riscado: "Pegar", comer, bombom, "não mexer", xixi, cocô; e, quanto à relação afetiva, "beijinho", se a criança é miam-miam, ou seja *mignon* (fofinha), e pan-pan se ela for *vilain* (feia) (cocô para a mãe), ou seja, se a criança se sujou. O que complica ainda esta atitude do "não mexer" naquilo que, para a mãe, parece sujo, é que as palavras são ditas também em relação ao pênis da criança que, em certos casos, é tão obsessiva que não pode fazer xixi sozinha. É sua mãe, se for um menino, que deve tirar seu pênis de sua calça para fazê-lo fazer xixi. Ou então ele deve fazer xixi sentado como se fosse uma menina. Quanto à menina, ela não pode se limpar sozinha, porque não pode mexer, isto enoja a mãe (o menino também não pode fazê-lo). São atitudes fóbico-obsessivas desenvolvidas por uma mãe não-castrada, que frustra ao invés de dar a castração simbolígena. Uma mãe (ou uma mulher educadora) que educa a criança de tal maneira, está angustiada por sua própria genitalidade recalcada, está armadilhada em sua regressão a uma fixação fetichista em seu filho, sob o pretexto de amor materno; ela expressa um erotismo pedofílico. Ela se empenha em retardar o uso, pela criança, de sua inteligência, temendo que ela se interesse por suas funções físicas e por seu sexo. Ela culpabiliza, na criança, a curiosidade (a pulsão epistemológica) fundadora do espírito humano. Quando ela faz perguntas sobre o sexo ou os excrementos, a mãe não responde ou então diz: "Cale-se, não é limpo, não é bonito fazer perguntas assim, não se deve falar disto". Para a criança, cada vez que ela experimenta uma iniciativa, imediatamente, existe aquele pré-Super"Eu" que atua, como se, diante de uma intenção de movimento, algo lhe dissesse: "Cuidado crocodilo, não vá ali! Fique quietinho". Em decorrência da supervalorização das pulsões orais (comer implica a fragmentação), tudo pode ser cortado, despedaçado, inclusive ela, tudo inclui perigo; o pré-"Eu" humano frustrado proíbe a individualização, se aliena em um papel de animal doméstico adestrado de acordo com o desejo de seu mestre, o adulto tutelar, e se perverte ali; os desejos do sujeito se projetam então no pré-Super"Eu" como dissemos, imaginando uma zona erógena, oral, ávida, devoradora, frustrante de prazer e mutiladora, cortante para dedos que passeariam em alguma coisa que mamãe disse para não mexer. Na origem, nenhuma criança tem uma imagem de corpo fragmentada. Existe um funcionamento oral que fragmenta os objetos do mundo exterior – é como aquilo que ela engole – e um funcionamento anal que despedaça os elementos do mundo interior para exteriorizá-lo – é assim que ela faz cocô. A experiência repetitiva de suas necessidades de trazer e de levar é acompanhada deste despedaçamento do objeto parcial (oral e anal), mas esta experiência de corpo não é vivida enquanto relação de sujeito. Para que exista relação de sujeitos, são necessárias palavras concernentes a atividades outras que não o comércio de objetos parciais do corpo, e do corpo a corpo. Para seu filho, a mãe é ainda apenas um objeto total, como já afirmei, um objeto que a criança se representa por vezes como bicéfalo, papai-mamãe, mamãe-papai, ao qual a criança se identifica sem saber ainda que ela tem apenas um sexo, a exemplo de um único daqueles dois adultos. Ela, portanto, não é fragmentada. É a mãe que, em certas educações, induz à inflação imaginária do despedaçamento dental ou anal sobre o objeto parcial, de maneira a fazer de seu filho seu objeto parcial. Ela considera apenas as necessidades de seu filho e ela lhe deixa desempenhar o papel de um corpo que funciona, mas não se assumir como sujeito de suas iniciativas; e, além de suas necessidades, supostas e reais, e de seus cuidados em relação a seu corpo, ela não fala com a criança. É assim que um sujeito pode estar ávido de proporcionar gozo à sua mãe, valorizando-se, às custas de se despedaçar a si mesmo. Se ela tem valor, é que ela é um pedacinho, seja de alimento, seja de cocô, e a mãe se torna imaginariamente para a criança uma boca despedaçadora pela qual ela tem necessidade de ser constantemente beijada (mímica do comer) ou olhada (comida pelos olhos) ou ouvida, ou ainda carregada. O menino é seu "totó", a menina é sua "mimi", seu gato, seu brinquedinho, sua coisinha preciosa, em todo caso a criança, menina ou menino, nunca é chamada pelo seu nome; a criança-objeto carrega muitos outros nomes, na realidade, apelidos que, para a mãe, expressam sua ternura em relação a um objeto ao qual ela recusa, na verdade, a qualidade de sujeito humano. A criança sofre um desejo realmente pervertedor que faz, deste garotinho ou desta menininha, um objeto de posse erótica de sua mãe.

Se os dois genitores se comportam desta maneira, o tempo da criança, enquanto vivente, é praticamente proibido de estadia no espaço deles. É preciso que ela viva em um tempo parado. E preciso que ela se comporte como uma larva, uma estátua, um fálus ambulante, sem cabeças nem pernas: porque papai e mamãe são verdadeiramente para a criança (segundo seu pensamento anal mágico, que não é experimentado na realidade sensorial e espacial, mas em um imaginário conservado desde a idade oral) bocas cortadoras ou olhos que espreitam. Uma criança pode ser "estragada" no sentido em que isto significa ter sido tragada no apelo do desejo de sua mãe ou seu pai (menos frequente, devo dizer, do pai, porque, geralmente, ele está menos em casa). É o que ocorre quando o casal se deixa armadilhar pela fascinação absorvente ou rejeitante que a criança pode exercer sobre ele, quer ela seja bonita ou desfavorecida pela natureza. Cada um procura preencher sua falta de ser protegendo sua criança, exibindo-a, divertindo-se com ela, superpreenchendo-a, supersatisfazendo-a, a fim de que ela não corra o risco de buscar além uma resposta à falta inerente ao desejo. Sem ela o casal não se sustentaria mais. Ela é para cada um a ilusão do falo. Ora, na criança, quer admitamos ou não, o sujeito está sempre presente, não sabemos onde, desde a concepção; e, já que existe sujeito, existe desejo de articulação vital ao "Isso", ao conjunto das pulsões, decorrente do capital genético, que é representado pelo corpo presente: é o próprio fundamento da possibilidade de um tratamento psicanalítico; pode-se até mesmo dizer, que é o pressuposto, consciente ou não, para qualquer psicoterapeuta, sem o qual ele não poderia exercer esta profissão. O sujeito está ali, não se sabe onde, mas já que existe corpo, existe um sujeito. Se ele se encontra na impossibilidade de se expressar em seu corpo, é isto que suscita o trabalho da psicoterapia. Trata-se de remontar a história deste malvivente, a fim de ajudar o sujeito a reencontrar o caminho percorrido para comunicar junto a nós, um desejo dele, através de seu esquema corporal, por uma imagem do corpo que não evoluiu mas que permaneceu narcisicamente ressuscitável.

Ora, este desejo não pode, por vezes, nem se manifestar, nem mesmo ser imaginável para a criança. Pode ocorrer que a criança seja, em sua pessoa, totalmente, como um ursinho, como uma boneca, o objeto parcial de um adulto tutelar. E, no entanto, existe em algum lugar um sujeito que tem um desejo próprio, velado, mas que espreita em suas pulsões passivas e momento em que será encontrado por alguém; ou é um sujeito que, mascarado pela indiferença prudencial, em função de um estado fóbico invasivo é animado pelas pulsões ativas, e deseja se comunicar através delas com alguém que aceite ser totalmente passivo em sua presença e disponível. É isto, esta disponibilidade para o encontro com as pulsões mais arcaicas de um ser humano,

A IMAGEM INCONSCIENTE DO CORPO

que é própria da transferência *a priori* do psicanalista. Principalmente do psicanalista de crianças. Existe, por vezes, provas liminares do desejo de sujeito, fonemas que ele se arrisca a emitir, que não são ainda gritos nem sorrisos, portanto, não em um código conhecido, nem mesmo fonemas auditivamente próximos daqueles da língua materna, mas que são, talvez, tais como gritos que imitem barulhos da natureza, sinais que, para ela, têm um sentido, por se terem sido elaborados e cruzados, em decorrência da função simbólica, com sensações de sua vida visceral, em seus momentos de solidão. Assim, barulhos de carros, barulhos de sirenes, golpes dado por operários ou pedreiros que ela ouve e que, para ela, em função do fato de que estas percepções do mundo exterior se cruzam com a percepção de seu corpo em tensão de necessidades ou em fantasmas de desejos, se tornam os significantes impossíveis de serem decodificados. Quanto a significantes sonoros, gestuais, que se tornaram sintomas compulsivos, saber já que eles têm um sentido humano que nós não captamos e dizer isto à criança é indispensável. No que se refere a estes significantes, válidos apenas para ela, acredito que ela não saiba nem mesmo por que os escolheu, mas, às custas de repeti--los, acaba por tomá-los como significantes. Não se tornariam eles magicamente conjuratórios, necessários para manter a criança na realidade através de uma articulação efêmera de uma percepção vinda do mundo exterior àquilo que permanece ligado ali, qual seja, pedaços de fantasmas? A função simbólica, que não liga mais estes sujeitos ao mundo dos falantes, no entanto os liga ao mundo cósmico, à natureza, aos objetos que os rodeiam. Estas crianças são muito isoladas, parecem bizarras, atrasadas quanto à fala; na realidade, elas estão em pré-psicose, que se agrava se forem deixadas em seu isolamento. Constituem falhas da educação de doze a trinta meses, a fase anal, motora e ética. É ao longo deste período de fato, que, de uma maneira constante, as famílias esbarram nas maiores dificuldades educativas. De início, a criança é inibida em seu desejo ou então a deixam satisfeita além da conta, conforme os pais sejam exigentes ou desatentos; é, portanto, seu comportamento em relação à criança que é decisivo, mas, secundariamente, é ela que não está mais em contato com eles e, sozinhos, eles nada podem fazer para ajudá-la. Após algumas experiências desajeitadas, após alguns fracassos ao tentar fazer "como os grandes" que estão ao redor dela, a mesma criança pode se achar reconciliada consigo mesma graças a palavras que lhe são ditas de forma generosa por pais que compreenderam, com a ajuda de alguém (um psicanalista) com quem conversaram, o que conduzia seu filho ao isolamento. Por vezes também, os pais, mesmo ajudados, não são suficientes. O contato é definitivamente rompido e é preciso, verdadeiramente, um tratamento pessoal da criança, que é longo e só é possível se a criança estiver angustiada, o que nem sempre é o caso. Este "Marciano", como dizem seus pais, se satisfaz por vezes com sua vida imaginária.

A Estrutura de uma Criança Dita Psicótica

As três imagens do corpo, de base, funcional e erógena, que, se articulando a cada instante umas às outras, fazem a coesão de um ser humano que conserva seu narcisismo, podem ter sido "enganosas"; ao invés de conservarem valores éticos humanos como os que a criança deveria ter adquirido após o desmame, e aqueles que devem ser descobertos ao longo da castração anal, a criança pode então ignorar ou inverter tais valores éticos. Ela obedece a ética de fantasmas arcaicos completamente inadequados não só ao seu atual esquema corporal[67], mas disfóricos em relação à imagem do corpo que corresponde à grande maioria das crianças de sua idade. Por exemplo, ela tem um estrabismo duplo, ou ainda, procura mexer, até mesmo pegar, com as costas da mão, ou somente com a boca, ou ainda, quando ela deseja andar, ao invés de abrir a fenda que permite avançar um pé adiante do outro, seus pés se cruzam, portanto ela não pode mais andar, é preciso carregá-la. Forneci exemplos deste tipo em outros escritos, e todo mundo conhece algum na clínica infantil. A criança gostaria de crescer, seus pais o desejam também, eles exprimem isto, mas, a cada manifestação de suas pulsões libidinais, dia após dia novas, sua palavra visa proibir, frear, ou até mesmo o pior, desvalorizar seu desejo. Seus gestos ou seus dizeres vêm barrar suas iniciativas, quer seja, no mínimo, a de colocar suas mãos em sua boca, ou a de colocar suas mãos em seu sexo, que já é alguma coisa para uma criança que não fazia nada até então.

Resulta disto que o sujeito criança é levado a se integrar, a se estruturar, em uma imagem narcísica que não o promova mais na aquisição das potencialidades de seu esquema corporal (as quais lhe permitiriam adquirir uma autonomia motora) porque esta aquisição poderia levar ao risco de confundi-lo com a instância tutelar. O que é importante compreender é que a mudança de atitude educadora (se, por exemplo, os pais preocupados com o retardo psicomotor de seu filho fazem um trabalho psicanalí-

---

67. Ver o caso de Pierre, p. 204.

tico) não impede que a criança permaneça em sua aparência retardada. Descobrir-se livre quanto a seus movimentos tornou-se perigoso para ela, ainda que esteja naquele momento autorizada a isto porque ela se encontra apenas como ser humano bebê, e uma criança pequena, sobretudo, introjeta as imagens dos adultos que cuidaram dela, principalmente se ela for precoce e inteligente, como se estes adultos fossem a presentificação dela mesma, futuro falante, dono de si mesmo, vivente vegetativo e vivente animado. Estrutura inconsciente e intuitiva. Antes da castração primária, o processo de integração do outro como um si mesmo que sabe é recebido de todos aqueles que são maiores e mais fortes de ambos os sexos. Após a castração primária esta integração se faz em benefício das imagens dos outros, mais velhos e adultos, do mesmo sexo que a criança, se a castração primária, foi bem feita; e do outro sexo se, pelo contrário, a castração a desnarcisou em seu sexo, ao invés de narcisá-la. Ou, então, ainda, a criança vive como se ela nada quisesse saber sobre seu sexo, podendo, então, regredir ao único funcionamento uretro-anal (encoprese), como expressão associada a seu períneo. Vimos o problema no momento da castração primária. Ele é seguido, por vezes, com o tempo, de experiências perigosas para a criança e para os outros; pois o desejo, antes de se deixar recalcar totalmente, inverter ou neutralizar quanto ao futuro genital – o qual está efetivamente em questão referente às coisas da vida e seu princípio "crescer e multiplicar" (na medida do possível), este desejo se acumula à medida em que se vai contra ele. As pulsões de vida agressivas ativas e passivas se fortalecem. Atos inconscientes, irrefletidos, imprevisíveis, impulsivos, surgem: para escapar ao *status* mortífero de objeto, a criança, reprimida em seu agir, inicialmente muito passiva, depois instável, se torna a criança catástrofe, "semente do delinquente", como se costuma dizer, mordedora, violenta, predadora, demolidora[68], terror dos jardins públicos e das lojas. A reação dos pais, tanto coercitiva como ansiosa, constantemente em alerta, lhe confirma, dia após dia, que é como objeto, como coisa pertencente a seus pais, que deve permanecer cada vez mais; na falta de amor e de carícias que seu comportamento torna impossíveis de serem dados, e também porque qualquer doçura ou ternura exaspera seu sadismo inconsciente, ela parece se empenhar em provocar os adultos, em fazê-los reagir para que algo se passe, para não se encontrar em um deserto relacional, como alvo de suas pulsões ativas ou pas-

---

68. Até mesmo incendiário.

sivas. As instâncias tutelares, os educadores, a mãe, o pai, podem ser considerados como inconscientemente mutiladores, frustradores, desta criança, secundariamente, carrascos de crianças. Em certos casos, tais pais, e até mesmo outros, de início mais tolerantes, não podem reparar os estragos de uma castração não dada a tempo e com amor. O pré-"Eu" da criança não é mais domesticável por um ser humano que amaria a criança e a quem ela amaria, um ser humano saudavelmente educador, que permitiria a utilização e a simbolização lícitas das pulsões proibidas.

Tais crianças, assim educadas, impedidas quanto a qualquer desejo, e introjetando a proibição de desejar, caem frequentemente em acidentes psicossomáticos e se tornam doentes, presas de outras criaturas, os micróbios, que estão prontos a ocupar o corpo daquele que não se assume mais, ou certos órgãos deste corpo, pouco vitalizados. Se seu corpo resiste, elas se tornam crianças perigosamente caracteriais. Suas noites são repletas de pesadelos ou insônia, porque, mesmo no imaginário, as proibições surgem em uma fabulação onde se satisfazem os desejos transgressores que os pais introjetados impedem ou desqualificam. Quanto ao sono vigília, a criança permanece ali em uma guerra contínua sem piedade com seu desejo e as contradições éticas de sua imagem do corpo, que permaneceram ou retornaram ao estado de não-castradas.

Não tentarei aqui arrolar todos os casos onde uma tal experiência profundamente deformante do narcisismo humano se produz no período do desenvolvimento neuromuscular terminal da medula espinhal, ou seja, entre vinte e quatro e trinta e seis ou quarenta meses, entre dois anos e quatro anos. Devo especificar que é sempre nos fracassos inconscientes de educação, ao longo dos confrontos entre a libido da criança e a de seus adultos educadores, com a melhor das boas intenções conscientes tanto de uma parte quanto da outra, que se originam estas graves perturbações futuras, sexuais e psicossociais, fixações perversas ou processos psicotizantes. Em muitas educações, existem momentos de educação falhada. Eles são ventilados, felizmente, para a maioria, através de perturbações da saúde (psicossomáticas) muito diversas, e permitem, graças a um tempo de regressão, o reinicio. Mas quando o corpo não paga a sua dívida à lei da castração simbolígena, os fracassos se inscrevem na aparência psicossocial, e são eles que reencontramos naqueles que mais tarde têm a coragem de fazer uma psicanálise, que se torna muito difícil para o adolescente e para o adulto fisicamente são mas que sofrem de uma desadaptação que não permite nem amor nem criação.

O Caracterial. A Pré-Psicose

Que o narcisismo da imagem do corpo da criança se ache "des-solidarizado" do esquema corporal de sua idade fisiológica, é notadamente o caso quando o desejo libidinal oral de pegar, de saber e de compreender, e o desejo anal de fazer, de agir, de experimentar, despertam na instância tutelar uma reação tão erotizada ou tão recalcada (no inconsciente, dá no mesmo) que a mãe é tomada de uma angústia irrepressível, associada a uma reação expressiva mais ou menos controlada, "Cuidado!", da qual a criança percebe sempre o não dito. Se ela reage à sua angústia por uma culpa advinda do Super"Eu" – que, para ela, remonta à época de sua infância –, esta culpa se expressa através de olhares de desprezo, de atitudes hostis ou palavras de censura e de ruptura de amor, as quais ela acredita serem educativas. A criança não tem nem mesmo mais a possibilidade de recorrer a este fantasma de prazer arcaico: ser consolada pela mãe, reconciliar-se consigo mesma, identificando-se por introjeção à mãe acolhedora para o bebê, ainda impotente, o qual ela sabia acalmar. Já que ela não a *ama* mais, e a criança acredita na mãe, e esta tem, aos olhos da criança, razão (já que ela não pode se julgar com os olhos da mãe), é por que simplesmente a mãe a *deseja* e se ela não *deseja* mais a criança, é por que ela *necessita* da criança. A mãe lhe dá de comer, mas isto também se faz aos cães. A criança não pode sair desta situação. Ela está então submetida à introjeção de emoções insólitas, sem representações, ou por vezes com alguma, enquanto única representação associada ao sujeito, seu nome, vocalizado de forma agressiva, como também por vezes seu patronímico, o nome da família do pai (da mãe, se for uma mãe celibatária) ao qual sua mãe associa a criança quando não está contente com ela, enquanto bebê só dela: "Você é como (o filho) Fulano, ou (a filha) Fulana". Seu nome, severamente pronunciado, e o patronímico Fulano que é acrescentado a ele, são para a criança que se ouve desta forma censurada, rejeitada, o sinal de sua emoção mais depressiva. Surgem então no inconsciente os efeitos das pulsões de morte, que investem contra esta ou aquela zona funcional ou zona erógena de seu corpo, totalmente ou em parte, e é isto que provoca, por exemplo, a anorexia, os vômitos, a encoprese, a enurese, a insônia. Ouvimos depoimentos de mães e pais que acreditam serem alvo, como se se tratassem de revides oposicionais da criança que eles querem adestrar[69]. Quanto mais

---

69. Quem não reconheceria estas palavras de qualquer mãe: "Ele (ou ela) *me* fez diarreia, ele (ou ela) *me* fez uma coqueluche", enquanto que os pais dizem, mais

a criança manifestar tais sintomas, mais eles querem adestrá-la, sendo uma dramática situação libidinal pervertida, entre humanos que só podem se destruir. A criança perde até mesmo a sensibilidade de suas sensações esfincterianas distintas, de suas sensações de trânsito intestinal, está totalmente entregue às pulsões de morte, já que sua imagem de base, a mais fundamental, alertada, é associada à mãe, a respeito da qual afirmei que é simultaneamente a vida e a morte. Se a mãe não tem mais nenhuma característica de vida para o espírito e o coração, então, para o corpo que não pode viver sem espírito e sem coração, ela se torna a morte que vem, ou até mesmo a morte esperada; e a morte-mãe será sua referência antiexistencial e existencial simultaneamente. Sem contar que o significante *mort* (morte) em francês, *mort* (morte), *mourir* (morrer), *mort* (morte) e *mordre* (morder) se inscreve na imagem do corpo; estas crianças, chegando no limite do vivente, e sendo sujeitos extremamente inteligentes, não podem mais engolir, não podem mais mastigar: sua anorexia, que é uma falta generalizada do desejo de amar, do desejo de desejar, do desejo de trocar, é muito particular e psicótica. Ao mesmo tempo, é raro que sua faringe saiba ainda beber. Quando queremos ajudá-los a beber, tudo escorre, perderam os referenciais da relação da zona erógena e funcional) oral do engolir. A vida é a morte... E no entanto, sem testemunha humana, a criança ainda pode fazer suas refeições solitárias e comer, por vezes, até mesmo ao chão, porque este tipo de funcionamento esqueleto-muscular é associado para ela àquele dos pequenos animais domésticos que escapam às proibições as quais ela introjetou em seu corpo. Estes comportamentos bizarros de crianças em grande dificuldade, ditas pré-psicóticas, não são caprichos. Em contrapartida, muitas crianças têm caprichos fugazes deste tipo que não se instalam. Todas as crianças psicóticas entram assim em um estado crônico que pode ter sido atravessado, algumas horas, alguns dias, alguns minutos, por uma criança que escapou disto e que, através de atitudes bizarras passageiras do corpo, dizia alguma coisa que não podia ser expressa de outra forma. Mas a criança psicótica não pode sair de tal situação. Ela está armadilhada em pulsões que, naqueles que se desenvolvem saudavelmente, manifestaram-se apenas uma vez, quer sejam pulsões insólitas provocadas por um fantasma ou um

---

frequentemente: "Ele (ou ela) me faz ver estrelas, me provoca. Eu não me deixarei levar por *teu* filho ou *tua* filha. Ele (ou ela) vale minha cabeça?" As mães sofrem, os pais se sentem provocados.

236 A IMAGEM INCONSCIENTE DO CORPO

acontecimento real ou pulsões agressivas contra a instância tutelar. Na criança que se torna psicótica, é muito raro que se pare aqui. Em geral, pulsões de morte do sujeito do desejo são localizadas em suas zonas erógenas, e a única maneira de lutar contra a angústia de sua relação com seus pais de hoje, é a de se refugiar na lembrança de seus pais de ontem, de um ele mesmo arcaico. Poderíamos dizer que se trata aqui, ainda, de um processo de autismo, de uma defasagem em relação ao resto do ritmo de vida relacional atual, de sua imagem existencial; daí o retorno a certos componentes da imagem do corpo da criança que não pode permanecer constantemente focalizado em seu esquema corporal de hoje, e fazer corresponder a isto a manifestação de seus desejos de sujeito.

A imagem do corpo, linguagem passiva e ativa das pulsões de seu desejo encarnadas, faz com que o sujeito conserve a convicção narcisante de um esquema corporal anterior àquele de hoje onde suas pulsões se expressavam diferentemente, por exemplo, daquele que ele tinha antes dos quinze, dez, nove, sete meses. As pulsões de morte reinam sobre o resto do esquema corporal atual, que fica como que proibido de consciência; a imagem anterior respiratória, circulatória, o trânsito digestivo, podem, sozinhos, continuar a existir enquanto não-proibidos. A criança se sente como que possuída por inimigos localizados em seu corpo, que ela não sabe dominar. Ela gostaria de expressar o que se passa nela, mas isto se choca com a ausência de palavras para expressá-lo, a própria ausência de mímicas; pois seus desejos se refletem, para ela, sobre uma não-manifestação humanizada de vida no adulto tutelar, de tal forma que, como retorno, a vida do adulto é um corolário do inexprimível de sua própria vida. E, como a imagem do corpo é a cada instante tripla, o sujeito separa um dos componentes desta tripla imagem, seja o erógeno, seja o funcional, seja, o que é mais grave para a saúde ou para a angústia, a imagem de base. Um mal-estar neurovegetativo, ou uma angústia crescente não-explicável, lhe fazem provocar sobre ela mesma um acidente; se a imagem de base é atingida, a criança cai doente por muito tempo. A imagem separada se retira do presente do sujeito, o qual, para não ser mutilado, o que ocorre quando a imagem de base é atingida, e para reencontrar seu narcisismo, regride a uma imagem do corpo anterior, a uma ética arcaica do narcisismo, a uma ética passiva ou agressiva. Esta última se manifesta através de cóleras elásticas, que escapam à sua consciência, sendo, aliás, menos grave para o futuro do desenvolvimento da criança do que os estados de estupor quase catatônicos[70], devidos à regressão a uma ética passiva.

Em certos casos, a criança que conheceu anteriormente uma vitalidade satisfatória conserva, apesar dos pesadelos, um bom sono, e, já que da época oral data uma vitalidade fantasmática que permanece e reaparece nos sonhos, guardiães do sono e dos fantasmas inconscientes, podemos ver pulsões de vida proibidas de estadia no esquema corporal atual, tentarem reencontrar sua focalização, na falta do esquema corporal atual ou até mesmo anterior, é que a criança não pode reencontrar, e se projetar, se emprestando o esquema corporal de um outro corpo[71]. Este corpo pode, até mesmo, não ser aquele de um outro humano: é assim que a criança fantasia e fabula cenas de gozo, de prazer e de perigo. A uma testemunha destas brincadeiras, a criança pode parecer alucinada. Ela não está ainda alucinada, mas fabula seres estranhos, poderosos, ameaçadores, principalmente quando cai o dia: os objetos da realidade perdem neste momento seus contornos, e a vida exterior, uma parte de seus ritmos e de seus ruídos humanos, e a criança pode se sentir como cooperante subjugada de uma vida imaginária da qual ela não se sente mais dona. Algumas parecem ter "decolado" da realidade, seus fantasmas podem ter sido tomados, e por vezes o são, por alucinações; mas, de fato, cada vez que trouxeram a mim crianças neste estado, ou que me telefonaram na ocasião de crises dramáticas pseudo-alucinatórias em algumas delas, verificou-se que, se alguém lhes falar muito gentilmente, calmamente, dando-lhes de beber algo de que elas gostavam quando eram pequeninas, tal como um copo de leite ou de chocolate, ou um iogurte, e se lhes falarmos das próprias imagens impostas a elas e pelas quais elas se sentem invadidas, podemos fazê-las sair da armadilha. Elas se relaxam, em decorrência do fato de serem compreendidas sem causarem medo; podemos explicar a elas que não existem crocodilos, serpentes, robôs, leões, lobos, extraterrestres, marcianos: são elas que estão imaginando e a pessoa que está ali, com elas, pode reassegurar completamente estes romancistas de humor negro, de ficção científica ou este Douanier Rousseau em embrião, mergulhados em plena selva. Não existe nada de mau, nada de ruim nem de preocupante para os outros, em dizer, re-

---

70. Ver o caso das duas bonecas-flores em *Au jeu du désir*, o caso de Pierre (criança louca) e de Léon, ver. p. 204 e p. 240 respectivamente.

71. Este processo permanece em artistas e escritores de romances, e serve de "matéria-prima" para seu trabalho, obra de sublimação.

presentar, mimificar aquilo que imaginamos. Se uma criança mergulhada neste estado encontra pessoas que se angustiam com isso a ponto de fazê-la ser consultada, de se separar dela para colocá-la em observação, ou colocá-la de imediato em um hospital psiquiátrico, ela não pode se encontrar. O mesmo ocorre se zombarmos dela. Seu corpo, solidário de seu esquema corporal agredido pela imagem erógena arcaica, sofre um processo de fragmentação, sendo que suas partes fragmentadas se tornam objeto destas instâncias imaginárias que supostamente são seus únicos companheiros. Então, as ditas instâncias imaginárias têm efeitos reais. Podem sobrevir doenças orgânicas (existem sempre germes infecciosos prontos a investirem contra o corpo humano, quando uma parte de sua imagem funcional faz com que o esquema corporal seja atingido por inibições reativas). Podem também se organizar em processos alucinatórios sensoriais, viscerais, em decorrência da prova que representa a solidão em que a criança é deixada, em função da angústia de seu meio.

Retenhamos o fato de que, é quando uma experiência de não-resposta da mãe a uma manifestação do desejo da criança não chega a mortificar a imagem de base mas provoca apenas a disjunção, frente a esta, da imagem erógena ou da imagem funcional, que um fantasma aparece, o fantasma do leão e do homem de preto, do lobo mau, da feiticeira, do diabo que, aos olhos da criança, são os aliados da instância tutelar. Se não somente a mãe deixa estes fantasmas permanecerem críveis, fantasmas pelos quais a criança é contaminada através de outras crianças, mas que além disto, a mãe os utiliza como meio de pressão, para causar medo e aumentar seu poder sobre a criança, então, podemos dizer que a educação prepara neste homem ou nesta mulher uma fragilidade mental e, em um período ulterior, dificuldades e sentimentos de impotência, existindo riscos de derrapagens da libido para fora da realidade em acessos delirantes ou em alucinações.

No tratamento de adolescentes, jovens adultos que estes virão a ser, é muito importante, para eles, reencontrar a lembrança destas primeiras manifestações, devidas à resistência do sujeito, na época da libido oral, em aceitar uma castração primária dada de maneira sentida como sádica, ou uma castração edipiana, malfeita, desajeitada, desvalorizante para o desejo genital; pois, é refalando deste período que o período alucinatório do adolescente ou do adulto irá tomar seu sentido, e deixar lugar para o desejo de se experimentar e se dizer na transferência. O que estava traduzido em uma afabulação pseudo-alucinatória se representa como um meio de expressão ao desejo do indivíduo de hoje, que busca, através das rachaduras de sua imagem do corpo e na transferência sobre seu analista, reencontrar experiências antigas ou arcaicas. As pulsões genitais do adolescente ou do adulto se expressam, em parte, em uma sintaxe fantasmática e segundo uma ética fálica anal ou fálica oral, passiva anal ou passiva oral. É isto que conduz aos acessos alucinatórios. Os processos são os mesmos na relação do consciente e do inconsciente nos seres humanos que vivem, pode-se dizer, normalmente e naqueles que são terrivelmente infelizes e vivem de maneira neurótica ou psicótica. A diferença vem do fato de que se trata, para aqueles que podem cair em estados psicóticos e se armadilhar neles, de situações de economia libinal não-homogênea; e, para o caso da neurose, de encraves que, cronicamente, atuam de maneira a inibir certos tipos de pulsões e fazem ressurgir as imagens do corpo arcaicas associadas a relações intersubjetivas anteriores[72], e que se reatualizam no processo do trabalho de tratamento graças à transferência. É por isso que a análise fina de tais situações as quais a criança se constrói ao longo de seu desenvolvimento é muito importante para a psicanálise dos adultos.

É quando o fantasma não pode desembocar, na vigília, em uma imaginação clara, expressa em brincadeiras ou verbalmente, que, ao longo do sono, ele assume a forma de sonhos, pesadelos, ou, pelo contrário, sonhos de satisfação, satisfação de matar, por exemplo, de matar os seres tutelares, em objetos perigosos antropomorfizados, ou em animais nefastos. Tudo isto é favorecido pelo superinvestimento da imagem funcional vegetativa que o sono implica. Esta imagem funcional que digo vegetativa concerne àquilo que diz respeito à vida dos órgãos e ao que é sofrido no corpo, em oposição à vida animal que corresponde à atividade esqueleto-muscular, à atividade do corpo animado no esquema corporal naquilo que ele tem de dominável por uma vontade, seja exterior, seja a do sujeito. A prevalência possível da imagem funcional vegetativa, originada na época oral do pré-desmame, se produz no sonho; no sonambulismo, é a imagem funcional animal da época anal anterior à proibição de prejudicar (ou anterior ao conhecimento desta proibição) que está em jogo.

Ainda uma vez, é graças à universalidade de tais processos que a psicanálise é possível, em decorrência do fato de que há regressão das pulsões em fabulações verbalizadas ou mimificadas, nas brincadeiras, nas associações livres, no seio da transferência em sessão de psicoterapia e nos pensamentos referentes

---

72. Cf. *Le cas Dominique*, "C'est préhistorique".

240 A IMAGEM INCONSCIENTE DO CORPO

ao psicanalista. A expressão da criança que utiliza sua libido na relação transferencial, permite um trabalho de retorno do recalcado, sem que a regressão tenha agido no corpo ou se exprimido na realidade social. O terapeuta, por sua presença e já que ele aceita os fantasmas, sem valorizá-los, mas buscando a origem na vivência histórica, desde o mais recente até o passado, remontando à infância de seu paciente, leva estes dizeres e estas imagens aos afetos que são revivenciados na transferência. Estes afetos da época passada, quando ela foi traumática e ansiógena, se expressam, aqui e agora, em elementos ideativos, emocionais e relacionais, reatualizados frente ao psicanalista. Inconscientemente rememorados, frequentemente deformados, trazem à sessão, do tempo passado e de outros espaços, emoções e expressões que datam da época da relação da criança com outros. O fruto de uma castração não feita pode ser dado tardiamente, na discriminação que o paciente faz, em análise na escuta de sua palavra, entre o imaginário e a realidade. Os acontecimentos que acompanharam a castração não feita são revivenciados frente ao psicanalista que lhes permite, através de sua escuta, serem apenas verbalizados, sem julgamento outro que não aquele referente à sua inadequação à realidade da relação suposta do psicanalista com ele ou ela (seu paciente ou sua paciente).

Para fornecer aqui uma ilustração de tudo o que acabo de dizer, gostaria de esclarecê-lo através de um caso. O leitor irá compreender muito melhor aquilo que eu quis dizer durante todas estas páginas onde, eu confesso, a exposição do trabalho com as imagens do corpo pode parecer muito complicada.

Caso de Léon

Léon foi levado ao ambulatório por sua mãe a conselho da escola e do médico que, após um certo número de exames, não encontrara na aparência bizarra da criança nenhuma razão neurológica. Léon apresenta uma deambulação muito particular, ele parece não poder se sustentar, é um garoto grande de oito anos, mole, um pouco espesso, com os tecidos subcutâneos ainda um pouco infiltrados, como os de uma criança mais jovem.

Eu o vejo entrar no consultório e, desde a porta, margeando a parede, apoiando-se nela, para depois vir se sentar, estender uma mão, apoiar-se sobre a mesa e se estatelar sobre a cadeira. Em seguida, ele se estatela sobre a mesa, braços, cotovelos e tórax apoiados, como se ele não pudesse, sentado, sustentar seu tronco verticalmente sobre o assento. Ele anda sempre assim, agarrando-

PATOLOGIA DAS IMAGENS DO CORPO E CLÍNICA ANALÍTICA   241

-se em todos os móveis e paredes, na rua, em um adulto ou um colega de escola, um pouco como um bebê que começa a se manter de pé, não podendo ainda atravessar o espaço sem um apoio auxiliar. A escola aconselhou à mãe levá-lo ao Centro onde eu clinico, já que ele não podia acompanhar a classe, não podia brincar com os outros. Aliás, ele não tinha nenhuma perturbação de caráter. Dentro de seu grupo de mesma idade, ele não tinha inimigos, até mesmo ajudavam-no a se deslocar, ele não incomodava. Em casa, era amado. Era uma criança quase que totalmente passiva.

Os testes, cujos resultados me são comunicados, lhe atribuem um quociente intelectual 63. Ele tem um rosto inexpressivo, olhos redondos, pouco móveis, sem expressão, a boca sempre entreaberta. Ele vive sentado, estatelado. A mãe diz que ele tem uma voz afinada, desde sua primeira infância, modula todas as canções, porém sem dizer as palavras, todas as canções que ele ouve no rádio. Ele fala com um *tempo* muito curioso, escandindo as palavras e separando as sílabas em um ritmo muito lento, em um tom monocórdio. Em resposta às minhas perguntas referentes a este falar (a respeito do qual a mãe não tinha notado, a forma bizarra) ela confirma que é a maneira pela qual ele sempre falou desde sua primeira infância. Sua irmã, dois anos e meio mais jovem que ele, é muito tagarela; desde sua primeira infância ela é muito viva, e as duas crianças se entendem muito bem, ainda que sejam muito diferentes.

O marido (o qual eu não pude conhecer) fala, diz a mãe, o francês com um sotaque muito forte: ele é de origem polonesa. Ela mesma fala com um ritmo completamente normal, com uma voz modulada, agradável. Eu me espanto com o fato de que Léon possa modular canções com sua laringe, mas não os fonemas. Eu digo que Léon me parece músico. Sua mãe me responde que, de fato, ele foi notado por um professor que tendo ouvido Léon cantar e conhecendo seus fracassos escolares, se propôs a lhe dar aulas de piano. Ele já o faz há alguns meses. Uma carta deste professor, anexada ao relatório, relata que a criança se mostra muito dotada e que, contrariamente ao estilo habitual de sua motricidade corporal, quando ele está ao piano, à condição de que esteja sentado, apoiado em um encosto, suas mãos e seus dedos são muito ágeis. Léon tem dons de virtuose, segundo este homem, e é por esta razão que ele se interessa pela criança. Ele aconselhou aos pais levá-lo a uma consulta. A fadiga de Léon obriga seu professor a lhe sustentar seus braços sob os cotovelos ou os ombros sob as axilas. O esforço muscular dos ombros é tão

242 A IMAGEM INCONSCIENTE DO CORPO

difícil para o menino quanto o esforço da marcha. Em contrapartida, ele se utiliza muito bem dos pedais do piano, munido
de um prolongador e, assim, colocados ao nível de seus pés. O
professor de Léon, quando este toca piano, o sustenta, portanto,
sob suas axilas, e os dedos da criança têm, uma agilidade notável.

Foi este professor de piano quem alertou os pais, aconse-
lhando-os a levarem Léon a um especialista em motricidade. No
hospital infantil onde permaneceu sob observação durante alguns dias e foi seriamente examinado, a conclusão diagnostica
foi a de que ele não apresenta nenhum problema neurológico. O
médico falou aos pais a respeito de um elemento suplementar,
de uma apatia geral e de uma debilidade mental e escolar de seu
filho. Eu ficaria sabendo mais tarde que este médico aludira à
palavra "psicoterapia" sem que a mãe prestasse atenção a isto.
Sob a advertência do especialista, a escola, após a confirmação
da debilidade no teste de QI, aconselhou à mãe colocar Léon em
um internato médico-pedagógico. A mãe se diz muito aborrecida
com isto, pois ele é muito apegado a seus pais e à sua irmãzinha,
gosta muito de piano, toma quase que diariamente aulas, sendo
que o professor mora no mesmo prédio que a família, e ela supõe
que tudo isto lhe faria falta no internato. É por isso que ela vem
ao Centro indicado pelo professor de piano e aceita de bom
grado o início de uma psicoterapia, recurso que este Centro, re-
centemente aberto em Paris, torna possível. A criança aceita também vir me ver regularmente, se isto puder lhe evitar ser colocada
em um internato e lhe permitir permanecer em família, ou até
mesmo, eventualmente, em sua escola.

Léon frequentava o Centro de consultas há cinco ou seis
meses quando o vejo pela primeira vez. Inicialmente, ele foi confiado a uma reeducadora de psicomotricidade, com a qual ele
acaba de concluir cerca de vinte sessões. A reeducadora se de-
sencorajou, pois, longe de progredir, a criança parece mais ausente do que antes, tanto para ela quanto para a mãe e para seu
meio. A boa vontade de Léon não está em questão, a da mãe
tampouco. Eles não faltaram a nenhuma sessão, apesar do trabalho da mãe e das dificuldades de deslocamento (estamos em
Paris em plena guerra). Foi, então, que o diretor do Centro pensou que se poderia tentar uma psicoterapia psicanalítica já que
a reeducação havia fracassado.

Temos, então, o quadro de uma criança com ritmos lentos
para a palavra, para a motricidade, para a ideação e que, no entanto, canta de forma afinada, com ritmos digitais e de laringe
normais. O que seria então esta fraqueza neuromuscular, esta

necessidade de sustentação física, de apoio para suas costas em uma parede ou um encosto de assento? O que significa esta falta de tônus, de origem não-orgânica? O que seria esta impossibilidade de ler e de escrever em uma criança de oito anos que demonstra, aliás, uma tal destreza manual, porém exclusivamente sobre os teclados de um piano? O que significaria sua nulidade em cálculo, ele que integrou o solfejo e sabe, portanto, tocar a música lendo (?) a transcrição gráfica dos sons e ritmos?

Uma carta do professor de piano a quem eu solicitei, por intermédio da mãe e da criança, que me dissesse sua impressão atual sobre Léon (sendo que sua primeira carta data de mais de dez meses, da época da consulta em hospital geral para a motricidade) me relata que Léon lê, de fato, perfeitamente, a música com os olhos, mas não pode nomear as notas que lê. A prova de que ele lê as notas e assimila o solfejo é que esta leitura se transmite imediatamente para seus dedos. Ele, tão lento, decifra muito facilmente um trecho de música que não conhece, e o toca no *tempo*. A carta confirma que Léon é excepcionalmente dotado para uma criança de oito anos e que ele poderia até mesmo ser dito um virtuose, se ele não fosse tão fraco. O professor acrescenta que, morando há muito tempo naquele prédio, ele conhece bem os pais cujo apartamento é no andar térreo, são pessoas boas e honestas, e que a criança o interessa. Léon lhe falou a meu respeito, e lhe dissera que confiara em mim.

Trata-se, portanto, de um caso complexo. Eu penso que, quando a escola o apresenta enquanto incapaz de ler, isto não pode ser verdade, já que, ainda que ele não possa pronunciar as notas, as lê muito rapidamente. O mesmo deve ocorrer com as letras, que seus olhos saberiam ler muito bem, sem que ele pudesse pronunciar os fonemas ao longo de sua leitura.

O caráter de Léon é doce, e isto representa, ainda, aos olhos de sua mãe, uma contraindicação para colocá-lo em uma escola especializada onde, ela o sabe e tem razão, existem muitas crianças caracteriais. Na escola e na vida cotidiana as crianças nunca se voltaram contra ele. Por vezes o ajudam, diz a professora e sua irmã; mas, em um internato, com crianças difíceis...?

Através das perguntas que faço à mãe a respeito dos inícios da motricidade de Léon, tomo conhecimento de que, muito cedo, ele se sentou em seu berço e que, muito cedo também, ele teria querido sugar seu polegar, mas foi impedido por sua mãe, que prendia suas mangas à sua roupa através de alfinetes; e que, desde que ele pôde se sentar, ela o sentou em um cadeirão de bebê. Ele permanecia ali quieto durante horas e meios períodos inteiros,

244 A IMAGEM INCONSCIENTE DO CORPO

na altura da mesa de trabalho dos pais que costuravam em ateliê de confecção de tipo familiar. Ele os observava trabalhar sorrindo. Mais tarde, foi sobre seu penico, simultaneamente penico e poltroninha baixa, que ela o sentou, poltrona na qual ele era preso por um cinto largo. E foi sua irmãzinha que tomou seu lugar no cadeirão. Quando ele precisava fazer suas necessidades, desamarravam a criança, retiravam uma prancha, era uma poltrona com o assento furado, muito cômodo para ele que andou tão tarde. "Ele não se afastava de nós, nunca nos incomodou". Léon viveu, então, assim, sentado, atado, sem fazer nada com suas mãos, olhando trabalhar o pai, a mãe e seus companheiros, durante três anos. Mas quando Léon tinha três anos e meio, e tendo começado a frequentar o maternal meio período, quiseram colocar a menina sobre uma poltroninha furada semelhante à de seu irmão, mas ela se recusou arqueando-se para trás e gritando tanto que sua mãe teve que renunciar, quanto à menina, a este sistema de contenção, e deixá-la sobre um tapete no chão, sendo que a menininha passara a se recusar também a permanecer no cadeirão. Foi somente neste momento que a mãe liberou, ao mesmo tempo, o pobre Léon de seu assento habitual. Léon nunca tinha engatinhado. Quando ela o libertou desse assento, ao qual ele ficava amarrado em casa, ele permaneceu sentado, apoiado contra uma parede. Por vezes, para ir até sua irmã, ele se arrastava sobre seu traseiro e, quando levantava, ele se agarrava a um móvel. Ele começou a andar realmente, da maneira como eu o vi fazer, ao mesmo tempo que sua irmãzinha, ou seja, quando ela tinha quatorze meses e ele mais de três anos e meio. A mãe pensava, apoiada pelas opiniões de suas colegas do ateliê, que o fato de frequentar outras crianças na escola lhe faria bem, e ela então fez a experiência na Páscoa de 1939, quando Léon tinha cinco anos. Os acontecimentos da guerra interromperam a experiência. Todo mundo deixou Paris e a própria mãe de Léon se refugiou na Bretanha na casa da avó materna.

Ao longo das sessões de psicomotricidade, Léon desenhava a cada vez sempre a mesma coisa, com lápis preto: uma casa quadrada com um teto aproximadamente trapezoidal, janelas sem esquadrias internas, vazias, uma chaminé que não solta fumaça e uma porta. Entre a casa e o alto, da página, existe uma espécie de n, bem espalhado, é o "céu". A parte de baixo da casa coincide com a parte de baixo do papel, portanto, não é sublinhada com um traço, que delimitaria sua implantação no solo. Estes desenhos estereotipados se achavam no relatório que continha a observação de Léon a qual me comunicaram. A mãe diz que ele

PATOLOGIA DAS IMAGENS DO CORPO E CLÍNICA ANALÍTICA 245

nunca havia feito outros desenhos em casa. Sua irmã desenha, Léon não. Ele nunca utilizou cores, enquanto que no Centro ele tinha a cada vez lápis de cor à sua disposição.

Iniciamos o tratamento. As primeiras sessões são muito pobres em palavras e em ações. Vejo a mãe antes do menino, depois na presença deste, em seguida o menino sozinho. A cada sessão ele traz o mesmo desenho feito enquanto esperava a mãe ou então refeito enquanto falo com sua mãe. Ele responde as perguntas que lhe faço, referentes ao desenho, através de poucas palavras, lentas, escandidas, como afirmei há pouco, sem nenhuma expressão mímica (o-teto-o-céu-a-porta). Eu não podia, através de sua aparência, me certificar de que ele se interessava por sua psicoterapia; no entanto, diz a mãe, ele sempre a lembra do dia da sessão. A carta de seu professor de piano, após algumas sessões, me confirma seu interesse pela psicoterapia e sua transferência sobre mim. Eu soube pela mãe, ao longo das sessões, que ela é bretã, e que o pai, de origem polonesa, naturalizado francês, é judeu. Ela não sabia, aliás, ao se casar, o que "judeu" queria dizer, e nada entendia daquilo que seu marido lhe dizia a respeito, já que ele não tinha religião. Tudo isto se passou entre 1934-1935, ela tinha por volta de dezenove anos. Ela o conheceu passeando, certo domingo, com uma amiga sua do vilarejo, estabelecida, assim como ela, em Paris. Ele trabalhava em uma casa onde fazia de tudo, tendo alojamento e alimentação. Seu marido tinha quinze anos a mais do que ela, foi o primeiro homem que conheceu, ela era tímida. Eles se casaram na igreja, por tradição dela, em Paris; sua mãe veio da Bretanha. Ela mesma não é praticante, mas se diz devota de Maria. Sua mãe e suas colegas de infância não teriam entendido se ela não tivesse se casado na igreja. Seu marido não tem religião, mas ele estava contente de lhe proporcionar este prazer. As crianças foram batizadas juntas, quando Léon tinha cinco anos, certo verão, na Bretanha, sendo a primeira vez que ela retornara à casa de sua mãe após ter deixado a região (era o verão da Evacuação). O pai de Léon tinha se mostrado, através de uma carta, de acordo com este batismo, mas, desde então, nunca mais se tinha falado a respeito. De sua religião católica bretã, ela ainda sabe alguns cânticos em latim e em idioma bretão que ela gostava de cantar no ateliê, dos quais Léon conhece bem as árias, porém não pronuncia as palavras. O casal se entende muito bem. Ambos trabalham neste pequeno ateliê familiar de confecção que acolheu seu marido que imigrara da Polônia sete ou oito anos antes. Ela era a única sobrevivente de uma família de cinco crianças, das quais muitas morreram

246   A IMAGEM INCONSCIENTE DO CORPO

em tenra idade, as outras um pouco mais tarde, mas ela tem apenas vagas lembranças disto. Não concluiu o ginásio, não era capaz disto, afirma ela. Seguiu um curso de costura nas Irmãs, na Bretanha. Seus pais eram pobres, sendo que foi por esta razão que veio a Paris, inicialmente empregada como doméstica; depois, quando conheceu seu marido, ele a fez ser contratada no ateliê onde trabalhava. Uma colega da Bretanha a hospedou durante um certo tempo, mais tarde ela se casou e, com seu marido, passaram a viver juntos; mais tarde, Léon nasceu. É uma família muito unida, a mãe nunca teve que ralhar severamente, nem corrigir seus filhos, e o pai é muito doce com eles. O pai é muito laborioso com suas mãos. Foi ele quem instalou sua pequena moradia de periferia, com uma horta, na qual ele cultiva seus legumes; mas apesar do interesse que ele tem por Léon e Léon por seu pai, a criança é muito fraca e se cansa facilmente para ajudar seu pai no jardim. Ele se sentava ficando a observá-lo.

A mãe se preocupa com o futuro escolar de Léon, ela é incapaz de ajudá-lo, sendo que ela mesma não estudou e lia lentamente, afirma ela (eu pensava, por meu lado, que o falar escandido de Léon imita talvez a maneira de ler de sua mãe). Quanto ao pai, não tendo feito seus estudos em francês, não pode, tampouco, ajudar seu filho, ele é o único imigrante de uma família que permaneceu na Polônia. A mãe viu fotos de uma irmã, que escreveu muito gentilmente para seu irmão na ocasião do casamento deste. A irmã de Léon, com quase seis anos, já está na escola primária e vai muito bem. Ao contrário de Léon ela não sabe cantar mas é viva e hábil, e já ajuda sua mãe em casa e seu pai no jardim. Tomo conhecimento também de que, quando em setembro de 1939, a guerra foi declarada, o pai naturalizado francês foi mobilizado; as escolas de Paris fecharam todas as suas classes primárias, e a mãe partiu para a Bretanha, para a casa de seus pais. Ali, Léon teve que frequentar a escola, já que já tinha frequentado por algum tempo o maternal em Paris, onde a escola se localizava na porta ao lado do ateliê dos pais.

Na Bretanha, ele frequentou de maneira bastante irregular a escola; era necessário que ele o fizesse porque tinha seis anos de idade, mas a escola não era tão perto e, com sua maneira de andar, ficava cansado pelo percurso, ainda que sua mãe o acompanhasse. Nesta escola não tinha refeitório. As crianças deviam voltar para a casa ao meio-dia e retornar à escola de tarde. Sua mãe pensa que este primeiro ano escolar fracassado trouxe desvantagens para Léon nos anos seguintes. Após a derrota de 1940, o pai, cuja unidade tinha recuado, foi desmobilizado no Midi, retornando a Paris onde a mãe o encontrou e onde ambos acharam um trabalho, apesar do desaparecimento do patrão de seu ateliê e de certos outros operários (a maior parte de judeus que tinham deixado Paris e não tinham retornado, ao contrário do que ocorreu com o pai de Léon). Os alemães estavam ali, o pai de Léon, que teria de usar a estrela amarela, se recusou a isto. Foi nesta situação que ele explicou novamente à sua esposa que ele era cidadão francês, que ele tinha sido mobilizado, e que por causa disto ele pensava nada ter a temer, mas que era judeu; ela nada entendeu disto. Ela compreende apenas que os alemães têm algo contra os judeus, porque, em geral, eles são ricos – por que eles implicariam com seu marido que não é rico? Apesar disto, seu marido teve que se esconder. Ele fica trabalhando em casa e ela continua a ir ao ateliê, no mesmo local onde se agruparam alguns colegas franceses, não-judeus e muito gentis com ela. E um trabalho muito diferente daquele que se fazia antes da guerra: reparos, nunca algo novo, pela falta de tecido. Ao seu marido que se esconde, ela traz roupas para consertar em casa as quais ela leva novamente para o ateliê uma vez o trabalho concluído. Ela me conta também, depositando sua total confiança em minha pessoa, que seu marido cavou um buraco em seu jardim e que, camuflado por ramagens, ele dorme ali, à noite, pois os alemães já tinham vindo prender judeus na vizinhança, vindo sempre à noite ou de manhãzinha.

Durante o dia, seu marido trabalha em casa, ela sai de manhã com as crianças que vão à escola ao lado de seu ateliê, e retornam às quatro e meia, sendo ali, neste prédio, onde se encontra o ateliê, que reside o professor de piano que ouviu Léon cantar e que, agora quase que diariamente, lhe dá aulas, em troca do que ele não exige ser pago, porém o ateliê trabalha para ele e, por vezes, ela pode lhe dar farinha ou manteiga do mercado negro, trazidos da periferia por alguém do ateliê. A mãe me conta também que ela tem uma "mania": é a de fazer seus filhos virem para sua cama nas manhãs de domingo, pois nos outros dias ela não tem tempo. E, enquanto o pai prepara o café da manhã, ela se coloca de quatro, a cabeça saindo dos lençóis, com seus dois filhos sob ela, brincando assim, latindo, de ser a mamãe cachorro com seus cachorrinhos. Esta brincadeira foi inventada na Bretanha: a avó das crianças, viúva, vivia sozinha com uma cadela que tinha tido filhotes. E a mãe, divertindo-se com as crianças, inventou esta brincadeira que é o momento de alegria da semana para toda a família. O pai ri ao vê-los se divertirem assim, e ela não vê nenhum mal nisto. Ela fala de seu marido como uma menininha que fala de um adulto de sexo neutro. Ela diz ter sido muito selvagem quando conheceu seu marido, tímida com os meninos e pouco loquaz com as meninas conhecendo apenas uma companheira de sua cidade natal, empregada doméstica como ela; e isto até conhecer seu marido, quando então este se tornou tudo para ela. Entende-se muito bem com seu colegas de ateliê, que são para ela como uma segunda família.

Quanto às relações sexuais, estas lhe são indiferentes; o que ela gosta é de ser acarinhada, de abraçar seu marido tão gentil com ela. Suas gestações se passaram bem, amamentou integralmente seus filhos durante quase um ano, segundo o hábito na Bretanha, e ela os levava para toda parte, sempre, com ela, até o momento em que eles estavam muito pesados para serem carregados; mais tarde, os levava no carrinho.

Ao longo das duas primeiras sessões Léon me parece embrutecido e mudo, ou quase, diante de seu desenho. Se lhe faço alguma pergunta sobre seu desenho ou sobre o que sua mãe me disse, diante dele, dizendo respeito a ele, Léon não responde. É apenas na quarta sessão que compreendo o que se passa. Eu teria podido compreender desde a terceira, mas só pude compreender na quarta, e de forma ainda mais clara, na quinta: de fato, Léon responde oito dias depois, chegando à sessão, às perguntas que lhe fiz oito dias antes. Quando entendi isto, dizendo a ele, parabenizando-o por não responder antes de ter refletido bem, pois isto é um sinal de inteligência, seus olhos redondos um pouco globulosos e inexpressivos até então, puseram-se a brilhar e a expressar alegria. Eu lhe peço então que faça uma modelagem. Ele parece não ter ouvido. (Estamos na quarta sessão.) Quando ele chega à quinta, sempre com o mesmo desenho e com o mesmo comportamento – se agarrar nas paredes e de estatelar sobre a mesa – imediatamente pega a massa de modelar e modela alguns pedaços dela: quatro morcelas rigorosamente do mesmo tamanho, as quais ele coloca sobre a mesa, uma ao lado da outra; ele se detém nisto. Eu o parabenizo e lhe digo que, certamente, ele tem em seu coração algo que, ele procura me dizer através desta modelagem: talvez, que eles são quatro em casa, quatro parecidos, da mesma família; mas, talvez, ele tenha uma outra ideia. Na semana seguinte, ele chega como sempre lentamente e agarrado à parede, e com o mesmo desenho. Em um silêncio total, ele retoma a modelagem e sua ideia das quatro morcelas do mesmo tamanho que ele refaz exatamente como na sessão anterior; depois, após tê-las contemplado, ele continua a fazer duas morcelas do mesmo tamanho, porém mais finas, sendo que ele continua largado sobre a mesa, os antebraços completamente apoiados e as mãos em parte. Em seguida, ele tenta reunir estes seis pedaços cilíndricos, estes seis objetos parciais, sem que eu compreenda o que ele está tentando fazer. De minha parte declaro que, certamente, ele está tentando fazer alguma coisa e dizer algo através deste fazer; eu não compreendo o quê, mas desejo compreendê-lo e, talvez, poderemos saber melhor da próxima vez. Um intenso olhar em resposta. Na semana seguinte, ele se apresenta da mesma maneira quanto ao seu ritmo motor, mas desta vez apenas tocando a parede até o pequeno espaço a ser atravessado para chegar à mesa, espaço este que ele atravessa afetivamente, sem colocar sua mão sobre a mesa antes de se sentar, para se apoiar nela como havia feito todas as vezes anteriores. Seu desenho é diferente, é um barco, tão geométrico e vazio quanto o era a casa, mas o *n* espalhado que estava no céu quando Léon me desenhava uma casa, agora está sob o barco (representando, sem dúvida, a água); Léon não me diz uma palavra e logo se põe a modelar. Com a ajuda dos mesmos elementos que utilizava anteriormente, modelando bastante rapidamente as morcelas cilíndricas, e acrescentando ali uma placa razoavelmente bem-feita, constrói um assento, e uma placa para o encosto, dizendo-me: "É-uma-cadeira", escandindo as sílabas. Pergunto se a cadeira está contente com seu destino de cadeira, se ele a fez para alguém. Nenhuma resposta, nem para a primeira, nem para a segunda pergunta. Na semana seguinte, ele chega com um desenho do mesmo barco que a vez anterior, mas, desta vez, a página não é suficiente para conter o barco. A frente e a traseira, assim como alto do triângulo das velas, estão fora do quadro da página. O casco do barco chega aos limites do pé da página, assim como as casas dos primeiros desenhos. Ele reencontra alguns elementos da cadeira na caixa de modelagem, os retoma e completa lentamente o objeto com cuidado. "E a cadeira", diz Léon; depois, após um silêncio durante o qual ele olha alternadamente para o objeto e para mim, ele me diz: "Ela está contente de ser uma cadeira". (É a resposta à minha pergunta da última vez.) Eu digo: "Será que ela espera alguém? –Sim. –Então, talvez alguém irá se sentar em cima?" Neste momento, ele começa a fazer um homem. Uma massa ovoide, bem lisa; uma bola cefálica lhe é acoplada, depois dois colombinos com as pernas dobradas. Depois um "chapéu", placa triangular pontuda ao alto, como o triângulo das velas do barco, acoplado à bola cefálica. E, sobre a face anterior desta, ele cola duas bolinhas, à guisa de olhos e, no espaço que as separa, enfia um lápis em um buraco, como o nariz-

250 A IMAGEM INCONSCIENTE DO CORPO

-boca. Nada de orelhas, nem cabelos, nem pescoço, nem braços. Ele coloca o homem deitado no chão, diante da cadeira. "O que é isso?". Nada de resposta. "Um homem?... Você? – Sim. – Você quer sentar na tua cadeira?". Nenhuma resposta. "A cadeira quer que você se sente nela?". Sem dizer nada, ele senta o homem sobre a cadeira e, dobrando as duas pernas, as fazem tocar o solo diante dos pés da cadeira; depois, ele apoia fortemente as costas do homem no encosto da cadeira. "Será que o homem está contente? –Sim". Comtemplamos, ambos, longamente, em silêncio, o objeto que ele construiu. Eu: "O que ele está pensando, este homem?". Nenhuma resposta. "Ele é amigo da cadeira?". Nenhuma resposta. "A cadeira está contente? – Oh, sim", diz Léon rapidamente com um tom de convicção. E ele acrescenta: "Ela está mais contente do que o homem". Eu o observo interrogativamente. "Sim, quando ele partir, ela ficará com as costas do homem, e ele não terá mais costas". Ele esboça um leve sorriso sarcástico. Eu lhe pergunto: "Mas, será que ela ficará com sua cabeça, com seu traseiro e suas pernas?". Nenhuma resposta, mas uma mímica que me parece ser a de uma criança sobre seu penico, que faz força para defecar, inchando seu ventre. Fim da sessão, sem palavras.

Na semana seguinte, a mãe pede para falar sozinha comigo; vieram de manhãzinha, em um dia daquela semana, prender seu marido; felizmente, ele estava escondido no buraco do jardim, e não o encontraram. Não o procuraram ali. Fizeram perguntas, a ela e às crianças, que foram acordadas e obrigadas a levantar. Ela disse aquilo que era conveniente dizer: que seu marido tinha partido para uma zona livre e que ela não tinha notícias dele. Fizeram perguntas às crianças, elas não responderam, estavam mal acordadas. Fizeram Léon tirar as roupas, ela não sabe por quê. E disseram-lhe que ela tinha o direito de se divorciar. Perguntaram às crianças onde estava seu pai. Elas disseram que não sabiam. Desde então, Léon está com desarranjo intestinal. Ele defecou na cama, vomitou após a passagem da polícia e teve diarreia durante todo o dia. Eu pergunto: "Não teria ele já começado esta diarreia antes da visita da polícia?". (Eu me recordo de sua mímica de defecação e minha perplexidade sobre o que aquilo poderia significar.) "Sim, me diz a mãe, a senhora tem razão. No dia seguinte da última sessão, ele começou com a diarreia". E isto, fato que a surpreendeu, não ocorreu durante o dia, mas sim na cama. Em contrapartida, ele só vomitou após a passagem dos alemães, e é também desde então que, durante estes três dias, ele faz xixi na cama. Ela me especifica, então, que ele adquiriu a higiene extremamente cedo, pois ela foi muito atenta a isto, sendo que ela sempre trocou seus bebês logo que estivessem molhados para evitar o frio assassino no ventre dos bebês (seus irmãos e irmãs morreram em tenra idade). Eu lhe pergunto se ela sabe por que os soldados alemães fizeram com que seu filho se despisse. "Não". Eu lhe explico então que era para ver se Léon era circuncisado. Ela ignora simultaneamente o fato e o termo. Não teria ela notado que seu marido era circuncisado? Não, mas ela não sabe como "isto" é feito nos homens (ela quer dizer o pênis). Ela se recorda que, quando eles tiveram sua primeira relação sexual, seu marido lhe disse que ela podia olhar, mas era necessário que ela soubesse que ele era judeu. Ela lhe respondeu que não sabia o que era isto, mas que este fato não mudava nada, pois ela o amava. E, até a ocasião do porte obrigatório da estrela amarela, que ele teve que aceitar pois era judeu, ela não soube nada mais a respeito e sempre ignorou o rito da circuncisão. "Ah, foi, então, por isso que o despiram! Era para ver! Pois eles me perguntaram se as crianças eram judias, e eu respondi que meu marido era francês, que eu era francesa e que as crianças também". De fato, seu marido, como muitos judeus, acreditou-se como cidadão protegido pela França, já que era naturalizado, e que até mesmo tinha sido mobilizado para defender o país. Ela acrescenta, então, que, diante do risco de detenção, o pai partiu efetivamente para tentar passar para uma zona livre e, se ele encontrasse ali um lugar para se estabelecer, ela iria ao seu encontro com as crianças.

A mãe parte. Léon chega, parece muito cansado. Ele vai diretamente da porta à cadeira, sem se apoiar na parede, não se estatela nem sobre a cadeira nem sobre a mesa. Ele permanece sentado normalmente, me olha. Nada de desenho, nada de modelagem. Eu lhe conto sobre o que sua mãe me disse. León me conta que seu pai partiu "de verdade", e que irá a seu encontro, com sua mãe e sua irmã, quando o pai tiver encontrado uma casa em um lugar onde não há guerra. Eu lhe falo sobre sua modelagem da última vez, e sobre o encosto da cadeira que iria ficar com as costas do menino. Ele me conta então aquilo que a mãe já me tinha dito, quando eu lhe falava, na ocasião das primeiras sessões – e, frequentemente, quando eu falava com ela sozinha, pois Léon, em função de sua lentidão e do desenho que elaborava, a deixava sozinha por um momento, comigo. "Quando eu era pequeno e minha irmã também, mamãe queria que a gente ficasse sobre o penico e ela nos amarrava". Ele gostava disto? Ele não sabe se gostava disto, mas sua irmã não gostava. Ela gritou

252   A IMAGEM INCONSCIENTE DO CORPO

tanto que a mãe não fez isto com ela: a irmãzinha não foi amarrada; então, para ele, sua mãe também não fez mais aquilo. Ele
se lembraria em que idade isto ocorreu? Deveria ser aos quatro
ou cinco anos, na Bretanha, segundo o que ele me disse ou, pelo
menos, segundo o que entendo daquilo que ele me disse. Eu entendo, sobretudo, que a avó não queria que a menina gritasse, e
é por isso que a mamãe não fez mais aquilo com ela. E então,
para ele que, no entanto, não gritava, fizeram o mesmo. Era, sem
dúvida, o verão em que começou o rito da cadela e dos cachorrinhos. Eu lhe falo de seu recente xixi na cama. "Mamãe diz que
foi porque os soldados vieram buscar papai e que eles me ate-
morizaram. –É verdade isto? Você teve medo?". Ele não sabe. "O
que os soldados queriam? – Eles queriam ver meu pipi", diz ele
com uma mímica um pouco perturbada. Eu lhe explico, então,
sobre a circuncisão, que prova que o homem ou o menino é judeu, ou não. Se for judeu, é circuncisado, é a mesma coisa que o
batismo, mas pode ser visto. Retira-se dos garotinhos a pelinha
que existe na ponta do pipi – para o qual eu dou o verdadeiro
nome de pênis, assim como, à pelinha, o verdadeiro nome de
prepúcio – e esta pelinha serve para recobrir a ponta do pênis
– à qual eu dou o verdadeiro nome de glande. Eu digo que, neste
dia, na família de seu pai, do pai de seu pai etc., dá-se o nome ao
menino. E uma festa como o batismo na família de sua mãe, na
Bretanha. Quando ele foi batizado na igreja com sua irmã, seu
pai não estava lá, porque ele era soldado; mas ele tinha escrito
que estava de acordo com que Léon e sua irmã fossem batizados
como cristãos. Naquele dia, não cortaram nada de seu pênis,
apenas colocaram água sobre suas cabeças, e lhes disseram seus
nomes. Aproveito a ocasião, tendo falado do pênis e do prepúcio,
para falar da ereção do pênis, e vejo, então, Léon me escutar com
muita atenção. Observo nesta sessão que, falando da partida de
seu pai e do fato de que os alemães o despiram, seu ritmo verbal
se tornou quase normal, com, em certos momentos, pequenos
silêncios como se estivesse siderado, com um ar indiferente: um
pouco como um gago que se interrompe antes de encontrar a
palavra que lhe permite recomeçar em sua frase. Eu mesma me
calo, após ter falado do pênis e da circuncisão e em seguida digo:
"Você sabe a diferença que existe entre as meninas e os meninos?". Ele me responde: "As mamães têm mamas, as meninas não
têm e os papais tampouco. – E você, tem? – Eu, sim, eu tenho
um pouco de mamas, mais do que minha irmã, mas não tanto
quanto minha mãe. – E você não notou que sua irmã não pode
fazer xixi como você? Que ela não é feita como você ali?" Ele me

responde: "Não, têm pelos que escondem, só que os papais têm pelos sobre o ventre[73] e também sobre o rosto, e eles não têm cabelos loiros como as meninas".

A cor dos cabelos? Sua irmã era loira como sua mãe, ele, castanho como seu pai que era moreno (e que tivera, dizia ele, a sua cor de cabelos quando era pequeno). Ela se tornará moreno quando crescer. Eu lhe digo com palavras precisas a realidade da diferença sexual, a ausência de pênis nas meninas e nas mulheres, pergunto-lhe o que sabe a respeito disto tudo, o que pode dizer disto. Ele me responde que acha tudo bem que não cresça em sua irmãzinha, mas quanto à sua mãe... ele pensava que ela tivesse um. Ela não lhe tinha dito isto. Será que ele lhe tinha perguntado? "Não, eu não lhe tinha perguntado. Mas as vacas, elas têm quatro, com leite para ordenhar. Mas não é igual às cabras, que têm dois, eu acho. As cadelas são como as mamães. Elas não têm pelos, ali". Ele mostra o lugar de seu umbigo, no centro de seu ventre. "Elas têm muitos filhotes e é preciso, para alimentá-los, muitas mamas sobre seu ventre, mas, depois, os afogam".

Eu cito o texto exato, o qual escrevo à medida em que ele vai falando, em um ritmo normal. Assistimos a um transbordar de palavras, como um transbordar excremencial, poderíamos dizer, concernente aos fantasmas de imagens do corpo confusas e disparatadas. Tudo isto partindo de um assento, de um móvel, e de umas costas coisificadas. As modelagens recobriam ideias vagas e angustiantes de rapto, de castração, confundindo sexo, pelos, mamilos, umbigo e julgamentos morais. Tudo bem que sua irmã não tenha pipi, nem mamas, tudo bem que ela seja como sua mãe, inacreditável que sua mãe não tenha pênis, mas, no entanto, tem mamilos.

O tratamento se aproxima do fim. Eu tenho consciência disto, pelo menos eu o espero para esta família, já que ela deve, em breve, partir para uma zona livre, se o pai conseguir ultrapassar a linha demarcatória, como eu desejo. Ao longo das sessões seguintes, a mãe vem deliberadamente sozinha antes de Léon, para me falar das perguntas que eu aconselhei seu filho a lhe fazer. Após a nossa conversa, de fato, eu disse a Léon que falasse com sua mãe sobre tudo o que tínhamos falado. Ela ficou embaraçada com isto. Ela não sabe como falar de perguntas como estas. Fazemos, então, uma sessão a três, a mãe, Léon e eu, ele e ela se falando, e ela me pedindo com o olhar para ajudá-la

---

73. Ventre confundido com tórax, como no corpo ovoide indiferenciado do homem da modelagem.

A IMAGEM INCONSCIENTE DO CORPO

a responder. Genitura, a de Léon, ereção, concepção, gravidez, nascimento, o de Léon, aleitamento, o seu, nascimento de sua irmãzinha, conformação sexual das meninas e das mulheres adultas, futuro social para cada um deles, ele e sua irmã, proibição do incesto nos humanos: se passou por tudo isto, através da associação de palavras ou de ideias. No momento em que o incesto estava em questão, a mãe interveio para falar da cadela na casa da avó, na Bretanha. Léon, lhe cortando a palavra: "Sim, ela teve filhotes com seu filho cão". Isto me permite explicar que aquilo que se faz entre os animais não se deve fazer entre os humanos. Léon me diz então que seu professor de piano não é casado, que ele é casado com a música, que ele lhe disse isto, e que é bem melhor assim. A mãe sorri, divertida. Eu respondo que, de toda a forma, ele é um homem, e que existem músicos, pianistas, que se casam com mulheres, mesmo que estejam também casados com a música e que têm filhos não com a música, mas com mulheres. Léon responde: "Mas, se se está casado, então, é preciso divorciar. São os alemães que disseram isto. Mas isto custa caro". Sua mãe o olha espantada[74]. Eu lhe digo que quando se ama como se amam seu pai e sua mãe, não se divorcia; que os alemães pronunciaram esta palavra porque eles acreditam que pessoas judias como seu pai, não é certo; e eu acrescento que é porque os alemães são bobos que eles dizem isto. Sua mamãe não irá se divorciar, e, em breve, eles reencontrarão seu pai que partiu para uma zona livre. Faço um rápido esboço do mapa da França, para lhe explicar o que significa zona ocupada, zona livre, linha de demarcação, todas estas palavras empregadas o tempo todo, ao nosso redor, naquela época.

Ao final da sessão sua mãe me pergunta se ela pode trazer sua filha, que gostaria de saber também as coisas como seu irmão, já que ela, a mãe, não sabe o que responder, já que nunca ensinaram nada a ela própria. Ela não sabe como dizê-lo. Léon está completamente de acordo quanto a que sua irmã venha. A sessão seguinte que, de fato, seria a última, se passou, então, com as duas crianças e a mãe. A menina está a par da ausência de pénis nas meninas e da maternidade. Mas ela ignora a penetração necessária à fecundação. Ela associa imediatamente com a cadela da avó e os coitos dos cães na rua, a respeito do que se falou entre coleguinhas. "Eles se montam em cima, ficam colados, não é

---

74. Seu casamento teria sido na Bretanha, se ela tivesse ido com seu marido e uma testemunha, um colega do ateliê, mas isso sairia muito caro; é por isso que eles se casaram em Paris, pagando a viagem à sua mãe.

bonito". Falo da proibição do incesto entre os humanos, o que a deixa em devaneio. Em seguida, eu a vejo trocar olhares furtivos e ternos com sua mãe. Esta lhe diz: "Te pegaram, você que sempre diz que irá se casar com papai!". Eu respondo: "Quando se é pequena, costuma se dizer isto, é de brincadeira, mas, ao crescer, se aprende a verdade. Tua mamãe não se casou com teu avô, o papai dela; teu pai não se casou com a mãe dele nem com a irmã" (falamos da irmã do pai, vimos sua foto). Ela ri, dizendo: "É, sem isso, não teríamos mamãe. – Exatamente, eu respondi, teus filhos, aqueles que você terá com um marido, que neste momento é um menino que você não conhece, tua mamãe será a avó deles, teu pai será o avô. E, se teu irmão se casar, bem, aí você será tia dos filhos de teu irmão e ele será o tio de teus filhos". Léon toma então a palavra, dizendo: "Eu nunca me casarei... sim, talvez... Se eu me casar será então com meu professor de piano. Ou então, eu serei...". Ele não continuou porque sua irmãzinha se pôs a rir: "Isto não pode, um senhor que se casa com um senhor. Um senhor sempre se casa com uma senhora. – Sim, diz Léon, então eu farei como ele, eu me casarei com a música". Eu respondo: "Sim, talvez". E a irmã, furiosa: "Ora vamos, não, não é justo, a música não é uma senhora, porque, eu, eu quero ser tia, então será preciso que você se case, sem isso eu não poderei ser tia, a música não pode fazer crianças!". As duas crianças discutem sobre isto, a mãe sorri, divertida, despedimo-nos e a família parte.

Recebi uma carta da mãe contando que ela tinha muito trabalho, que ela estava muito ocupada para trazer Léon; ela preparava suas bagagens. Ela ia partir para a zona livre onde seu marido havia encontrado trabalho e moradia para eles. Léon ia muito bem. Os colegas do ateliê o achavam transformado; a carta continuava contando-me detalhadamente a respeito disto. Na escola, ele começava a ler bem, escrever e contar, tendo boas notas a cada vez. Ele se divertia em saltar de um pé só, começava a brincar de bola e a correr. A carta prosseguia ainda: certo dia, a mãe teve muito medo ao voltar para casa, não encontrando seus filhos; ela os encontrou escondidos no buraco do jardim; era uma brincadeira que fizeram com ela. Continuava falando sobre sua pressa de encontrar seu marido e concluía me agradecendo: deveria se dizer às mães que não é possível que os médicos não tenham encontrado mais cedo aquilo que ele tinha e que o fazia diferente dos outros; e acrescentava que ela não brincava mais de cadela com os filhotes (seguindo minhas recomendações), e isto a privava um pouco, mas ela tinha entendido o que eu lhe tinha dito, e que era para o bem de seus filhos. Seu marido e seus filhos eram tudo para ela e ela queria fazer de tudo para torná--los saudáveis e felizes.

Relatei o caso de Léon, completamente, em seus detalhes, a fim de fazer entender como a psicanálise de crianças permite captar a função inconsciente, organizadora, da simbólica de seu corpo em ação desde a idade oral e anal da libido, antes de qualquer reflexividade consciente, e também compreender como o narcisismo deste homem ou desta mulher a devir investe seu futuro pessoal, que depende, portanto, da maneira pela qual a criança é maternada e educada, bem antes de conhecer as particularidades da diferença sexual. Vemos muito claramente aqui os estragos que seguiram, para o desejo, a constituição da imagem do corpo e seus efeitos sobre a aparência externa do esquema corporal de Léon, os estragos desta educação magnetizante de uma criança amarrada em seu assento. Esta imagem do corpo de um sujeito cujo desejo era proibido à motricidade, atuou sobre o próprio esquema corporal, inibindo potencialidades neurológicas saudáveis, que no entanto permaneceram intactas. A motricidade, a agilidade das partes distais, mãos, dedos, laringe, olhos, pés, era possível, mas não a coesão das imagens entre si, e, portanto, o tônus articulado do esquema corporal. No mais, vendo, inicialmente, Léon tornar ausentes o encosto e o assento em sua representação de uma cadeira, sendo a ilustração de sua própria ausência de assento e de costas em seu esquema corporal, compreendemos que esta criança que nunca teve brinquedos a seu alcance e que, amarrado à sua cadeira, apenas viu os adultos viverem, desenvolveu uma debilidade mental aparente, ideativa, verbal e corporal; mas, conservou e até mesmo desenvolveu, a exemplo dos adultos, uma agilidade potencial de seus dedos, ao ver trabalhar, costurar, todas estas mãos hábeis no ateliê de confecção, e ao introjetar aquilo que via. Observamos, neste caso, como a mesma educação foi recebida e integrada com estragos pelo menino e não pela menina trinta meses mais jovem do que ele. Ela tampouco podia ainda resolver o Édipo, mas, pelo menos, ela o tinha colocado. Por "colocar o Édipo", quero dizer: fantasiar o casamento incestuoso com seu pai, enquanto que Léon nem mesmo tinha colocado seu Édipo, em decorrência de uma identificação canina, um cãozinho, como sua irmã, de uma mãe cadela, sem dúvida incestuosa imaginária em relação a este genitor amado, seu marido, o pai de seus filhos, mas enquanto homem não sexualmente desejado.

PATOLOGIA DAS IMAGENS DO CORPO E CLÍNICA ANALÍTICA   257

E, depois, o que eu ainda não disse, é que se tinha acrescentado a tudo isto a mutilação do patronímico paterno. Foi a mãe quem me contou isto, não sei dizer em que sessão. Constava até mesmo no relatório. "Fulano", quer dizer "Fulano". Dizíamos, de fato, coloquemos "Karpo" no lugar de Karpocztski, e talvez seja até mesmo mais complicado que isto. A mãe não podia pronunciar exatamente o nome legal de seu marido. Léon tinha ouvido este nome diferente daquele que ele conhecia, sempre e somente na chamada de seu sobrenome na escola, e isto, desde o primeiro dia na escola, na Bretanha, e não na maternal de Paris, onde se costumava chamar as crianças por seus primeiros nomes. No ateliê, na vida cotidiana, seus pais e ele mesmo, seus colegas, na escola, pronunciavam as duas primeiras sílabas do patronímico paterno, sendo o sobrenome inteiro considerado muito complicado para ser dito por bocas francesas. É provável que esta mutilação do patronímico paterno e a revelação que ele tinha recebido na escola acrescentaram seu impacto simbolicamente mutilador à confusão imaginária relativa, em Léon, à diferença sexual, em relação à qual ele não tinha recebido uma castração humanizante. Isto deve ter superdeterminado uma simbólica de enfraquecimento conduzindo à identificação de um sujeito humano com um semi-indivíduo feminino ou assexuado, mamífero, sendo a cor dos cabelos o único caráter de seu próprio corpo que é semelhante ao de seu pai. A brincadeira da cadela e dos filhotes, que existia desde há muito tempo, pelo menos há três anos, todos os domingos, se prolongava desde aquele famoso verão do batismo, no momento em que a irmã o vivenciava com ele e sua mãe, na ausência do pai. Foi naquele ano que eles tinham se separado do pai, mobilizado durante mais de um ano até o final de 1940. A brincadeira tinha feito com que a mãe perenizasse esta identificação canina da época, quando a cadela da avó tinha tido filhotes que eram ditos filhos de seu filho. Isto deu, na relação familiar de Léon com sua mãe, que naquela ocasião estava sozinha com eles, sem presença de homem, a autorização imaginária do incesto, mas sem que Léon falasse a respeito. Ele deslocou estes fantasmas sobre a cadeira, lentamente construída de elementos de forma fálica reunidos, e que, tomando posse do homem de massa de modelar (que, prudentemente tinha hesitado em se entregar a ela), tinha um prazer sádico em despojá-lo de suas costas e sua bacia. É através de associações referentes ao papai que não devia sabê-lo – (vocês conhecem a música de marcha que cantam todas as crianças desde o maternal *J'ai perdu le do de ma clarinette, ah, si Papa, y savait ça?* (eu perdi o dó de minha clarineta, oh, sim Papai, sabia disto?)* – que compreendi que este fato devia ter uma relação com o Édipo, mas isso não foi explicitado nem por ele nem por mim. Vemos como, em psicanálise de crianças, aquilo que se exprime pela modelagem, pelo desenho, algumas palavras e associações que a criança acrescenta a eles, dá valor de sonhado àquilo que é dito em sessão; e que podemos decodificar, como em um sonho, o trabalho do inconsciente que, na ocasião do encontro de um psicanalisado (o terapeuta), expõe sua problemática, enquanto que o terapeuta, colocando ele também seu inconsciente a serviço do tratamento, associa livremente. É apenas através da agilidade de seus dedos e das vocalizações da laringe em um *tempo* rápido de canções sem palavras que o narcisismo de menino de Léon, sujeito de seu desejo, não ainda proibido antes do desmame, com um ano, nas manifestações de suas pulsões ativas, se defendeu em sua integridade de futuro homem. A sexualidade oral de Léon, indo em direção da genitalidade futura, tinha sido bloqueada, quase que totalmente, no momento do desmame, ao mesmo tempo que a eclosão da libido anal, em decorrência da contenção imposta às suas mãos e seus braços, depois a seu corpo todo. Ele tinha sido bloqueado em todas as articulações labiais, dentais, a coluna de ar fálica laringo-traquial. Sua sexualidade anal não tinha investido as pulsões fálicas ativas em seu corpo, no esquema corporal esqueleto-muscular. Esta prevalência das pulsões passivas tinha inibido a tonicidade das articulações escápulo-humerais, sacro-ilíacas, ancas e joelhos, dando esta ausência de estrutura vertical que, à primeira vista, poderia ser dita consequência de uma espécie de miopatia orgânica. Seu falar bizarro lhe permitia não se identificar, nem ao falar com sotaque de seu pai, nem à maneira de falar das mulheres, sua mãe e sua irmã: ele resistia inconscientemente, assim, à identificação feminina. Mas tudo devia se cristalizar: simultaneamente na articulação ativa de sua inteligência, no articulado vocal, lingual e bucal, e na junção a ser feita entre suas percepções óticas e seu falar, para pronunciar os fonemas das letras ou das notas que ele podia ler. Ele não podia nem ler nem escrever, segundo a professora; mas é provável que, com paciência, teriam podido lhe permitir conhecer as letras, ler com os olhos, sem a pronúncia dos fonemas, como seu professor tinha notado que ele fazia quanto às notas de música cuja representação gráfica, decodificada por seus olhos, passava diretamente pelo intermédio de seus dedos à execução sobre o

---

* Do (nota musical) e *Dos* (costas) são homônimas homófonas. (N. da T.)

piano. Em suma, seu narcisismo fundamental tinha permanecido marcado por uma ética oral passiva ou quase, mas Léon, sujeito, guardava um desejo masculino em sua relação com o mundo, com as coisas e no espaço. Sua relação nas trocas interpessoais era quase que uma relação coisificada, que o desenho estereotipado da casa ilustrava. O efeito da reeducação só podia obsessionalizá-lo ainda mais em uma inibição invasiva. Seu esquema corporal era invalidado por uma imagem do corpo onde, para ser valioso para sua mãe, ele devia aceitar ser seu objeto parcial erótico, oral ou anal, ou seja, fragmentado, sendo que os pedaços eram mantidos juntos através de um assento exterior oralmente raptor. Ele era obrigado, para manter os pedaços coesos, para manter inteiro este esquema corporal, encontrar constantemente um apoio mutável, coisa ou pessoa, um tutor físico, exterior a seu corpo, prestes a se desfazer como um quebra-cabeças.

Através deste caso clínico, compreendemos como o assento que, inicialmente, no embrião, é uma região caudal, se torna sucessivamente uma região emissora de urinas *in utero*, depois uma região uro-excrementicial e genital, depois a região de um tônus específico da verticalidade para o esquema corporal da cintura pélvica, com seus dois brotos que são os membros inferiores, de início, não-funcionais. Depois, nesta região da bacia, prossegue a focalização uro-genital, imagem de necessidades, e a terceira focalização, a do sexo no menino, sob forma de terceiro membro, peniano, que de início, não tem outras sensações substanciais que não funcionais – urinárias no menino. E, no entanto, o pênis é eréctil ao longo da micção urinaria dos meninos até aproximadamente vinte e oito ou trinta meses. Então, em alguns dias, em decorrência do desenvolvimento do órgão denominado *veru-montanum*, o pênis em comunicação com a bexiga é frouxo enquanto que está em ereção quando se comunica com as vesículas seminais no momento de seu desenvolvimento não-funcional. Tanto a necessidade, no início da vida, até os vinte e oito ou trinta meses, quanto o desejo genital, são, portanto, acompanhados de uma imagem peniana eréctil no menino. Na menina, o visível sinal de suas sensações sexuais, o pênis, este terceiro membro inferior dos meninos, é ausente. Mas a função urinária é presente. O clitóris e a vulva são órgãos erécteis, um fálico o outro orbicular na entrada da vagina; são invisivelmente sensíveis nos encontros da menina com outras pessoas que suscitam nela uma atração afetiva ou física. A função urinaria excrementicial pode ser confundida com a função anal. Aliás, na linguagem, as mães falam frequentemente do traseiro "pequeno" e "grande": a "pequena" e "grande" *comission**. Afora o olfato, que diferencia bem a emissão de urina daquela das fezes, as crianças são habilitadas a não fazer, na linguagem, a diferença entre defecação, micção e a função sexual. O assento pode se obsessionalizar, tornando-se como uma coisa estática, se a postura sentada for durante muito tempo imposta aos bebês, os quais devem, para que o esquema corporal se torne dinâmico e motor, experimentar progressivamente no espaço a agilidade que se tornou possível graças a seu desenvolvimento neuromuscular. É-lhes necessário deslocar, empurrar, puxar, objetos, móveis, e pegar, trocar de lugar objetos preensíveis, jogá-los, pegá-los novamente, mostrarem-se donos destes objetos parciais no espaço exterior a seu corpo. Este domínio dos objetos exteriores, associados aos adultos, é um deslocamento do domínio dos objetos parciais digestivos do espaço interior, alimento, fezes, urina. Quando o desenvolvimento da medula espinhal lhes permite, é preciso que as crianças de ambos os sexos se sentem, se arrastem, desloquem seu corpo sobre seu assento, mais tarde, engatinhem; e, quando sua cauda equina, ao se desenvolver, dá os referenciais sensório-motores, graças à conclusão das terminações nervosas finas dos pés e do períneo, é o prazer da deambulação, engatinhando, depois sobre os dois pés, empurrando uma cadeira ou se apoiando sobre um suporte fixo antes de largá-lo para andar, depois correr, trepar, e fazer acrobacias unicamente por prazer.

Em Léon, criança passiva, com os tecidos infiltrados, a representação de mamíferos, cães de quatro, não autorizam a verticalidade. Esta representação estava situada na inclusão, no calor da mãe no ninho da cama com a irmãzinha, o todo concomitante com uma imagem de sexualidade incestuosa e fecunda de filho cão com sua mãe cadela. Esta maternidade da cadela, que dá a luz a seus cãezinhos, sua amamentação, que ele observou, assim como ele pôde observar sua mãe amamentando sua irmã, estas imagens escópicas conscientes registradas em sua memória não eram, portanto, totalmente estranhas às referências humanas; mas a simbolização humana estava ali enredada em todos os estágios. O estágio oral e o estágio anal da bacia faziam dele um objeto parcial aditivo (o trazer o alimento) ou subtrativo (o retirar excrementicial), ambos associados às operações de adição ou de subtração que o cálculo simboliza. O que teria permi-

---

* *Petite-grosse comission*: expressões utilizadas para designar, para as crianças, o ir fazer xixi ou cocô respectivamente. (N. da T.)

tido a leitura e o cálculo era invalidado pelo despedaçamento da imagem do corpo e seu efeito sobre o esquema corporal. O estágio urogenital era confundido com a imagem de base ventral e caudal estáticas (o pelo dos homens, suposto, em seu umbigo, nomeado ventre). Ventres, os outros tinha um, as mamães e os papais, mas ele não.

O conjunto cintura escapular-cintura pélvica reunidos pela coluna vertebral constitui o articulado coeso e o tônus imaginável do esquema corporal. Ora, nesta criança houve apenas fragmentações impeditivas da coesão que se adquire através das experiências da deambulação e do jogo livre de um corpo que constrói, através de fracassos e sucessos, a possibilidade de falar este corpo e de se fazer uma representação do esquema corporal; este é um abstrato pré-consciente e consciente dos poderes reais atuais do corpo animado, enquanto "Eu", têmporo-espacial dentre os outros, você. O estágio oral, para Léon, estava ligado aos mamilos supostamente penianos e ao ventre lactífero da cadela ("Mas depois, afogamos os cãezinhos"). O sujeito humano era, aliás, confundido pela própria mãe com uma entidade animal fálica, a cadela, tendo um filho cão, pai de seus próprios cãezinhos; a mãe brincava de se identificar com os cães e as crianças endossavam o fantasma da mãe.

Quanto a seu pai, para Léon, ele estava reduzido à significância fragmentada das primeiras sílabas de seu patronímico e ao falar estrangeiro que justificava vagamente, associada à nudez do menino provocada pelos alemães e ao fato de que um judeu deveria se divorciar segundo a Lei, como o policial que veio prender seu pai havia dito à sua mãe. Este homem que, através de seu dizer, havia desencadeado a reação de não-controle esfincteriano, teria talvez induzido Léon cachorrinho a se afogar em seu xixi noturno. Ele não tinha lhe causado medo, não, mas dissera que o acasalamento temporário de sua mãe-fêmea com seu pai – judeu mais do que homem, mas macho com a mãe fêmea – devia terminar. Seu pai, preparando o café da manhã de domingo, poderia passar por um educador de crianças incestuosas cachorrinhos. É necessário dizer que Léon não conhecera seu avô materno, sendo que a avó bretã era viúva há muito tempo. A imago masculina e paterna não era, apesar do nascimento de sua irmã, genitalmente acasalada, sem dúvida, porque a mãe era frígida. Para Léon, a imago paterna masculina parecia guardada pelo professor de música, o único que permitia investir a motricidade dinâmica dos dedos sobre as teclas do piano, estes imensos dentes de um piano-coisa sonora, através do qual se manifestava o virtuosismo de Léon e a velocidade de seus olhos em decifrar a partitura: um papel onde as notas e os ritmos são impressos em duas pautas de cinco linhas paralelas, que se pode associar, talvez, aos cinco dedos da mão no esquema corporal, dedos que ele investia, fragmentados talvez, mas eficazes em seu excepcional prazer e talento para tocar piano. Era seu professor amado que o tinha reconhecido músico, que tinha cuidado dele e que estimava seus pais. Ele tinha permitido, enfim, ao sujeito de se expressar, atenuando sua fraqueza através do socorro de seu corpo àquele da criança cujos ombros e braços não eram capazes, sozinhos, de sustentar o peso dos antebraços, punhos e mãos. O restabelecimento completo deste menino de oito anos se fez através da transferência sobre mim, sobre mim associada, na situação, a três (eu, ele, sua mãe), depois, com a carta de seu professor de piano em uma outra situação a três (eu, ele, seu professor). Enfim, comigo, ele, sua irmã e sua mãe, fora uma situação a quatro onde se falava do pai e do perigo para ele de se deslocar, razão pela qual ele não pudera me conhecer; porém, ele se interessava muito por seus filhos e em particular por seu filho, e pelas idas e vindas para seu tratamento, que sua mãe retirava de seu tempo de trabalho, a fim de acompanhá-lo.

O restabelecimento de Léon diz, mais do que muitas teorias, sobre o esquema corporal enfraquecido de um organismo neurologicamente íntegro, e sobre a maneira pela qual a imagem inconsciente do corpo pode estar na origem deste desregramento simbólico do funcionamento de um corpo, que o desejo de menino de dominante que se torna fálico no estágio genital não pode investir sem perigo para a ética elaborada a partir das relações intersubjetivas da primeira infância.

Vimos que, para Léon, a imagem do corpo:

1. Não tinha referência humana clara;

2. Estava fragmentada tanto no estágio oral como no anal passivo; não houve nem castração oral (no entanto, ele tinha sido desmamado) nem castração anal, seguidas de simbolização das pulsões doravante proibidas na expressão corpo a corpo;

3. Esta imagem do corpo era genitalmente ambígua, para não dizer ausente. É certo que o trabalho psicanalítico fez, neste sentido, muito mais do que qualquer internação em IMP (Instituição médico-pedagógico) e conhecidas reeducações especializadas.

O que existe de psicanalítico (diferindo de uma psicoterapia reeducativa psicomotora) na história que relatamos é que foi o próprio Léon que disse as palavras e significou pela linguagem aquilo que permitiria, através da transferência, que nele o sujeito reencontrasse seu desejo. O psicanalista nada sabia do prazer passivo masoquista, simultaneamente fascinante e temido, que tomou Léon e que o havia sustentado em vida. É a expressão sádica de seu sorriso e a rapidez de sua reação para dizer o prazer raptor experimentado por uma coisa em detrimento de um ser vivo, foi esta a guinada de seu tratamento.

É sempre assim, qualquer que seja o caso que vem até nós, e mesmo se tivermos clarões sobre as generalidades de uma imagem do corpo em um certo momento da evolução da criança. É o espírito de meu trabalho esclarecer os processos inconscientes de tal criança, na sua relação com tal mãe e com tal pai, e tentar colocar os psicanalistas, através de exemplos clínicos, em posição, desta mesma forma, de escutar os outros. De qualquer maneira, sobre a vivência de cada um, além destes processos comuns, nada sabemos a respeito. É ela, tal criança, ou ainda outra, que pode saber. Graças a estes trabalhos, o que ganhamos, talvez, é uma sensibilização à escuta, no amplo sentido do termo.

Qualquer que seja nosso saber adquirido pelo testemunho dos outros, nada substitui a observação de todos os nossos sentidos, daquilo que vem de tal ser humano. Sabemos, e um caso como o de Léon, apresentando um aspecto de embrutecimento, de debilidade, até mesmo de psicose, o prova que, por trás deste aspecto, o sujeito desejante está sempre ali. Ele busca comunicar-se com o sujeito presente, ali, em nós psicanalistas, que somos um outro desejante da espécie humana. Como se encontrar? Como estes dois pedaços da concha, que são estes dois interlocutores, irão se reconhecer? Como, simbolicamente, o psicanalista adulto e o paciente criança, que pedem e desejam, cada um por seu lado, se encontrar, podem chegar a fazê-lo?

O psicanalista só tem a informação de sua própria experiência de analisado, ex-analisando, de sua história e de suas dificuldades relacionais próprias, ao longo de sua história, aquela que ele pôde reencontrar e reviver com seu psicanalista. É por isso que a experiência que nós testemunhamos, uma vez psicanalistas, dos tratamentos de crianças é tão preciosa para cuidar das outras crianças em desenvolvimento. A linguagem pela qual se expressa o desejo de um pequeno em desenvolvimento, e a linguagem de uma criança pequena atingida por perturbações, que recupera sua ordem pela expressão das dificuldades relacionais passadas que ela revive com seu psicanalista no tratamento, é isto que nos serve de meio de trabalho e que permitiu estender a psicanálise ao tratamento de psicóticos e de crianças.

264 A IMAGEM INCONSCIENTE DO CORPO

Eu não sei o que teria sido de Léon em IMP, local de escolarização e de socialização onde o pessoal educativo é extremamente devotado e, frequentemente, até mesmo com informações de psicanálise, ou seja, tolerante em relação às formas de expressão das crianças pouco adequadas àquilo que a escola comum espera delas. Já vimos o fracasso e até mesmo o agravamento do estado de Léon, em vinte sessões de psicomotricidade. Penso que este caso nos prova a que ponto uma investigação psicanalítica é necessária antes de qualquer reeducação, mais do que após o seu fracasso, para qualquer criança que apresente um quociente intelectual fraco (Léon tinha 63 de QI, no teste, ora, ele tinha sido um bebê precoce), uma debilidade psíquica pelo menos aparente, um comportamento enfermo (sem que se possa revelar lesões orgânicas), uma linguagem verbal e motora aberrante. Uma investigação psicanalítica pela escuta dos pais, pelo tempo que for, é necessária, antes de decidir se a criança que seus pais levam ao psicanalista pede uma ajuda, sofre, se ela necessita ou não de uma educação especializada, conjunta ou não a um tratamento psicanalítico, e, sobretudo, se ela se beneficiaria de um afastamento de seus pais, para o qual devesse prepará-la, mesmo no caso onde os pais se beneficiariam da separação, e, senão eles, as outras crianças. Toda a família, os avós assim como os pais, são partes componentes na história de uma criança "malvivente". Isto não quer dizer que eles devam se sentir culpados. A mãe de Léon não tinha culpa nenhuma de tudo o que se tinha passado mas, no entanto, estava comprometida com isto, estando também em jogo a cumplicidade e a sensibilidade particular de Léon. Sua irmãzinha não tinha suportado a coerção de sua motricidade que sua mãe, acreditando fazer bem, queria lhe impor. A responsabilidade da entrada em uma perturbação do desenvolvimento não se restringe somente aos pais.

Por vezes, a conivência do desejo entre as crianças e seus pais pode perturbar o futuro da criança e, até mesmo, o futuro relacional dos pais com seu filho. E especificamente isto que a psicanalise permite estudar. Léon tinha sido armadilhado, "pervertido" é a verdadeira palavra, por seu amor pela mãe, sem dúvida porque ele era um menino; sua irmã não se deixou pegar neste sentido. Mas León tinha uma sensibilidade excepcional, uma inteligência intuitiva e reflexiva, potencialidades libidinais precoces, ricas em pulsões passivas, e Deus sabe como ele as explorou, estas pulsões passivas. Não terminaríamos de buscar e procurar razões para este armadilhamento de Léon neste "estatismo" angustiado de despedaçamento. O importante era: como ajudá-lo a encontrar uma saída fora desta gangue que oneraria sua comunicação? É o que a formação psicanalisando-psicanalista e o estudo analítico da relação de transferência podem permitir descobrir.

A partir disto, ainda uma vez, o que teria sido de Léon em uma instituição médico-pedagógica? Difícil de se prever. Mas isto parecia ser uma separação artificial e intolerável para ele, assim como para os seus. Léon teria sido mantido em uma IMP, todas as crianças aberrantes são acolhidas ali, e todas ou quase todas suscitam o interesse, o afeto, de adultos devotados à infância marginal; para cada uma destas crianças que, cada uma à sua maneira, é um barco bêbado, mal direcionado, encontra-se um adulto para tentar fazê-lo navegar. Mas que motivação teria tido Léon para sair do "fechamento" no qual se encontrava? O que seria de sua educação musical? Agredidas por crianças caracteriais, a fineza da sensibilidade de Léon e a lentidão de suas reações o teriam induzido a se fechar cada vez mais, e talvez, até mesmo, a gozar masoquisticamente com estas agressões.

O espírito educativo que preside o trabalho nas IMP se faz através de métodos que visam a utilizar nas crianças aquilo que lhes resta como possibilidade não ainda despertas, ou, talvez, não ainda recalcadas. O meio social afetivo pseudofamiliar, parafamiliar, tolerante, exerce sobre elas uma orientação esclarecida em um clima que se quer protetor. Algumas crianças, abandonadas, em família, por pais sem disponibilidade para elas, encontram ali uma atenção educativa na qual elas estão prontas a confiar imediatamente. A amizade personalizada das educadoras especializadas, a autoridade calma dos outros, dão novamente, às crianças que não acreditam mais nisto, confiança nos adultos, apoios e modelos para seu crescimento físico e seu desenvolvimento psicossocial. Fonoaudiologia, psicomotricidade, até mesmo psicoterapia de apoio ou outra qualquer, permitem às crianças comprometidas no fracasso escolar e na inaptidão de trocas afetivas um novo aprendizado de ser no mundo.

A criança inadaptada é supostamente carente do amor materno e paterno que a educação deveria ter lhe fornecido. A ideia da reeducação nestes lugares da vida e de cuidados é a de "consertar" os efeitos de um estrago sofrido anteriormente. Em uma IMP, age-se como se, com a mãe, aquela que alimenta, os primeiros "outros" da criança, que cuidaram dela, o elo relacional não teve a qualidade suficiente para o bom desenvolvimento comportamental e linguageiro da criança. É esta a hipótese de trabalho, e por que não? A educação na IMP visa criar um novo elo relacional da criança com os adultos, ou seja, a ela mesma que os toma como apoios e modelos de seu desenvolvimento. A equipe dos educadores elabora para cada criança um projeto pedagógico que o educador ou a educadora que cuidam dela mais especificamente tentam conduzir a bom termo. Este interesse personalizado atua como auxiliar das forças de desenvolvimento que permaneceram saudáveis na criança, forças que a relação afetiva de substituto parental assumido por este adulto visa a utilizar da melhor forma, para suscitar o esforço de adaptação da criança ao grupo do qual ela faz parte.

Mas o desejo desta criança, seu próprio desejo, tal como, desde seu nascimento, foi elaborado em harmonia ou em contraponto aos desejos de quem cuidava dela, é esquecido. Não se pode levar em conta este desejo. O passado é abandonado e, aqui, a criança supostamente parte da estaca zero. Não se leva em conta o desejo e sua estrutura passada; aliás, não se está em condições de levar em conta, nem de decodificar o papel patogênico do desejo da criança e de suas motivações, ou de sua aceitação inconsciente do fracasso e da marginalidade, não mais, aliás, do que de sua submissão a ser o objeto da solicitação médica e pedagógica.

O desejo de se comunicar diferentemente do que antes pode efetivamente ser suscitado em uma criança, como resposta ao apego de um educador à sua pessoa. Este tipo de motivação conduz à erotização das relações da criança com este adulto, que pode então mobilizar as novas pulsões libidinais tendo como base a transferência das relações anteriores. Para limitar a erotização, os educadores se empenham em tomar um papel parental, é claro, e inevitavelmente artificial, mas atuando ali, eles mesmos, sua transferência materno-paternal sobre a criança. Tanto a criança como o adulto são mais ou menos ludibriados. De qualquer maneira este papel da transferência só pode ser manipulado em benefício das aquisições da criança, que seu educador preferido valoriza. Mas a relação não pode ser desmistificada. A transferência não pode ser analisada porque não se pode simultaneamente analisar e gozar da situação relacional. O que é relação é atuado na realidade, e não é somente gestual ou falado. *É impossível que exista simultaneamente psicanálise no sentido de tratamento* – análise da transferência e das resistências – *e educação ou reeducação*, quer seja em família ou em uma IMP; em um lugar onde vivem e se encontram psicanalistas e psicanalisandos, não pode existir psicanálise. Àquilo que se tem como transferência que poderia ser analisado, se mesclam muitas relações reais de benefício libidinal recíproco, quero dizer: tanto para os adultos como para as crianças.

O trabalho psicanalítico, qualquer que seja a idade do psicanalisando, só pode ser empreendido sobre o desejo manifesto e perseverante do paciente que sofre e que deseja trabalhar para sair de um malviver insuportável para ele. Ora, os sintomas nas crianças são meios para o sujeito utilizar a angústia e torná-la menos penosa de ser suportada. Isto faz com que poucas crianças desejem fazer análise e, como não podem prever seu futuro obstruído por estes sintomas, não ficam angustiados como podem ficar os adultos que preveem para eles um futuro muito difícil. A criança pode ser levada a desejar um tratamento pela palavra de seus pais ou de seus educadores que confiam no método e que lhe fazem esperar um estar melhor, quando, apesar de seus sintomas, ela permanece angustiada, principalmente quando eles sustentam sua coragem no curso de um tratamento, em certos momentos muito penoso, se se tornar eficaz, penoso não somente para ela, mas também para seu meio circundante.

Para Léon, o que tornou possível uma visita ao Centro foi a ameaça que pesava sobre ele e sua mãe: a separação. A IMP era a única proposta de escolarização possível para Léon, segundo a professora e o diretor, que o conheciam bem. O recurso a uma eventual psicoterapia tinha sido ventilado pelo médico que examinara o estado neurológico e as cronáxias[75] de Léon, dois anos antes, e que não tinha revelado anomalias orgânicas. "Uma psicoterapia poderia ajudá-lo, dissera ele à mãe ao final dos exames. A debilidade motora de seu filho é como sua debilidade mental e escolar, não sendo de ordem orgânica". Mas a mãe não estava, então, pronta para compreender, nem tampouco pronta para aceitar este fato.

Foi uma grande sorte para Léon que não o tenham mais aceitado na escola, e que mãe e criança tenham sido confrontadas com a angústia de uma iminente e inevitável separação. Foi necessário este fato para motivar o recurso a uma consulta médico-pedagógica a propósito de um estado patológico de passividade de tipo de enfermidade psicossocial. Poderíamos dizer que Léon apresentava uma histeria precocíssima, associada a um estado libidinal potencialmente perverso, sem deixar de ser inocente, do qual ele não tinha consciência e seus pais tampouco.

Léon, vindo ao Centro a conselho de seu professor de piano, tinha sido, inicialmente, confiado a uma psicomotricista que ten-

---

75. Rapidez de excitabilidade neuromuscular fisiológica.

268 A IMAGEM INCONSCIENTE DO CORPO

tara desbloqueá-lo. Foi um fracasso total. Foi ainda pior. Ela própria, o médico que o tinha examinado à sua chegada e orientado para psicomotricidade, seu meio circundante também, todos aqueles que o conheciam, o achavam mais embrutecido e mais lento do que antes de sua chegada ao Centro e à reeducação. O que fez com que fossem escritas as seguintes palavras na observação de Léon que me foi transmitida: "Evolução para um estado esquizoide".

A boa vontade consciente de Léon não deveria ser questionada, não mais do que a de sua mãe, perseverante, apesar de trabalhar, da dificuldade dos deslocamentos de Léon, e da escassez de transportes urbanos. Talvez, tratava-se da inadequação dos métodos de trabalho. A reeducação, com seu projeto pedagógico, não levava em conta a proibição "provinda do Super'Eu'" do desejo inconsciente do sujeito. Sua imagem do corpo lhe proibia, sem dúvida, a mobilidade de seu corpo, ameaçando-o de despedaçamento.

Podíamos tentar o trabalho psicanalítico, o qual não visa a fazer ceder as resistências, mas tenta lhes dar a oportunidade de se expressar através de outros meios linguageiros que não aqueles do próprio corpo, em seu aspecto externo e em seu funcionamento. Era meu desejo devolver a esta criança sua liberdade de sujeito, mascarada por um boneco mal articulado, lento.

Com um *a priori* devido à minha formação psicanalítica, eu contava com a existência de um narcisismo fundamental, conforme, para o sujeito humano, ao espírito de seu sexo, ou seja, de acordo com o esquema corporal seu, pelo qual o sujeito na realidade se presentifica e está em relação com os outros e com o mundo. O corpo de Léon não tinha nenhuma lesão, nenhuma disfunção orgânica. Sua aparência, seu aspecto exterior, eram, portanto, devidos à imagem do corpo que ele se tinha construído, com impossibilidade de tônus e de motricidade imaginárias e inconscientes. Léon não sofria em nenhuma parte, a não ser de "cansaço pelo esforço muscular". Se o sujeito de seu desejo tivesse permanecido impermeável, ou até mesmo resistido inconscientemente ao trabalho de reeducação, e a uma relação positiva com alguém de quem ele tinha conscientemente esperado uma melhora de seu estado, que lhe permitisse permanecer em sua família e em sua escola, é que este trabalho, o da psicomotricista, não se dirigia ao sujeito de sua história, ao sujeito da história de seu desejo; ele se dirigia somente ao corpo de Léon, este corpo que era a resultante patológica de sua história relacional. A origem de seu enfraquecimento era sem nenhuma dúvida psicogênica, porém, este enfraquecimento era físico, carnalizado, se posso dizer assim. Seu corpo era realmente enfraquecido, ainda que este fato fosse inexplicável do ponto de vista orgânico. Eu pensava que, já que Léon esperava tanto do Centro, tentar uma psicoterapia psicanalítica poderia ser um bom caminho.

Eu me propunha, portanto, a escutar o que tinha a dizer a díade mãe-filho, do lado mãe (e do lado pai se possível), inicialmente, depois lado filho, em seguida; sem visar a modificar nada dos efeitos atuais de sua fusão libidinal patogênica, em todo caso patogênica para Léon. O psicanalista devia confiar nestes dois sujeitos, a mãe e a criança perdidos em um magma fusional que neutralizava sua sexualidade, a cada um deles, em todo caso a de Léon, ambos conservando o prazer de uma sexualidade arcaica, incestuosa, recíproca e inconsciente. Era preciso que fosse ouvido atentamente tudo aquilo que procurava expressar em sessão de maneira muda este Léon aparentemente semiadormecido. Seu aspecto, seus desenhos repetitivos, sua modelagem pobre estereotipada, deviam ser, como tais, admitidas sabendo-se de forma pertinente que, tal como eram, expressavam uma mensagem a ser decodificada; mas qual? Somente Léon podia saber o que sua lentidão, sua falta de jeito, suas mãos, diziam. Era preciso que às suas obras, representando coisas através de seus grafismos e de suas modelagens rudimentares, Léon pudesse dar vida imaginária e reencontrar o sentido de seus desejos, emprestando a palavra, a sua, a estes pequenos pedaços – em particular – de massa de modelar, lhes emprestar intenções, sentimentos, prazeres. O que sua palavra, única, podia assim expressar, cabia ao psicanalista lhe fazer ligá-la aos dizeres de sua mãe a respeito de sua história, e às lembranças que ele próprio tinha guardado desta. É o trabalho de decodificação através de objeto de transferência interposto que permitiu analisar a transferência que ele fazia de sua mãe sobre a cadeira, raptora de sua coesão motora, que o fragmentava. O efeito dos fantasmas do gozar passivo de um objeto oral amado, à disposição de um sujeito canibal que era mais ou menos conscientemente suposto em qualquer interlocutor interessado por ele. Esta forma de pensar o gozo oral é, para a criança que cresce, confrontada com fantasmas de mutilação peniana e, mais tarde, de castração genital. Estes fantasmas angustiantes chegam, em sua história, em socorro à proibição do incesto, cuja aceitação sustenta o efeito simbolígeno dinâmico que conhecemos sob o nome de "resolução edipiana". Léon tinha oito anos. Mas onde estava ele nesta evolução? Eu não podia sabê-lo. Procurar compreender Léon através de sua relação de

270   A IMAGEM INCONSCIENTE DO CORPO

transferência comigo, era meu desejo. Respeitar suas resistências, fazê-las se dizerem mais do que se mimificarem, permitir o retorno das pulsões recalcadas, tal era também meu desejo. Meu trabalho de psicanalista, quanto a mim, era sustentado por minhas pulsões epistemológicas que me faziam esperar que Léon, se o sujeito nele chegasse a prevalecer sobre o "Eu", pudesse reencontrar a inteligência ideativa e psicomotora contida em seu capital genético de ser humano, filho de homem não somente filho de mulher e subjugado por esta. Talvez, reencontraria ele a ética narcísica de um ser humano, que saiu saudável do corpo de sua genitora, ética de validação do esquema corporal, concernente ao corpo próprio do menino (ou da menina, em um outro caso) indo-advindo homem (ou mulher), e que cada estágio de desenvolvimento recoloca em questão. Um questionamento que se faz em referência ao falo e às pulsões ativas e passivas do desejo, que a experiência da angústia de castração de cada estágio faz se organizar para a sobrevivência do narcisismo[76]. Observamos no relato das sessões, como *a simbolização da imagem do corpo pode se produzir pela mediação de objetos parciais*. Através de desenhos ou modelagens, a criança expressa aquilo que ela sente na transferência sobre o psicanalista, aqui, suas angústias e seus gozos de fragmentação enquanto sujeito inteiramente alienado em objeto de desejo do outro. A linguagem verbal emprestada a estas representações permite focalizar imaginariamente o desejo sobre estes objetos de transferência inventados e executados pela própria criança: o sujeito que está nela toma estes objetos parciais como objetos que a representam por ela mesma, objetos dotados de intenções, agindo como pessoas que foram para ela modelos em sua infância e que ela transfere novamente sobre a pessoa do analista. *Meu trabalho de psicanalista era o de questionar ali onde eu me sentia questionada* por seu comportamento, e onde, sobretudo por ele, eu me sentia, aos poucos, questionada na relação que ele tinha comigo.

O que ressalta claramente do caso de Léon, e explica porque qualquer outro método que não o psicanalítico estava fadado ao fracasso, é que a transferência, por mais positiva que fosse, de sua parte, em relação a alguém que quisesse ajudá-lo, só podia fazer dele, na sua relação com a pessoa auxiliadora, um objeto de consumo canibal. Em sua relação de transferência, todo mundo era como a cadeira em relação ao homem, mutilando o

---

76. A definição que proponho de narcisismo é, recordando, um *continuum*, desde a vida fetal até o dia considerado, do indo-advindo no espírito de seu sexo.

esboço de coesão unificadora de seu corpo e, através desta ameaça de mutilação, expressava-se a proibição da ética fálica.

É isto que ele tinha sentido na atitude pedagógica da psico-motricista, e que ele tinha também sentido na minha pessoa durante as primeiras sessões, ainda que eu fosse somente escuta e apesar de minha aceitação de sua pessoa. É por isso que ele não podia responder às minhas perguntas: perguntas que o interessavam, pois elas suscitavam oito dias de reflexão! Eu me interessava por aquilo que ele sentia e pensava, mais do que por aquilo que ele fazia e permitia ver. Qualquer pessoa que desejasse para ele uma ajuda, um apoio, um guia, Léon a sentia como uma poltrona, esta poltrona-banheiro de sua infância, que tinha, sobretudo, feito dele um *voyeur*, em parte paralisado, iniciado no sentido de nada fazer que pudesse ser prazer para suas mãos, ao mesmo tempo em que ele via todas as outras pessoas, seus pais e seus colegas de ateliê, apresentarem muitos movimentos com suas mãos, e trabalhando, tendo prazer com isso. Compreendemos que teria sido pior, para Léon, não sofrer este enfraquecimento de seu desejo para o prazer motor, já que isto seria assinalar sua pertinência ao sexo feminino (ele admitia as manias de sua mãe, ao contrário de sua irmã e, neste sentido, ele preservava sua virilidade potencial). Sua irmãzinha, uma menina, tinha recusado a coerção da poltrona, e se mostrou tão revoltada diante da contenção de estar sentada que sua mãe acabara por dispensá-la desta. E a defesa deste primeiro e último baluarte de sua pertinência humana, guardar para ele uma libido no masculino, um narcisismo de menino com traços do destino sexuado de sua entrada na carne, que por trás da tela caricatural da grande fraqueza motora, tinha salvo a inteligência e a sensibilidade do homem a devir que era Léon. Por trás do boneco mal articulado e sem forças, um sujeito cujos olhos corriam com velocidade sobre os sinais, transmitindo os sentidos destes para os dedos, os quais, por sua vez, corriam com velocidade sobre o piano; um coração que ama, um filho e um irmão solidário de uma família, de um grupo, um ser de sublimação de desejo, em suma, uma criança precoce, um ser raro: tal era Léon. Sim, mas... armadilhado em uma neurose histérica precocíssima e a uma perversão sexual de um objeto parcial fálico da mãe infantil inocentemente incestuosa.

Léon é uma história dentre muitas outras. Existe assim um grande número de crianças que apresentam anomalias precoces de adaptação quando chegam à idade onde, obrigatoriamente, os pais devem confiá-las à sociedade para sua instrução, sua for-

272 A IMAGEM INCONSCIENTE DO CORPO

mação psicossocial, ou seja, a escola obrigatória. Todos aqueles que – quaisquer que tenham sido as razões dinamogênicas, levando em conta as condições de seu desenvolvimento ao longo de sua existência fetal, depois pós-natal, mais tarde, de sua educação – não correspondam às exigências de nível físico, mental, caracterial, editadas pelos regulamentos institucionais, são afastadas da frequência à escola para todos. Para eles, as instituições destinadas a ajudar e reeducar os "malviventes", os "malsocializados", os "malfalantes", os "malmexentes", os "mal-executantes", como se não fossem dignos de respeito tais como são, tanto pelas outras crianças como pelos adultos educadores. De fato, são seres de linguagem como todos os outros, mas perdidos em um tipo de receptividade e de expressividade que os torna difíceis de serem compreendidos. Os sofrimentos que estão na origem desta inadaptação das crianças para viver com os outros de sua idade não são todos evitáveis, pois existem muitas destas crianças que por trás de sua máscara pseudo-orgânica de retardo, de debilidade, de psicose, são crianças precoces que não foram reconhecidas como tais nas primeiras semanas de sua vida, e que se desencorajaram definitivamente de buscar se comunicar com o meio que não as compreendia e que não respondia a perguntas que, frequentemente, seu corpo colocava, já que elas não podiam ainda falar.

A psicanálise não somente trouxe a peste, como dizia Freud, mas também inaugurou um estudo, um meio de estudo da evolução do ser humano, por tanto tempo imaturo e dependente de seus pais antes que ecl">da sua genitalidade. Sobretudo, ela permite esclarecer os momentos frágeis inevitáveis da estrutura psíquica onde se organizam, na primeira infância, contradições insolúveis entre necessidades físicas e desejos afetivos relacionais: incompreensões e contradições que deixam seus traços na economia libidinal futura dos sujeitos, e sobretudo, daqueles que são mais precocemente inteligentes e sensíveis. Talvez, e este é meu desejo, se formos muitos os psicanalistas interessados na prevenção de perturbações psicossociais através de uma educação mais adequada para cada criança, poderemos elaborar regras de comportamento para os adultos, comportamentos a serem respeitados por todos os adultos que vivem em contato com as crianças, quer seja em creches, em hospitais, em escolas, a fim de que os mais dotados não se tornem, como é seu destino atual, clientes de instituições para retardados e psicóticos. É, de toda forma, uma pena, sobretudo se for evitável.

Desde o nascimento, a angústia do desejo e a da morte são adornadas no eixo que, para cada um de nós, liga o imaginário ao sexo, articulando nossa atração por um ser com o temor de lhe desagradar. O narcisismo de cada um é obrigado, inconscientemente, a se haver com aquilo que é o destino do homem, tanto no masculino como no feminino. Sozinho, um ser humano não sobrevive. A harmonia com a mãe-alimentadora, o adulto, mulher ou homem tutelar é, para o bebê, coexistencial à sua sobrevivência. Mas, nos individuando em relação a esta primeira dependência linguageira vital, necessitamos uns dos outros para suportar este dramático destino de desejante imaginariamente potente e de indivíduo, na realidade, muito impotente. Os outros nos trazem então, em suas dificuldades diferentes ou semelhantes às nossas, a possibilidade de nos reconhecer como humanos todos em dificuldades, e a possibilidade de nos falar, uns aos outros. A psicanálise trouxe a prova de que a criança, por mais jovem que seja, tem o entendimento do sentido das palavras que concernem a seu ser no mundo. A prova também de que a palavra pode liberar o ser humano se ele for bem-sucedido, através dela, em expressar seu sofrimento para quem o escuta com atenção e sem julgamento. Aprendemos também que a criança, antes de poder verbalizar seus estados afetivos, expressa sua alegria através de uma saúde em estado de bem-ser; e suas dificuldades relacionais através de perturbações funcionais de sua saúde. Ora, a medicina de crianças é constantemente confrontada com perturbações funcionais nos pequeninos e, a maior parte do tempo, elas são de origem psicogênica; se pudéssemos dar a palavra à mãe, para dizer o que se passou, e dizer com palavras à criança aquilo que ela também quer dizer e através de seu corpo traduz, veríamos que a maior parte destes sintomas reativos desapareceram sem que tivéssemos necessidade de proibir ao corpo, através dos meios medicamentosos e químicos, as manifestações funcionais de perturbações. É possível ajudar os filhotes de homem a viverem, naquilo que existe de inevitável em seu difícil destino, levando-os a se expressarem e decodificando o sentido daquilo que eles denunciam, sem encurralá-los no sentido de parar prematuramente de significar, à sua maneira, seus desejos. Penso nos urros significativos das crianças que sofrem pelo clima angustiante que as rodeia, por exemplo, e que outros querem que elas se calem; a estas crianças que não podem dormir, a estas crianças que vomitam, e que necessitam que se compreenda o sentido do sofrimento que elas manifestam assim. É tudo isto o trabalho do

274 A IMAGEM INCONSCIENTE DO CORPO

psicanalista de crianças nas consultas de hospital. Em geral, estas crianças são acuadas, através da intimidação ou por medicamentos inibidores, no sentido de pararem prematuramente de significar, à sua maneira, seu desejo. Os impedimentos opostos a esta atividade de regulação vêm do fato de que os adultos (pais ou tutelares) suportam muito mal a expressão do sofrimento dos pequenos. E depois, por razões que concernem a eles mesmos, são eles próprios angustiados, contaminando de forma secundária com sua angústia a criança que, expressando seu sofrimento, tentava se livrar de suas próprias angústias. De qualquer forma, estes pequenos sendo habitados por desejos ansiógenos por seus pais que lhes amam, sentem que estes desejos devem ser falsificados, a ponto de que irão travesti-los, ir contra eles, pervertê-los, e isto muito precocemente, para ser conveniente a seus pais. Os pais não são educadores de profissão. Eles servem de iniciadores e de modelos primeiros. É àqueles que os ladeiam e não são, como eles, implicados narcisicamente na relação imaginária com a criança, é ao conjunto dos adultos de uma sociedade, e em particular àqueles que se dedicam à educação e ao cuidado dos humanos, a quem se remete este imenso trabalho de prevenção e de tratamento precoce das falhas da saúde psicoafetiva e comportamental das crianças. Eles devem saber que curar, desde agora, completamente os desarranjos funcionais do *corpo* das crianças seria agravar o *recalcamento* de seus sentimentos e de seus afetos, enquanto *a palavra* não vier em seu socorro para enunciar aquilo que seu corpo tentava expressar[77].

77. Seria necessário que no atendimento de pediatria se autorizasse mãe e pai, até mesmo obrigando-os, sempre assistindo-os, a entrarem no local onde a criança está isolada, para tocá-la, pegá-la, trocá-la, alimentá-la, falar dela com os atendentes e com a criança sobre estes, que substituem seus pais em sua ausência, e dos médicos que cuidam dela neste lugar temporário, a fim de devolvê-la curada a seus pais.

Para os bebês e criancinhas doentes, a presença repetitiva e pluricotidiana do contato sensorial da mãe e pai é indispensável para a conservação ao menos das imagens do corpo de base, e também das imagens funcionais. Esta conservação é fiadora de um reencontro rápido da total saúde psicossocial, sem sequelas psíquicas, afetivas ou psicossomáticas, após o retorno a casa e à cura.

Dois pretextos são alegados para proibir ou desaconselhar as visitas dos pais: *1.* Evitar os choros da criança ao partirem; 2. Evitar a angústia que o aparato de cuidados lhes provoca. Ora, a reação emocional da criança é a fiadora de sua coesão sujeito-pré-"Eu" em seu corpo que sofre. Quanto à angústia dos pais, é também a da criança, mas as palavras dos atendentes permitem simbolizá-la, e, mais tarde, compreender os dizeres da criança concernentes aos retornos de lembranças que se reportam a este período hospitalar, uma prova para ela e seus pais.

PATOLOGIA DA IMAGEM DO CORPO NA FASE DE LATÊNCIA (APÓS UM ÉDIPO QUE FOI, NO ENTANTO, RESOLVIDO A TEMPO)

Vimos que com o Édipo inaugurou-se na criança o narcisismo secundário, ou seja, uma atitude emocional (ativa e passiva) frente a si mesmo enquanto presentificado no mundo por este corpo, com o sexo que é o seu, ao qual são definitivamente bloqueadas as realizações procriativas com os familiares. Eu afirmei que, por volta de no máximo oito anos de idade, para a maior parte das crianças, inaugura-se a fase de latência: ao mesmo tempo em que aparece uma retração da intensidade orgânica do funcionamento das glândulas genitais, uma surdina é colocada sobre a intensidade emocional das relações criança-pais. Dito isto, não se deve esquecer que, desde seu nascimento, qualquer criança é inconscientemente informada de seu sexo, em decorrência de seu desejo intuitivo, eletivo, atrativo, para os representantes do outro sexo. Este desejo, é sentido de forma confusa em sensações íntimas. E este desejo, ainda que ao crescer, seja cada vez mais focalizado nos genitores, é global. Ele desempenha para o observador um papel inegável em qualquer opção emocional frente ao pai e à mãe, enquanto representantes do sexo atraente para o sujeito, e não somente enquanto representantes de sua segurança e de uma acolhida calorosa, revigorante, vital para sua pessoa. Uma vez chegado à idade dita da razão, as crianças sabem que o amor de sua mãe e de seu pai por elas não é da mesma ordem que o amor associado ao desejo físico que elas intuem na relação entre adultos. Seu desejo, mais ou menos fantasiado, de ter acesso ao ato genital com sua mãe ou seu pai, não se realizará; as crianças o sabem, mas necessitam que isto lhes seja dito, e significado por ações e não-ações emocionais ou passionais do adulto em relação a elas. Infelizmente, quando os pais não receberam de seus próprios pais, a castração, as crianças têm que se haver com comportamentos sensuais ambíguos, sob pretexto de afeto parental.

Quando ambos os genitores se amam, se estimam, e vivem seus desejos e seu amor de uma maneira tranquilamente conflitual, ou seja, na maioria das vezes amigável, no contato com a sociedade onde têm amigos de sua idade, a fase de latência é mais fácil de ser vivida pelas crianças. Mas isto não é tão evidente quando os pais não se entendem ou não têm uma vida social que seus filhos possam observar. O corpo do pai tem sempre, de qualquer maneira, um valor emocionante, tanto para a menina quanto para o menino; mas, em função do ser e do agir do pai, de sua aparência, nem sempre é valioso, nem sempre é fácil para as crianças, frente à sociedade, serem a filha ou o filho deste homem, seu pais, desta mulher, sua mãe.

Por exemplo, é difícil para crianças cujos pais se divorciam e estão em conflito oficial, um conflito que deve se resolver pela retomada da guarda da criança por um ou por outro, de se sentir em segurança para utilizar de forma criativa sua libido em sociedade. A distância afetiva que é necessária, frente aos dois genitores, se torna impossível em decorrência, seja de seu conflito, seja do tipo de guarda decidida a favor de um ou de outro. Estas crianças do divórcio são frequentemente levadas para o psicanalista em função de perturbações clínicas. Reencontramos, como sintoma de seu sofrimento, alterações da comunicação do sujeito com seu esquema corporal, ou ainda, reencontramos perturbações pela invalidação da sublimação das pulsões orais e anais que tinha sido colocada em curso pelas castrações da primeira infância, antes do Édipo. Estas dificuldades assim reencontradas de uma castração edipiana não mantida pelo modelo parental coincidem com os conflitos familiares, desvitalizam a libido comprometida em sublimações anteriores[78]. Estas sublimações, que dão valor à criança em família e em sociedade de acordo com sua sexuação, foram construídas na época em que o pai que dava a castração era digno de crédito incontestável. Mas a separação dos pais modificou na criança que está em curso de estruturação e crescimento o valor de modelo e de credibilidade do adulto, enquanto valioso.

E ainda, existe também, além do pudor que apareceu desde a época da diferença sexual, mas mais ainda da castração edipiana, um pudor *simbólico*, que atua no fato de se mostrar ou não se mostrar feliz quando se sente que os pais estão infelizes, ou de se ver obrigado a ser bem-sucedido, com o único objetivo de consolar pai ou mãe de seu fracasso conjugal. A criança regride, então, ou permanece armadilhada na relação dual pré-edipiana que se prolonga.

Caso de Marc

Eu me recordo desta criança, que chamarei de Marc, cujos pais, sem serem divorciados, viviam um drama conjugal de in-

---

78. Estas paradas de desenvolvimento, estas voltas para trás, onde a criança se sente como vítima, não são sem relação, para ela, com o jogo da velha.

compreensão recíproca desde a morte de seu filho mais velho, um menino extremamente brilhante, morto em um acidente três anos antes. Marc, o segundo, que em sua infância prometia ser tão dotado quanto o mais velho, não tendo apresentado nenhuma dificuldade até então, se fazia expulsar de toda parte, há dois anos. A conselho de psicólogos, os pais – dois professores – o tinham finalmente colocado interno em função das dificuldades caracteriais em casa, e de um comportamento insuportavelmente provocador frente a seu pai. Quando o encontrei, ele acabava de ser expulso do colégio em virtude de falsificar continuamente seus boletins e de um comportamento provocador frente aos professores e vigilantes. Eu olhei com ele estes boletins falsificados que me tinham sido trazidos por seus pais. Falando com ele, descobri, para meu espanto, o *sentido* das falsificações que apareciam nestes boletins.

Soube através dele e de seus pais que, quando ele era externo, perdia sempre seu boletim de notas, nunca dando-o para seus pais para que o assinassem; e esta conduta, por cima da qual o estabelecimento escolar passava durante alguns meses, o fazia, finalmente, ser expulso. No momento Marc estando interno, lhe era difícil perder seu boletim. O que tinha ele anulado então? Os quadros de honra dos primeiros meses, que estavam inscritos sobre o boletim, e tinha falsificado seus lugares e notas que tinham sido excelentes, ao longo das primeiras semanas de sua chegada ao colégio, para pôr, no lugar destes, más notas e maus lugares. Este boletim, rasurado e falsificado, tinha caído nas mãos do diretor do colégio de província onde Marc tinha sido internado há pouco mais de um trimestre. O diretor, vendo este boletim rasurado, e recebendo contínuas queixas concernentes à conduta do menino, tinha decidido, a título de exemplo, suspendê-lo durante oito dias.

Marc era um menino de doze anos, bem desenvolvido, muito nervoso e tenso. Culpado? Não: aborrecido. E na defensiva. "Eu não sou louco. Eu não sei por que me trouxeram aqui". Eu lhe perguntei se o diretor lhe tinha questionado sobre as razões pelas quais ele falsificava seu boletim. "Não, ele não me falou a respeito". Mas por que ele os falsificava? "Bem, era para que meus pais não soubessem" (que ele era bom aluno). E por que, então, seus pais não deviam sabê-lo? Neste sentido, as coisas se complicavam. Ele saía de seu embaraço explicando que, se seus pais soubessem que ele era muito bom aluno, ele não poderia mais sê-lo. Em primeiro lugar, isto não era justo. Ele não fazia esforços, e as boas notas lhe caíam do céu. E depois, ele não estava ali

278 A IMAGEM INCONSCIENTE DO CORPO

para consolar os pais da morte de seu irmão mais velho. Ele, ah sim, seu irmão mais velho, ele que era um aluno maravilhoso. Sempre o primeiro. E ele, Marc, se tivesse boas notas, jamais seria um aluno tão bom quanto o tinha sido seu irmão. E aqui, Marc chorava. E depois, se somos bons alunos, podemos morrer, foram amigos de seus pais que lhe tinham dito isto: aos doze anos, e desde a idade de nove anos, Marc cozinhava lentamente esta pequena frase de amigos de seus pais após a morte de seu irmão mais velho, esta pequena frase que o atormentava. Eles teriam dito a respeito do irmão mais velho: "Ele era inteligente demais, perfeito demais. Esta criança era do tipo daquelas que não devem viver". Ele dava muitas satisfações, ele era bom demais. "São sempre aqueles que são bons que partem". Palavras assim, que se dizem em momentos de luto, falas de pretenso consolo entre adultos em torno da pessoa morta. Conhecemos bem estas frases – "Coitado, ele fez bem em morrer", "Os melhores se vão" etc. São colocações frequentes. Marc tinha tomado estas palavras como profetizando sua própria morte se tivesse, em classe, um comportamento comparável àquele de seu irmão. Porque ele, que era tão excepcionalmente inteligente, não podia agir de outra forma que não no sentido de ser bem-sucedido, e era isto o que o aterrorizava; e depois, ao nascer, ele estava ciente deste fato, tinha decepcionado seu irmão que queria uma irmãzinha e, dizendo isto, chorava ainda mais.

Meu trabalho com esta criança foi muito pouco um trabalho psicanalítico. Aliás, ele tinha vindo para a região parisiense, na casa de seus pais, durante a semana de sua suspensão que antecedia quinze dias de férias, após os quais ele deveria voltar para o internato. Com sua autorização, e diante dele, na segunda ou terceira entrevista que tivemos juntos, falei ao telefone com o diretor de seu colégio. Este ficara estupefato ao saber por mim que o boletim falsificado tinha sido feito pra substituir as boas notas por más. Ele nunca tinha procurado saber as motivações desde boletim rasurado; aliás, ele nunca tinha visto isto! Ora, é este mesmo diretor que é bem-sucedido no tratamento do menino; não um tratamento psicanalítico, mas educativo e humano. Ele falou com Marc, e decidiram que quando ele voltasse para o colégio, ele iria, antes, ver o diretor. Foi isto que aconteceu, eu o soube pelo diretor que me telefonou uma ou duas vezes no decorrer dos dois últimos trimestres. Ele tinha estabelecido com Marc um pacto: ele teria dois boletins, em um dos quais seriam colocadas as notas e as apreciações, em seu estado original; este boletim seria guardado pelo diretor. E os pais de Marc não teriam conhecimento deste. E depois, existiria um outro boletim, compactuado entre a criança e o diretor, que seria destinado aos pais, com notas e lugares completamente banais, a fim de que, com a assinatura do diretor, os pais sentissem que a criança era tolerada, que ela fazia seu ano escolar, sem mais; assim, eles não se preocupariam muito, mas, sobretudo, não teriam muitas satisfações. Para Marc, era intolerável lhes causar satisfação, pois, como ele dizia: "Eu não estou aqui para lhes dar prazer". Em contrapartida ao pacto do diretor com o segredo do boletim, Marc se comprometia não mais perturbar as aulas provocando seus professores.

Este pacto era astucioso. Marc ficava aliviado de uma culpa mágica em relação a seu irmão, que lhe impedia de ser tão bem-sucedido em aula quanto o era o morto, e, também, ficava aliviado de seu temor de morrer, por sua vez, sendo, como o mais velho, um modelo de filho. Ele não necessitava mais provocar os professores a exemplo de seus pais; e ele dava sua palavra frente ao diretor. Mas, sobretudo, a própria fonte de seu comportamento estava seca. Fonte? Era que Marc tinha se tornado louco, porque ele sentia a expectativa, em pais depressivos, de se sentirem reconfortados por seu filho, ao invés de sê-lo um pelo outro, como em um casal em harmonia. O diretor tinha compreendido completamente que esta criança estava submetida a um mecanismo de autopunição, e tinha decidido ajudá-la. A situação era difícil de ser sustentada para este educador e era também em função deste fato que ele me telefonava. Ele gostaria, sem que seu aluno soubesse, de telefonar aos pais para lhes contar um segredo que ele julgava difícil de guardar; mas, ele se tinha comprometido diante de Marc, e eu lhe dizia: "É preciso que o senhor vá até o fim, pois do contrário, tudo irá abaixo". E ele se manteve firmemente, feliz por ajudar um filho de professor, assim como ele, a sair de um mau caminho. Ao final do ano escolar, Marc tinha feito um excelente ano, sempre fazendo acreditar, através de suas cartas a seus pais (que tinham acreditado piamente nisto) que, semana após semana, ele corria o risco de ser expulso, mas que assim-assim, as coisas caminhavam etc.

Quando Marc voltou a me ver com seu pai, a conselho do diretor, pôde se passar entre nós uma sessão onde a verdade se esclareceu entre os dois homens, onde eles se falaram e se entenderam verdadeiramente; mas Marc fez seu pai prometer que não iria dizer nada à sua mãe: ela não aceitaria, segundo ele, sua mentira. Penso que deveria ser assim para que existisse um segredo, um pacto, entre estes três homens, o diretor, um pouco

280   A IMAGEM INCONSCIENTE DO CORPO

mais velho que o pai (e que, sem dúvida, tinha aqui servido de avô), o pai e o próprio Marc. O pai, em decorrência disto, fiquei sabendo, fez uma psicanálise.

Eis aqui uma história que mostra que após um Édipo que tinha transcorrido bem, o drama da perda de seu irmão tinha podido conduzir um garoto como Marc para aquilo que se seguiria de angústia mortífera e de angústia de castração no caso onde ele daria satisfação a seus pais[79], em destruir a imagem que ele fornecia e a se fazer maljulgado socialmente. O Édipo deste menino estava resolvido já bem antes da morte de seu irmão; mas o acidente mortal tinha fragilizado o equilíbrio libidinal de tudo o que permanecia da família. Se uma psicanálise tivesse sido empreendida (se o menino estivesse motivado a esta, o que não era o caso), teríamos, certamente, encontrado a rivalidade entre irmãos da primeira infância, rivalidade esta totalmente recalcada no segundo, sempre em admiração frente a seu irmão mais velho; rivalidade, aliás, sem dúvida recíproca entre dois meninos com dois anos de diferença de idade, e ambos superdotados. Esta rivalidade tinha sido, certamente, revivida de outra forma no momento dos fantasmas edipianos, depois, no momento da rivalidade que Marc tinha mostrado com seu pai sob forma de provocação contínua. A mãe era professora, assim como o pai, e depressiva desde a morte de seu filho mais velho. Tudo isto teria sido explicitado, com o despertar daquilo que tinha sido recalcado, mas não completamente simbolizado na primeira infância, a culpa, em Marc, de não ter nascido menina. Mas na vida, estas energias libidinais recalcadas atuavam diferentemente, por quê? Porque, com a resolução edipiana, se produz na criança que entrou em fase de latência a introjeção característica do "Eu" Ideal e do Super"Eu" pré-edipiano, ao próprio "Eu". O narcisismo de seu "Eu", este narcisismo primário, mutado em narcisismo secundário estava naquela ocasião exacerbado pela introjeção de um "Eu" Ideal que tinha sido construído sobre um irmão valorizado e um pai a ser satisfeito. O "Eu" Ideal materno, aquele de uma professora de valor, tinha contado também, e esta imagem mantida da mãe real que se tornou angustiante, porque depressiva, se tinha, certamente, superposto ao "Eu" do menino acentuando ali uma espécie de feminilização das pulsões passivas, que sobrevém desde a morte do irmão. A mãe não era mais severa com ele, não exigia mais,

---

79. Refiro-me também ao Super"Eu" interiorizado que ele tinha construído enquanto segundo filho.

estava muito deprimida. Pelo contrário, ela suplicava para que houvesse paz em casa, para que se fosse gentil com ela, para que o pai não se encolerizasse etc. Tudo isto tinha tido um efeito depressivo sobre Marc, que tinha reagido através das pulsões ativas agressivas: esta mãe, teria sido necessário repará-la, mas não cabia a seu filho fazê-lo, e sim a seu marido. Teria sido necessário fazer-se perdoar por ela pelo fato de ter permanecido vivo, ele, o segundo, que não tinha satisfeito tanto sua mãe quanto o mais velho, já que ela também teria preferido uma menina para segundo filho. Portanto, teria sido necessário que Marc substituísse seu irmão. Era possível, e o quanto seria arriscado? Que ele substituísse seu pai para consolar sua mãe, era perverso para uma criança que tinha aceito a proibição das intimidades de carícias e de amor sensual com sua mãe: o que é justamente a característica da criança que ultrapassou a castração edipiana e entrou em fase de latência.

Tudo isto seria explicitado em uma psicanálise, mas tudo isto, todas estas forças inconscientes libidinais, atuavam de forma inconsciente para proibir que Marc se sobressaísse e fosse bem-sucedido no meio social que era o seu, onde quer que ele estivesse. Se uma solução não tivesse sido encontrada para este caminho no sentido da autodestruição, da auto derrelição de si mesmo, da rejeição pela sociedade, esta criança teria provavelmente caído em uma depressão semelhante à de sua mãe, ou pior do que isso. Ele se teria perdido. O fato é que seu estado mental tinha preocupado bastante o psiquiatra que o tinha visto na província, a ponto de ter aconselhado ao pai de levar Marc a um psicanalista, temendo que suas perturbações caracteriais evoluíssem seja em sentido de um estado mais grave – ele não tinha dito qual – do ponto de vista mental, seja em direção a um fracasso escolar seguido de delinquência juvenil. Na verdade, tratava-se, para o sujeito pós-edipiano que era Marc, traumatizado, de salvar sua pele.

Com Marc, vemos a fragilidade de uma estrutura pós-edipiana, que no entanto, foi bem-sucedida e saudável aos nove anos; a criança, abalada naquele momento, desencadeou aos doze anos uma neurose de angústia e um estado depressivo contra o qual ela lutou desesperadamente. Marc não sabia, por mais edipiano e pós-edipiano que fosse, se distanciar de seus pais, já que tinha se tornado filho único, a única esperança, após o luto difícil de ser elaborado, por um filho mais velho exemplar.

Da Fragilidade Pós-Edipiana

Se a teoria psicanalítica coloca que após um complexo de Édipo bem resolvido o indivíduo dispõe de uma libido solidamente estruturada para o futuro – e isto não é falso –, é preciso acrescentar que esta solidez necessita ainda da ajuda do meio, e, sobretudo, é preciso que não surjam incidentes traumáticos emocionais em profusão. A psicanálise clínica nos permite entender esta dinâmica inconsciente em ação ao longo da fase de latência, após uma resolução edipiana transcorrida normalmente, ou seja, quando a proibição do incesto foi nitidamente assimilada e que a criança está completamente integrada à sociedade de sua categoria de idade.

A experiência clínica nos mostra que as crianças de ambos os sexos são ainda frágeis e pervertíveis (sem que isto seja necessariamente visível), em decorrência do fato de que seus sucessos ou fracassos suscitam efeitos desnarcisantes ou, pelo contrário, narcisantes, sobre seus pais. E em particular, sobre o genitor em relação ao qual eles ainda se situam – segundo seu sexo – para advir a uma estatura de adulto. Ainda que tenham parecido saudáveis em sua vida familiar e social até a idade das opções genitais e após o Édipo, ainda que não tenham ocorrido incidentes na realidade, eis que com a nubilidade em certos adolescentes, ou ainda em certos jovens adultos, aparece uma angústia com efeitos de esgotamento que desorganizam a psique: efeitos inibidores, destruidores, psicossomáticos. No caso de Marc, todos os conselhos convergiam no sentido de que "se coloque este rapaz deprimido e a caminho de se tornar caracterial em um colégio em uma estância climática", o ar puro poderia lhe fazer bem. Por que não? Mas não era de falta de ar puro que ele sofria. A menos que fosse da falta de clima harmonioso entre seus pais.

Todos estes rapazinhos que, de fato, estavam prontos para uma sexualidade adolescente e adulta sofrem, no momento onde ela deveria aparecer, de uma verdadeira impotência que pode ser dita sexual, ignorada, sendo característica da fase de latência e que só irá preocupar o sujeito conscientemente após a adolescência confirmada. Mas esta impotência potencial genital não atinge somente o sujeito, quanto a seu desejo de encontrar os outros e de se confirmar por seu voo para fora da família; esta impotência atinge também as sublimações dos desejos pré-genitais já castrados. É isto que se vê naqueles que têm dificuldades de concentração, dificuldades escolares.

PATOLOGIA DAS IMAGENS DO CORPO E CLÍNICA ANALÍTICA

Podem existir ali também estados de angústia mortífera que provocam depressões, *acting out* de desespero, na ocasião da suposta traição de amizades, por exemplo. Não se trata necessariamente de uma amizade conscientemente sexuada, pode ser uma amizade sentimental intensa, tanto homossexual quanto heterossexual, porém vaga, como o são nesta idade.

Esta traição vivenciada é, ainda, aquilo que se passa quando os pais se divorciam, enquanto que a criança, de um sexo ou de outro, está em fase de latência ou no período púbere. Se existem muitos filhos do divórcio que recorrem a psicoterapias de todos os tipos, trata-se, na maioria das vezes – por menos autênticas que sejam – psicoterapias de sustentação das castrações pré-genitais, as quais tendem a ceder sob a angústia da separação dos pais, e da escolha entre um ou outro que a criança se crê obrigada a fazer, quando ela ouve falar alternadamente os partidários de um ou outro dos parceiros do casal. É-lhe muito difícil continuar a valorizar ambos os genitores. Então, uma intensa amizade, marcada de exclusividade narcísica, serve de refúgio. E se o amigo ou a amiga daquele momento trai, é um drama.

Fragilidade da Adolescência

Existem adolescentes que parecem ter passado Édipo, mas que não cumpriram absolutamente a proibição do incesto homossexual ou heterossexual, porque não tinham feito mais cedo a experiência de sua potência de expressão coerente enquanto menino ou menina, e que não tiveram, talvez, tentações eróticas homossexuais, nem tampouco heterossexuais, em relação a seus irmãos e irmãs, ou sua mãe, antes de sete ou oito anos. Esta consciência do erotismo pode sobrevir subitamente com a nubilidade. Então, os pré-adolescentes se sentem perturbados, as meninas ao lado de seu pai, ou de seu tio, os meninos ao lado de sua mãe, de sua tia, de sua irmã, porque não sabem como falar daquilo que estão vivenciando. As pulsões são vivenciadas sem palavras, sem imagens, o corpo está emocionado, eles não sabem o que fazer nem a quem falar a respeito. E isto pode suscitar comportamentos perversos, frequentemente compulsivos ou masturbatórios, dos quais se acreditam culpados, e através dos quais evitam, de fato, o trabalho de chegar a seu fim; ou seja, de falar, de visitar aquele (aquela) que ama em seus fantasmas e nos segredos de sua masturbação. Como irão atuar estas pulsões, se não forem direcionadas para seres humanos e, em particular,

284 A IMAGEM INCONSCIENTE DO CORPO

para aqueles que preenchem a imaginação do adolescente? Elas irão suscitar, no adolescente solitário afetivo, a conquista ilícita e compulsiva das coisas, de engenhos: na falta da conquista de amigos, meninas ou meninos, para atividades de prazer partilhado. Elas vão suscitar, ainda, a paixão por animais, a quem se dá e dos quais se recebe carícias valorizantes, na falta de saber escrever palavras de amor e receber ou dar carícias àqueles e àquelas que ocupam seu pensamento. Estes meninos e meninas recalcam frequentemente seus desejos ativos, os quais eles sentem socialmente culpáveis, e entram em um ensimesmamento passivo, impotente, traduzindo-se por vezes por um estado crônico de fadiga, que é de fato uma fadiga histérica, sem seu conhecimento. Eles não podem fazer esporte, obrigam seus pais a correrem de médico em médico, no momento em que há uma competição, um trabalho qualquer, quando uma obrigação da sociedade lhes diz respeito. Tudo os esgota. Emotividade tenebrosa, coração palpitante, tônus em eclipse. Doentes? É o clima de isolamento afetivo no qual se encontram que os deprime.

Fracassos no sentido de serem bem-sucedidos quanto a seus desejos têm efeitos ambíguos nestas crianças Elas se sentem estranhas, não sabem como falar, acreditam que são as únicas a experimentarem sensações sexuais, transtornantes à visão ou ao encontro do objeto amado ou do objeto desejado que não amam. Elas gostariam de se comportar assim como observam os outros se comportarem, e isto lhes dá todos os aspectos de uma patologia de causa ansiógena. Processos compensadores lhes fazem, por vezes, desejarem se tornar, talvez não assassinos, mas delinquentes, delinquentes passivos, exibicionistas, procurando escandalizar, temidos, aglomerando-se em um grupo motor de marginais subjugados por um líder. A excitação que a preparação de um golpe lhes traz, permite-lhes, por vezes, entrarem em contato com outros de sua idade, o que não ousariam fazer se não se tratasse de se ligar contra os defensores da lei para tentar enganá-los[80]. Transgredir as regras, como fazia Marc, provocando incessantemente os professores e os vigilantes da ordem no colégio, ou transgredir as leis da sociedade civil, é muito tentador para meninos inibidos, meninos e até mesmo meninas. Nas meninas, ocorrem mais roubos nas lojas, para experimentar o prazer do medo de serem pegas. Tive em análise algumas mulheres e moças que denominavam isto de cleptomania: ora, não há cleptomania aqui, mas sim, roubo histérico, para

---

80. Ver o caso dos tios de Tony em sua adolescência: caso de Tony, p. 303.

PATOLOGIA DAS IMAGENS DO CORPO E CLÍNICA ANALÍTICA 285

experimentar sensações vizinhas ao orgasmo de enganar e transgredir os vigilantes das grandes lojas. É também o prazer de se fazer pegar e pleitear sua causa: é doente, não fez de propósito, mitomanizar qualquer história para tentar possuir, pode-se dizê-lo, os vigilantes das lojas. Há todo um jogo de gato e rato com estes policiais à paisana, que contextualizam momentos de relaxamento da vida vazia angustiada destes meninos e meninas. E depois, pode ocorrer em certos casos, a vontade de fazer julgar mal os pais através de seu filho, ou de lhes causar aborrecimentos, pelo fato deles não cuidarem suficientemente de seus filhos. Aqui, existe totalmente um retorno ao revide da criança diante de seu sofrimento de não ser mais o objeto do desejo e do amor exclusivo de seus pais.

Podem surgir, da mesma forma, em jovens de ambos os sexos, uma homossexualidade, ou antes, uma homossexualidade de comportamento reivindicando enquanto uma homossexualidade enraizada, uma arrogância passiva nos meninos, e um cinismo ativo nas meninas. Existe, neste comportamento espetacular de homossexualidade alardeada, como que um abandono da competição, ocorrendo no plano da sexualidade; mas este abandono da competição pode ser visto em todos os planos, escolar, profissional também. Houve, desta forma, a época do "dane-se!" de grupos de jovens que não tinham sua sexualidade às claras, incapazes de tomar a responsabilidade de seus amores e de sua independência para assumir uma relação amorosa. De fato, estas homossexualidades ou até mesmo estas heterossexualidades espetaculares são fingidas. São ações reativas. São os gritos de pedido de crianças que se prolongam neste estado, ignorantes quanto a si mesmas e quanto ao outro. Elas se mostram diferentemente daquilo que acreditam que a sociedade admira e valoriza, a fim de que a sociedade os leve em conta, os note. O álcool, a droga em seu início, quando os jovens começam a experimentá-la, fazem parte deste tipo de derrelição, de abandono da competição e, pode-se dizer, de um tipo de suicídio lento e progressivo.

Tudo isto, aliás, pode desembocar em um suicídio verdadeiro, equivalente a uma cena primitiva, a de sua concepção, da qual o adolescente se recusa a reconhecer que ele teve sua parte no ato inicial de sua vida. Os jovens não podem admitir que é de seu próprio desejo que eles nasceram, que foi dia a dia reassumido, e que sobreviveram por ele até hoje. Ouvimos frequentemente um "Eu não pedi para viver", em um tom perseguido e reivindicatório; por vezes, é um "ninguém me ama", que, em

286 A IMAGEM INCONSCIENTE DO CORPO

realidade, traduz um "não tenho ninguém para amar", e podemos dizer até mesmo, ainda: "Eu mesmo, suporto-me com dificuldade". Este desespero da solidão do coração, ao invés de reconhecê-lo e falar claramente a respeito, este adolescente o devolve sob forma de reivindicações magnificadas, ele se faliciza, ouso dizer, em um "Eu não me amo vencido". E é em um transporte de amor por si mesmo, um *acting* impulsivo do desejo de qualquer outra coisa, de algo de novo, desejo de sair disto, que ele se suicida, acredito eu, em última esperança de sensação erótica--nirvânica. Felizmente, existem aqueles que falham (é a partir deste momento que se pode psicanaliticamente estudar com eles os processos que os levaram a este ponto). O sujeito esteve em vigília ao longo deste coma, e está mais lúcido após a tentativa de suicídio do "Eu" do que antes. E ainda, ele está, talvez, desculpabilizado de viver, após ter ultrapassado uma ocasião de morte iminente: já que esta foi recusada, isto quer dizer talvez, que é preciso jogar o jogo da vida.

A maior parte das crianças que os psicanalistas recebem após a fase de latência e no início da puberdade são crianças a quem faltam meios criativos, que poderiam fazê-las descobrir as castrações de seus desejos nos estágios arcaicos de seu desenvolvimento. Nos casos clínicos que pude estudar, estas castrações tinham falhado, não tinham desembocado na simbolização de pulsões, que tinham sido simplesmente recalcadas, quanto ao seu objeto, sem serem utilizadas para a conquista de objetos lícitos trazendo às crianças simultaneamente prazer e socialização ligada à partilha deste prazer com outros. Por vezes, são também crianças que sofreram cedo uma mutilação de sua imagem do corpo, na idade do estágio do espelho, ou ainda, na idade da castração primária. São então crianças ditas psicóticas, inadaptadas.

Mas aqueles que verdadeiramente correspondem a perturbações neuróticas pós-edipianas são os sujeitos que vemos se agarrarem ao espelho dos olhos daqueles que os olham ou seja, serem-bem sucedidos não para si mesmos, mas para serem vistos, serem-bem sucedidos sem projetar este sucesso em um futuro adulto. Estes jovens são agarrados a uma imagem de seu rosto, de seu corpo, de seu aspecto, à superfície de sua aparência visível. É a inflação do fazer ver para esconder a aflição interior. A mínima dúvida sobre o eventual sucesso de um empreendimento visando a realizar seu desejo, um muro imaginário se estabelece como um obstáculo entre eles e o mundo. É a angústia do vazio, do absurdo que conduz a um não-sentido de um projeto, seguido da falta de dinamismo para defendê-lo e assumi-lo.

Eles recorrem ao espelho para se reencontrarem, para não se perderem completamente. É muito menos grave quando recorrem solitários, agora, para o rádio, para a música, para acalmar e suportar sua angústia. É menos grave, sobretudo, quando esta música solitária os incita a passearem de forma rítmica em patim de rodas, ou a dançarem: pois existe ali um prazer de todo o corpo, que cansa e que, também, lhes permite se mostrarem indiferentes circulando em meio aos outros. Eles sentem com alegria o conforto de seu esquema corporal. Estes *joggings* que vemos por toda parte, estas ginásticas acrobáticas e rápidas no decorrer das quais não podemos nem mesmo pensar, que embrutecem, mas que sustentam uma falsa alegria esgotando o corpo, é de toda forma, melhor do que a passividade e a droga: é a busca de uma sobrevivência física, com um conforto do corpo que, naquele minuto, satisfaz as tensões do corpo, na falta de satisfazer as tensões do coração.

Existe também a fragilidade diante do primeiro amor, ou o primeiro amor sentimental associado a projetos de futuro, em decorrência do fato de que o desejo começa a se mesclar a ele. Até então, estes jovens tinham conhecido apenas amizades. Desta vez, há um desejo de amor, e quando conseguem, enfim, atingir o objeto de seu amor, eis que esta pessoa os rechaça. Ao invés de considerar a experiência como um fato, talvez, devido à inadequação de sua imaginação, que idealizou a pessoa amada, a qual se descobre ser, na realidade, completamente outra, não é este o raciocínio que o rapazinho ou a mocinha tem. Trata-se imediatamente de uma derrelição insuportável. Ocorre imediatamente a ressonância dentro deles – uma ressonância que se decodifica em seus sonhos, quando eles os contam – de uma negligência sentida na ocasião de sua infância, porém recalcada, então, a negligência da qual se sentiram objeto da parte de um genitor amado conscientemente; repentinamente, a aproximação inconsciente destas duas provas os faz sentirem-se culpados, como se fosse em si incestuoso ter amado alguém que não respondeu a sua esperança. Vemos jovens se suicidarem e não falharem, ou outros, que não falam de sua depressão, entrarem em estados psicossomáticos com efeitos organicamente graves. É preciso, realmente, que uma pessoa que não seja um parente próximo imediato – nem sempre é necessário que seja um psicanalista, mas é necessário que seja alguém neutro e com experiência, algumas avós fazem isto muito bem –ouça o desespero de amor deste menino ou desta menina, o ouça, com compaixão, sem consolá-lo, sem criticá-lo, sem julgá-lo, mas sustentando discretamente o narcisismo do abandonado.

É possível também que o objeto amado pelo adolescente ou pelo jovem adulto, menina ou menino apaixonado, seja colocado no pináculo, totalmente idealizado a ponto de que não seja nem mesmo pensável, para ele ou para ela, o fato de entrar em comunicação com esta entidade sublime; ao mesmo tempo, o sujeito perde completamente todos os seus meios em relação a qualquer coisa. Ele se torna como um cão de caça que procura encontrar seu amor, que passa sua vida a esperar olhares que nunca vêm, já que, o outro, a quem ele nem mesmo ousa saber fazer que o ama, não suspeita de que ele ou ela é desejado(a), e isto já que ela ou ele vivem em outras esferas que não em que transite este apaixonado ou esta apaixonada. E a erotomania dos jovens entre os quais alguns se agrupam como fãs de suas vedetes, de seu herói, ou de suas heroínas dos sonhos. Existem aqueles em que isto não é perigoso, ocupa seus momentos de lazer e lhes permite se acharem entre fãs; mas outros vivem uma verdadeira aflição por não serem reconhecidos, amados, apoiados, na vida, por aquele ou aquela de quem estão enamorados.

Existem, portanto, duas maneiras para um sujeito que atingiu o narcisismo secundário característico de um pós-Édipo saudável ser desnarcisado, seja de uma maneira que tem, rapidamente, efeitos descriativos, seja efeitos mortíferos sérios. Pode ocorrer a resposta negativa a seu desejo, e ele não tem mais, então, porque continuar a existir, e é a destruição de todas as suas imagens do corpo que lhe faz perder os direitos e até mesmo os meios de tentar seduzir. Ou então, o outro desejado reage como se este desejo não lhe dissesse respeito, o que pode, no apaixonado, ser entendido como se seu desejo fosse proibido por uma pseudomagia: isto desperta no adolescente e na adolescente os terrores da época edipiana, a obsessão de ser a mais, o ciúme dilacerante por aqueles ou aquelas que eles veem serem acolhidos, enquanto que eles não conseguem isto; e isto pode provocar, ao invés de uma derrelição que leva a um suicídio lento ou rápido, um ato vingativo visando o rival mais feliz. É, particularmente, o que ocorre nos sujeitos nos quais se pode encontrar, quando conhecemos sua história, o fato de que não foram narcisados quando eram crianças, no momento das castrações, as quais (enquanto realidades, frente ao sonho, que qualquer criança é obrigada a sofrer) não foram sentidas como promovedoras, mas sim como provas penosas em um momento em que seus irmãos e suas irmãs pareciam ser os objetos preferenciais dos pais.

Estas castrações mal dadas e mal recebidas, dadas sem respeito nem compaixão por seu sofrimento a crianças que as recebem como palmadas, fazem com que, após os períodos de latência aproximadamente vivíveis e dos inícios da adolescência suportáveis, os primeiros fracassos amorosos fora da família, quer se trate de um amor claramente heterossexual ou homossexual, ou apenas, vagamente colorido de sexualidade, oprimam o jovem por culpa. Por uma culpa totalmente imaginária, que nada tem a ver nem com a responsabilidade de atos malfadados que teriam feito falhar uma alegria, nem com nenhuma lógica. Conhecemos o teste que conta uma história em que um garotinho ou uma menininha (segundo o sexo da criança que se testa) teve um desentendimento com seu pai ou com sua mãe a quem tinha desobedecido, enquanto que uma outra criança está em bons termos com seus pais. No teste proposto, que é um teste falado, as duas crianças estão supostas a pegar o mesmo caminho e passarem por uma ponte que, por acidente, desaba. Uma das duas crianças foi morta no acidente. Qual delas? Uma criança em fase de latência, ou em início de puberdade cuja resolução edipiana não foi simbolígena, ou uma criança muito jovem, dirá da mesma maneira, imediatamente, que aquela que morreu, é a que tinha sido desobediente. Pelo contrário, uma criança que viveu bem sua fase de latência, um adolescente confiante em si mesmo e que suporta ser excluído por aqueles que ele escolhe como eleitos, responde imediatamente: "Mas como se pode saber?". Na criança que dá a morte acidental àquela desobediente, existe projeção sobre as entidades do mundo de um pensamento mágico, concernente à onipotência parental, o Super"Eu". A criança projeta assim aquilo que ela gostaria de possuir e que ela acredita que seus pais possuem: a onipotência. Temos aqui, evidentemente, uma castração que falhou, porque qualquer genitor deve ser sentido por seu filho como alguém que não possui a onipotência, mas que se sente responsável por seu filho e sofre por ser obrigado a fazê-lo sofrer para ajudá-lo; que se compadece, já que ele também passou por isso, e sabe explicá-lo a seu filho. A criança não-castrada não foi habilitada a compreendê-lo, quando era jovem e até mesmo não tão jovem através de conversas com seus pais, em consequência de incidentes reais ou de histórias contadas ou de fatos diversos: tudo aquilo que os pais, quando estão preocupados com a educação e com o desenvolvimento falam a seu filho. A criança não foi iniciada, por exemplo, ao fato de que desobedecer pode, por vezes, ser necessário para ganhar sua autonomia e para sair de uma situação bloqueada, à

290 A IMAGEM INCONSCIENTE DO CORPO

condição de que este que desobedece tenha bem refletido aquilo que fez, tenha medido os riscos e decidido por si mesmo enfrentá-los, inclusive o risco de desagradar e de ser admoestado por seus pais. É verdade que pessoas experimentadas, como parecem ser os adultos, sabem prever perigos que as crianças não podem prever. Infelizmente, muitos pais preveem também perigos que não existem, e inibem através de suas proibições abusivas e de suas profecias absurdas o desejo que qualquer criança tem de se tornar autônoma, o dever e o desejo de pensar por si mesma e de assumir seus riscos quando decide fazê-lo.

Retorno a este *leitmotiv*: seria o papel da escola sustentar nas crianças o espírito crítico em relação aos dizeres dos adultos e dos regulamentos frequentemente absurdos aos quais são submetidas, e que a criança se acredita culpada por transgredir, enquanto que ela tem o dever de fazê-lo.

Despertar o sentido crítico em relação aos detentores do poder é também muito importante; e, se os pais não podem fazê-lo, caberá à escola este papel. Os detentores do poder são, aos olhos da Lei, aqueles que são encarregados, por exemplo, de fazê-la ser respeitada. Mas aqueles que querem utilizar, como manipuladores, seu poder, e que se identificam com seu papel, são maus mestres; podemos ajudar as crianças a tolerá-los por certo tempo, mas é preciso sustentar também o exercício do sentido crítico frente a seus comportamentos autoritários que não têm sentido algum, e que são apenas autoridade pela autoridade, ou seja, são desprovidos de sentido humano, socialmente útil.

Anorexia

Na patologia das imagens do corpo após a castração edipiana, depois o período de latência, no início da vida responsável em sociedade, os adolescentes apresentam frequentemente, do ponto de vista clínico, problemas de anorexia, algumas vezes leves, mas que podem se tornar muito graves. É preciso compreender este sintoma em relação à imagem do corpo. Ele não remonta ao momento do Édipo, mas muito antes, entre três e seis anos. O Édipo só fez remanejar aquilo que se tinha passado quando estas menininhas eram mais jovens, no momento da castração primaria, ou seja, quando atingiram o saber de sua pertinência sexual e o orgulho, narcisicamente gratificante, de se tornarem mulheres como sua mãe. Momento que se dialetiza também segundo o valor do nome do pai, tal como a mãe sabe suscitar a consciência deste; pois, é em torno de um homem, representante fálico de valor, que se organiza, na menina, toda a "sexuação". As menininhas que aceitaram, no momento da castração primária, aos três anos, o remetimento de sua vida sexual para a nubilidade, mas que foram convencidas do valor de sua pessoa enquanto menina de tal homem e de tal mulher, estas jovens têm raramente –nunca vi algum caso deste tipo – anorexia. Quando chegam à puberdade, elas sabem guardar o falismo necessário de suas pulsões arcaicas, ou seja, uma atividade laboriosa, uma atividade a serviço do jogo, uma atividade a serviço da vida social; elas são bem-sucedidas na vida escolar e social. Com pudor, mas sem vergonha de si mesmas, elas ficam felizes por se mostrarem com atributos e atrair os olhares de outro quando seu corpo se desenvolve e elas se tornam moças. Elas rivalizam-se com as outras meninas sem culpa.

É necessário, de qualquer forma, saber que dentre estas moças que chegam à nubilidade após um Édipo bem-sucedido e uma fase de latência socialmente bem-sucedida, existem aquelas que, no momento da adolescência, se disfarçam, poder-se-ia dizer, em falsos meninos. Isto nem sempre é um sinal de homossexualidade em construção. É por vezes sinal de um excesso de riquezas femininas, por vezes uma resistência em deixar falar desejos passivos de sedução, sendo também uma tática prudencial: pois é muito difícil para uma menina que suscita olhares e os desejos dos meninos, e a rivalidade de outras meninas, continuar a adquirir armas para a vida social. Ela pode ser tentada a largar a competição escolar. Ora, atualmente, sabe-se a que ponto é importante estar apto a ganhar sua vida, para uma mulher que quer ser autônoma em todas as situações, sobretudo quando tiver crianças a seu encargo, no caso em que lhe for necessário um salário, ou no caso em que ela tiver que prover, sozinha, a criança. As pulsões passivas dominantes das meninas na puberdade podem entravar o sucesso em uma profissão; e as meninas do tipo "menino que falhou" são, por vezes, muito mais heterossexuais de desejo do que meninas supostamente muito femininas, cujo charme feminino é reconhecido e enaltecido por todos e que, por vezes, não são nem menino nem menina, mas passivas ao extremo e que esperam ser o objeto eleito de um ser fálico, qualquer que seja, que lhe dará tudo o que elas não procuram se proporcionar por si mesmas – ou seja, as possibilidades da vida em sociedade – enquanto parasitas, legais ou ilegais. Quando elas acham um homem que cuida delas, esposo legítimo ou amante regular, é para elas um correspondente fálico social dos quais elas aproveitam como um bebê aproveita do seio materno e do adulto tutelar do qual é dependente. Quando elas se tornam mulheres e infelizmente mães, elas não são capazes de educar seus filhos. Elas podem ser boas alimentadoras, boas gestantes, mas seus filhos são educados por elas no narcisismo de sua própria pessoa sexuada. Elas não podem dar às crianças as castrações, e suscitar nelas a simbolização das pulsões cuja expressão bruta é proibida. São educadoras do comer bem, do fazer bem, do parecer bem, mas não do se tornar desejante autônomo de um menino ou de uma menina.

A anorexia mental ou a bulimia, síndromes muito mais frequentes nas meninas do que nos meninos no momento da adolescência ou da puberdade, são, assim, sintomas que têm suas raízes libidinais em torno da época de uma castração primária que foi muito mal sustentada pela educação da mãe. Nos meninos, a bulimia é por vezes uma síndrome durante o período edipiano; e, durante a fase de latência, é mais frequente a anorexia; na adolescência, novamente a bulimia. Nas meninas, é no momento do crescimento purbertário, e depois, que a anorexia sobrevém. Isto decorre do fato de que as pulsões genitais da menina retomam uma organização econômica um pouco semelhante à das pulsões orais: é que, no momento do desmame, as pulsões orais relativas ao desejo do seio (não falo da necessidade do leite, falo do desejo do seio enquanto objeto parcial da mãe) podem ter sido recalcadas sem que a simbolização na relação de sujeito a sujeito, para o prazer, entre o bebê menina e sua mãe, já tenha substituído e ultrapassado de muito o interesse táctil e gustativo do seio em relação à boca do bebê menina. O interesse pela relação com a mãe e o desejo sexual no sentido amplo são, nas meninas que se tornam anoréxicas, totalmente recalcados, sem serem transformados em relações inter-humanas com a mãe e as mulheres. Na puberdade, o interesse peniano, o interesse pelo falo, que é representado no homem pelo pênis, como o é na mulher pelos seios, faz com que o crescimento pubertário, o crescimento dos seios, a chegada da menstruação, signifiquem para a jovem, consciente e inconscientemente, sua possível fecundidade. Ora, o casal de seus pais vive neste sentido, o mais frequentemente, de uma maneira infantil, em um clima seja agradável seja desagradável; e a ideia inconsciente de gravidez não é suportável para estas meninas. Sua obsessão consciente é a ideia de engordar. Elas vivem em uma espécie de magma conflitual, no qual a sexualidade do adulto se engolfa, marcado por um sinal negativo, pelo horror de ter peito, seio, pelo horror de ficar gorda. Isto solicita ser analisado, e se trata de perturbação das relações reais entre a menina e sua mãe, entre a menina e o alimento, entre a menina e seu pai, entre sua feminilidade imaginária e sua inexperiência com os meninos, entre a menina e seu espelho. Engordar, palavra inconscientemente relacionada àquela da gravidez, perigoso para a estética de uma jovem que quer seduzir: isto, supostamente, a impediria de agradar. Mas é sobretudo a ela mesma no espelho, a ela mesma em seu próprio olhar, que ela quer agradar, apagando todos os contornos arredondados femininos de seu corpo, até mesmo os mais discretos. O desejo pelo pai se disfarça, então, seja em afeição complicada e conflitual, seja, pelo contrário, em fuga manifesta para longe de suas vistas e em recusa de responder quando este lhe fala. Seu problema está enraizado em um conflito de amor e de desejo frente ao pai, e em um conflito de feminilidade rival com a mãe cujo filho permaneceu como um bebê-gato: a mãe, certamente, se preocupa com ela, mas ela nunca a considerou verdadeiramente como uma jovem indo-advindo mulher. O narcisismo da jovem é pego em um "mercado de enganos". Ela vive conflitos inconscientes completamente autônomos, datando de seus três a seis anos, e que tem muito pouco a ver com o comportamento atual de seus pais em relação a ela, comportamento na realidade secundário, ligado à sua preocupação justificada referente a seu estado de saúde arruinado.

Gravidez e Imagem do Corpo

Os vômitos da gravidez, na mulher grávida, vêm também de um conflito que data da imagem do corpo da tenra idade, simultaneamente ao desmame e ao início do Édipo.

Quanto às apendicites, nos meninos assim como nas meninas, são perturbações psicossomáticas em relação à época em que imaginavam a concepção segundo uma tecnologia digestiva. Estes fantasmas estão há muito ultrapassados, mas houve uma época em que foram operacionais e deixaram as possibilidades de uma infecção, mais tarde, em tal lugar do esquema corporal em decorrência do próprio fato de que a imagem do corpo grávido das gestantes era vista como um lugar cheio de cocô mágico. Os meninos, ou até mesmo as meninas, supunham por trás do parto, um caso particular de potência anal da mãe. A criança incestuosa inconsciente que qualquer criança antes do Édipo deseja carregar, a exemplo de sua mãe como penhor do amor e

do desejo que tem por seu pai (não falo somente para as menininhas mas também para os meninos), esta criança incestuosa
inconsciente, é necessário realmente abortá-la, antes de poder
liquidar seu Édipo. O apêndice se torna assim o local de uma
inflamação e é preciso retirá-lo para salvar o sujeito de uma armadilha arcaica que realizaria, na disfunção do esquema corporal, o fantasma de um desejo que outrora não se pôde dizer
claramente na criança. É, portanto, seu corpo que repete um
dizer, que o significa, neste apêndice: um dizer que, atualmente,
não tem mais verdadeiramente sentido para a criança que atingiu
sete-oito ou quatorze-quinze anos. É possível que o leitor fique
muito espantado com aquilo que acabo de escrever, mas, se ele
convivesse com crianças, veria como é surpreendente o número
daquelas que "fantasiam" e alardeiam que querem ter um bebê,
e que supõem e mostram que ele está em seu corpo, em sua barriga. Evidentemente não há nada mais a fazer além de rir: "Ah,
você acredita realmente!", dizem. E, para estas, não ocorrerá
apendicite mais tarde; é para aquelas que recalcam este desejo e
que não falam a respeito que o corpo terá de significá-lo antes
que deixem a infância. Eis a diferença: a palavra expressa um
desejo e evita que seja no corpo que se fale, se não hoje, mais
tarde. É por isso que os fantasmas das crianças, quando elas os
falam, não devem provocar ecos, nem denegações, nem sentimentos; deixemos as crianças falarem, é só, e é suficiente; estes
assuntos são liberadores para aquilo que está em curso de ser
saudavelmente recalcado; em seguida, será simbolizado diferentemente, que não no corpo, e de forma cultural. As pulsões femininas do menino se sublimam, então, de outra forma que não
portanto um fruto de carne, e as pulsões emissivas genitais da
menina se sublimam de outra forma que não no desejo de fazer,
ela mesma, uma criança com seu pai.

HISTERIA E PSICOSSOMÁTICA

Os desenvolvimentos dados ao longo deste trabalho à noção
de uma imagem do corpo tendo simultaneamente situada, no
esquema corporal, e distinta dele, me conduzem a especificar
como atua a relação entre o corpo real e a imagem dinamogênica
libidinal inconsciente que o sujeito se faz, e a diferença em relação ao narcisismo dos sintomas devidos à histeria e aqueles devidos a perturbações psicossomáticas.

Demos o nome de *histeria* a comportamentos que tinham, inconscientemente, objetivos manipuladores do outro; enquanto que damos o nome de perturbações *psicossomáticas* a golpes funcionais no corpo que não são devidos a causas orgânicas: não há infecção, não há nem mesmo, pelo menos de início, perturbações lesivas; não há perturbações neurológicas, e, no entanto, o indivíduo tem sua saúde desregrada, ele sofre. Seu corpo está doente, mas a origem de seu desregramento funcional fisiológico é uma desordem inconscientemente psicológica.

De qualquer maneira, na histeria, assim como no psicossomatismo, o ou a doente sofre realmente e se encontra perturbado em sua atividade psicossocial. Dizem que nas perturbações ditas histéricas, supostamente, o indivíduo é, na maioria das vezes, mulher; eu duvido disto[81].

O indivíduo histérico, no conjunto, está bem, mas, através de perturbações "mimificadas" que vêm repentinamente, se compraz, inconscientemente, em uma manipulação do outro, eu diria, através de sua fraqueza. Na mulher histérica, uma libido frustrada se traduz através de cenas espetaculares que a paralisam, e que tornam culpado seu cônjuge que não a satisfaz sexualmente; mas, ela mesma, experimenta algo da ordem do orgasmo inconsciente na ocasião destas cenas: ela tem uma economia libidinal que desemboca, na ocasião das crises, em uma descarga nervosa inconsciente, seguida de bem-estar, como em um orgasmo.

É a vida interindividual, a vida de relação que o histérico entrava, através, seja do bom andamento de seu casal, seja através de suas relações de trabalho; enquanto que o psicossomático não entrava o bom andamento das relações afetivas que tem com os outros: é o médico que se torna, para ele, o objeto da manipulação, pelo estado crônico de um doente, de toda forma um traste velho, se não verdadeiramente preocupante.

Uma *paralisia histérica* incomoda ou faz sofrer o indivíduo, inconsciente do fato de que foi ele mesmo que a provocou; seu objetivo inconsciente era o de manipular um outro por quem ele

---

81. Penso que o fato de falar de histeria, sobretudo nas mulheres, vem do fato de que a histeria, no homem, é utilizada muito mais socialmente do que na mulher, em comportamentos falocratas, em comportamentos garbosos, que são apreciados enquanto valores pela sociedade, portanto, narcisantes para o sujeito e operacionais quanto a seu agir sobre o outro. O que faz com que nos desnorteemos mais quanto à histeria da mulher é que, quando ela fracassa em atingir seu alvo e seu sofrimento narcísico fica superexcitado, ela persiste, por vezes, no mesmo sintoma, inconsciente em sua fonte, e que a histeria, em consequência disto, aparece sem elo com o sucesso social. Por intermédio disto, denominamos histeria na mulher aquilo que são meios admirados enquanto apêndices do sucesso social no homem.

se sente frustrado, mas, finalmente, ele se torna prisioneiro de um dizer em seu corpo, o qual ele acredita ser atacado por um agente externo, microbiano, por exemplo, ou por um acidente devido à sua falta de jeito, que o impede de se mexer. Ele se sente vítima de uma causa que lhe é estranha, enquanto que de fato, sem o saber, é ele que se auto vítima, em função de um objetivo inconsciente, que é o de agir sobre seu meio ambiente ou de se impedir, a ele próprio, de agir. Quando se trata de psicossomática, temos que nos haver com os efeitos de uma luta inconsciente (a ser decodificada) entre as instâncias da psique, em contradição no próprio interior do indivíduo; enquanto que a histeria é uma luta imaginária entre um indivíduo e um outro, do qual ele deseja ou teme, inconscientemente, uma satisfação em uma realidade que ele não sabe dominar de outra forma. Freud cita, neste sentido, o caso de paralisia histérica do braço de uma jovem cujo irmão tinha quebrado a perna, sendo que, nesta ocasião, um de seus amigos tinha vindo visitá-lo em casa. A jovem tinha se encantado, secretamente, com o jovem visitante. Mas, uma vez o irmão curado, o amigo não viria mais visitá-lo em casa. Sem o saber, ela, que desejava rever o rapaz, mas que não podia confessá-lo a si mesma nem tampouco dizê-lo, tinha paralisado seu braço para imitar seu irmão. O braço da moça estava como que em um gesso imaginário, com esta lógica mágica inconsciente: "Se um membro estivesse imobilizado o rapaz voltaria". Foi sob hipnose que Freud fez esta jovem falar do sentido que tinha seu braço imóvel, como se estivesse quebrado. No sono hipnótico, o sujeito do desejo está completamente lúcido naquilo que concerne ao "Eu"; a jovem adormecida sabia, portanto, que seu braço imóvel era um chamado à visita do rapaz. O "Eu" adaptado à linguagem ambiente não tem acesso ao significante do desejo em decorrência das resistências que se desenvolvem nele e que impedem o sujeito de ultrapassar os tabus que acompanharam sua educação. Adormecida, a jovem podia falar de sua esperança de uma visita do rapaz. Esta compreensão de si mesma ela não teria tido no estado de vigília, se Freud não lhe tivesse dito aquilo que ela lhe tinha revelado sob hipnose. Foi, aliás, diante dos danos emocionais narcísicos de semelhante revelação que Freud deu-se conta de que era inútil, e até mesmo nocivo, trabalhar de forma a aproximar bruscamente o inconsciente do consciente através de um trabalho sob hipnose revelado, em seguida, ao hipnotizado: isto só podia criar traumas.

Freud provou que era muito mais válido trabalhar com as próprias resistências do sujeito consciente do que dizer a verdade de seu desejo inconsciente. Pois, uma vez que elas se expressaram e que foi analisado seu período de organização, as resistências não têm mais lugar de permanência. Mais especificamente, ao longo deste trabalho entre o analisando e o analista, a transferência da relação emocional com as pessoas de sua infância se estabelece sobre o analista e, as resistências estando ali esgotadas, o desejo pode se dizer e ser recolocado em relação com a época em que tinha aparecido pela primeira vez.

Ao invés da relação selvagem, frequentemente traumática e inutilizável, de desejos recalcados, *Freud inaugurou o tratamento das perturbações psicossociais pela mediação da transferência* que o paciente faz sobre quem o escuta e o assiste, ao longo de encontros contratualmente ritmados no tempo, sempre no mesmo espaço, através de um pagamento. A relação entre estes dois participantes se torna a ocasião de experiências ou de revivescências do passado, ou, ainda, novas, para o paciente, que se acha ao mesmo tempo confrontado com uma margem de apreciação, diferente entre o psicanalista e ele, quanto ao imaginário e à realidade do material trazido, sessão após sessão. Daí, para o paciente, uma maturação, a qual procede da elucidação sem culpa de seus desejos os quais ele fala aqui sem os agir, e da linguagem da qual ele dispõe para expressá-los. Este trabalho o conduz a entender o valor que, relativamente, têm uns em relação aos outros, seus desejos, seu dizer ou seu calar, segundo a ética que dia após dia ele critica sobre o divã. Esta ética é reajustada ao desenvolvimento de seu nível de consciência que se destaca de *a priori* arcaicos, e de seu julgamento – consciente – que se refina em relação ao elo com seu psicanalista. Elo que se "desintimiza", se banaliza, se desencanta. O analista, guia do trabalho subjetivo de seu paciente, nunca intervém na realidade que suscita nele, atos a serem realizados, decisões a serem tomadas segundo este ou aquele de seus desejos que podem ser negociados com o social, para assumi-los no sentido da melhor realização destes. O tratamento se conclui através da *quitação* recíproca entre o analisando e o analista, o primeiro, não estando mais motivado em continuar um remontar de sua história que não lhe interessa mais, e o segundo, de preferência, de acordo com isto.

Um caso de histeria em um menino: Alex

Tive a ocasião de conhecer uma criança, um garoto de treze anos, que tinha quebrado várias vezes o braço direito, e que não conseguia mover o cotovelo, uma vez retirado o gesso. Seu braço tinha permanecido imóvel, enquanto que a radiografia não mostrava obstáculos para a extensão e a flexão do antebraço sobre o braço. Ao longo de uma ou duas semanas de uma reeducação que se "arrastava", o menino tinha quebrado novamente o mesmo braço. Um novo gesso, em seguida a retirada deste. Novamente, a impossibilidade de mover o braço direito. Em seguida, terceira fratura do mesmo braço, portanto, terceiro gesso. É claro que, ainda uma vez, na retirada do gesso, nenhum movimento era possível.

Pra confirmar que o cotovelo estava completamente livre em seus movimentos, a radiografia não mostrando anomalia articulatória (na ocasião de uma consulta cirúrgica em hospital infantil), tinham aplicado uma anestesia geral no menino; sob a anestesia, seu braço totalmente livre tinha se mostrado perfeitamente móvel, passivamente. A recuperação funcional não representaria, portanto, problema em seu caso. No despertar da anestesia o cotovelo do menino poderia ser quebrado se se tentasse fazê-lo mover-se. E ele mesmo, tentando fazê-lo, não conseguia. No entanto, ele não sentia nenhuma dor neste membro superior adoentado. Foi neste momento que o chefe de serviço sabendo que eu, externa à consulta, era psicanalisada, perguntou-me se eu poderia cuidar do menino, fazendo-lhe admitir que nada se opunha, na realidade, à recuperação da mobilidade de seu braço.

Aceitei, o menino também. Alex vinha, assim, a cada dois dias, ao departamento cirúrgico, em um outro cômodo que não o de cuidados. Permanecíamos juntos durante pelo menos meia hora, cada qual de um lado de uma mesa. Ele desenhava, e falávamos. Eu não tinha cuidado dele no que dizia respeito à sua fratura, quer no momento da anestesia, quer no sentido de alguma tentativa de reeducação. Eu estava, portanto, em condições clássicas para desempenhar o papel de psicoterapeuta. Ao cabo de pouquíssimas sessões, o desejo inconsciente que obrigava Alex à imobilização de seu braço apareceu claramente. Ele morava na "zona", uma região específica desfavorecida, próxima ao hospital. Ele tinha uma irmã, mais velha que ele quatro anos, que o teria seduzido quando ele tinha oito anos – portanto, cinco anos antes – e ela doze, pelo menos era o que ele contava. Verdade ou mentira? Desta irmã, ele gostava muito; ele tinha um irmãozinho quatro anos mais novo do que ele de quem ele também gostava muito. Ele me falou de seu desejo real por sua irmã. Desejo real, lembranças reveladas com um certo incômodo, de ter brincado de se acreditar o marido e ela, sua esposa, na ocasião de uma cena de ternura pseudomaternal entre sua irmã mais velha, ele e eu irmãozinho. Mas não era isso que importava, dizia ele. Em uma outra sessão, ele me diz que o importante, para ele, era um sonho que o incomodava, mas ele não podia contá-lo. Ele desenhava agressões à faca, maquinalmente, sempre falando, e seus desenhos eram associados ao não-dizer deste sonho repetitivo. Ele associava sobre este sonho, de sessão em sessão, e segundo as características variadas do relato, ele fazia a mímica deste, sempre contando.

Certo dia, enquanto ele mimificava uma cena, uma variante deste sonho onde sua "irmã mais velha" figurava (era assim que, em seu sonho, ele a nomeava, enquanto que na conversa comum, ele sempre dizia "minha irmã"), ele se pusera a mover seu braço direito, para seu grande espanto, como se sua mão, armada de um punhal imaginário, visasse minha pessoa, que supostamente representaria o lugar da irmã mais velha no sonho. Pudemos falar daquilo que ele acabara de mimificar e, ao mesmo tempo, compará-lo aos desenhos que, maquinalmente, ele fazia, enquanto falava. Isto podia significar que seu braço direito, armado com uma faca, era passível de dar um golpe mortal em sua irmã, ou talvez, em sua mãe, quando era pequeno, já que ele falava da irmã mais velha, ou a uma outra mulher, como eu, por exemplo. Ter seu braço direito paralisado, evidentemente, isto o impedia de fazer uma desgraça. Este impedimento vinha de sua consciência humanizada – consciência inconsciente talvez – da proibição do incesto, da proibição do assassinato. A proibição do assassinato, como já vimos, vem com a castração anal, e a proibição do incesto, com a castração edipiana. Aquilo que se traduzia para ele pela culpa por uma transgressão incestuosa, sua irmã tinha tentado lhe impor, ao mesmo tempo em que a culpa pelo assassinato eventual de sua irmã, assassinato que podia ser, aliás, o deslocamento simbólico de seu desejo incestuoso arcaico, dele mesmo, já que, como vimos, na imagem do corpo do garotinho, a magnificência da ereção peniana e o desejo que a acompanha para o objeto eleito materno fazem com que a criança sonhe em trucidar seu objeto de amor.

Era uma resposta à sua irmã que, atualmente, na realidade, ela com dezessete anos e ele com treze, queria que ele partilhasse com ela a grande cama dos pais onde dormia há alguns meses, enquanto sua mãe estava no hospital. Ela o pressionava para que aceitasse isto. Dizia que iria colocar entre eles um travesseiro, mas ele recusava. Tal era o conflito atual. Alex preferia deitar no chão ou em um outro cômodo da casa, que tinha dois, onde dormiam o pai, quando estava em casa, e o irmãozinho. No entanto, ele e sua irmã tinham partilhado o mesmo colchão, em sua infância, e, ainda, antes da ida de sua mãe para o hospital. Mas agora, ele não queria mais isso. Em resposta à sua irmã que lhe propunha uma possibilidade de corpo a corpo que lhe daria prazer, a ela, ele queria responder por um corpo a corpo que mata, e era disto, então, que ele se defendia inconscientemente.

Sua paralisia histérica era uma automutilação imaginária, indolor, incômoda, porém menos grave do que as fraturas verdadeiras automutilantes. Era apenas uma mímica inconsciente; ele caía, e sempre sobre o mesmo braço que se fraturava. Uma vez reparada a fratura, ele se fraturava novamente. Mas a histeria, no sono anestésico, desaparecia. Era a partir do momento em que ele estava consciente, que ela o fixava na impotência total do braço assassino, tornado não-móvel. Alex tinha quase treze anos, atingia, portanto, a puberdade. Estava em pleno crescimento, e esta puberdade tinha despertado nele a lembrança de uma sedução, no entanto, em seus dizeres, bem anterior. Sedução ao longo da qual sua irmã, contava ele, o tinha obrigado a masturbá-la, após o que, ela o teria feito nele também. Esta lembrança, se não fosse um fantasma, contado com muito pouco afeto, estava sem dúvida, na origem de um desejo inconsciente. Seria, talvez, a lembrança encobridora de um desejo fantasiado na idade do irmãozinho, desejo heterossexual ainda pouco rival com o pai, mas desejo de macho, que se expressava em desejo de penetração sobre a pessoa de sua irmã ou de sua mãe antes da época edipiana. Ele tinha deslocado a penetração peniana para a penetração de uma faca. Ainda que seu braço estivesse paralisado, sua mão podia desenhar representações gráficas. Podíamos ver uma mão armada com uma faca de açougueiro, mas nunca se via sobre o mesmo desenho a pessoa eventualmente visada pela faca. É em torno destes desenhos e deste sonho que ele não podia contar, que girou todo trabalho da análise.

Que pai tinha ele, que avô? Foram as dificuldades de uma emigração que levaram esta família vinda do leste à situação precária, como foi observado, ao redor de Paris. Ora, se o braço da criança não tinha necessidade de reeducação, o cinestesiterapeuta, que tinha um bom contato com Alex, e depois que o psicoterapeuta permitiu que se aliviassem as motivações psicogênicas desta estranha enfermidade da motricidade, retomou o trabalho. E Alex gostava de conversar com este cinestesiterapeuta masculino. O fato é que ele lhe contara aquilo que ele tinha dito a mim e que o cinestesiterapeuta se viu a desempenhar o papel do melhor dos educadores para este menino pré-púbere cujo pai, ausente ou muito preocupado, negligenciava seus filhos. A mãe, não sei por que, estava em não sei que hospital já há alguns meses. Era a irmã de quinze ou dezesseis anos quem cuidava do lar, se é que deste barraco divido em dois cômodos, podia se falar de lar.

Podemos dizer que o que é histérico é sempre chamado por socorro, dirigido visivelmente a um outro, com objetivo de obter uma satisfação libidinal, mais ou menos claramente erótica, simultaneamente desejada e recalcada. Esta ambivalência do desejo leva o sujeito a uma regressão das pulsões, inconsciente, ainda que, provavelmente, ela tenha sido inicialmente consciente. Esta regressão expressa as pulsões associando-as a um tipo arcaico de satisfação.

Em Alex, a pulsão de penetração genital se transformava em pulsão de membro penetrador que Alex não queria realizar. Aqui estava o sintoma histérico, o deslocamento do pênis para o braço e para a faca.

A *perturbação psicossomática* provém, antes, de uma dor na ocasião de sofrimentos íntimos: sofrimentos devidos a uma relação decepcionante com um ser eleito, que se traduzem por uma ferida imaginária, com retorno a uma imagem do corpo arcaica e à época da relação do sujeito com uma outra pessoa que não aquela que está em questão, atualmente. A perturbação psicossomática atual é a repetição, por vezes ampliada, de uma disfunção passada, real ou imaginada do corpo próprio do paciente. Corpo este que se torna substituto de um companheiro contemporâneo de uma experiência associada à prova de hoje, um companheiro que o sujeito pensa que irá compreendê-lo, não o deixando sozinho diante de seu sofrimento e com sua ferida atual. Portanto, não é o mesmo narcisismo que parece ser tocado na perturbação psicossomática e na histeria. *Na histeria, parece-me que é o narcisismo secundário que está em perigo; na psicossomática, seria o narcisismo primário.* Na histeria, aquilo que poderíamos denominar ética da erótica, ordena-se em torno da genitalidade; na psicossomática, ordena-se em torno da dependência pelo comer e pelo fazer, ou da autonomia em relação ao ser amado na infância, ao ser amado na relação eletiva onde este pôde acompanhar as provas das castrações anais e orais.

Portanto, haveria algo de mais arcaico nas perturbações psicossomáticas do que nas perturbações histéricas. Citemos um caso – o de uma mãe – que me parece típico de uma perturbação psicossomática. Durante os funerais de seu filho, que faleceu adulto, no momento de descer o caixão à cova, esta mãe sentiu como que um golpe de punhal no estômago. Um exame feito pouco depois permitiu verificar que ela tinha um câncer no estômago, do qual morreu, no dia de aniversário de um mês da morte de seu filho. É bem possível que este câncer já existisse, sem que ela tivesse qualquer manifestação deste, já há muito tempo: é isto que dizem os médicos a seu marido. Porém, ela sentiu a pontada naquele dia, e no exato momento em que seu filho era depositado na tumba. É como se a morte deste filho mais velho, o primeiro que ela tinha amamentado, despertasse nela um desmame impossível. Talvez, ela tivesse permanecido ligada carne a carne, inconscientemente, a este filho mais velho, além da época de seu desmame; no momento da morte de seu filho, o desatamento definitivo de seu corpo lhe arrancava a substância visceral de seu próprio estômago. Morrer um *mois* (mês)* após a morte de seu filho, exatamente no mesmo dia! Morte deste *Moi* ("Eu") que transformou a mulher em mãe na ocasião do nascimento de seu filho mais velho (e as mulheres o sabem bem – existe um filho mais velho de cada sexo, também para os pais): tornar-se mãe pela primeira vez, é uma transformação, uma transformação do "Eu", uma transformação do narcisismo da mulher; mas não do sujeito do desejo: este sujeito está além do cruzamento do tempo e do espaço, ele não conhece nem nascimento nem morte, mas somente o verbo ser para amar.

Enquanto sujeitos, conhecemos os outros apenas através de nossa relação egóica com eles, e a deles conosco: aqui está o problema psicossomático, ligado à relação do simbólico e da realidade, tempo cruzado com o espaço, que constitui a carne vivente, por intermédio da articulação da imagem do corpo com o esquema corporal.

Do sofrimento que racha o *continuum* de uma relação vital, o sujeito não tem palavras para falar a respeito. O corpo é como que mutilado, em um lugar específico da história do elo de amor quebrado; e ele significa, cortando mais ou menos uma parte deste, a expressão impossível do sofrimento suportado, assim, em parte, anestesiado.

Na mesma ordem de ideias, é bem conhecido o fato de que não se deve causar emoções a um cardíaco, porque as emoções tocam o coração, aquele da imagem do corpo, aquele das emoções; é que este coração tem uma repercussão no esquema corporal e no funcionamento do coração enquanto visceral. O

---

* *Mois* (Mês) e *Moi* ("Eu") são homônimas homófonas. (N. da T.)

"coração de coração", e o "coração de carne", como me ensinou a dizer uma criança de quem eu cuidava, são distintos, diferenciáveis, mas por vezes, na patologia, interferem um sobre o outro. É também conhecido o fato de que, quando ocorrem discussões dramáticas em uma família, pode ocorrer um despertar de uma úlcera de estômago em um ulceroso crônico potencial. A análise de um sujeito ulceroso confirma muito bem o arcaísmo desta perturbação psicossomática. Sua libido permaneceu marcada pelo amor de sua mãe, confundido com seu desejo por ela. As representações oníricas ao longo da análise obedecem a uma ética canibal, sendo que o analisante revive a época em que sua mãe o alimentava ao seio. Esta ética de amor materno, este comer de beijos, desempenha, até no estômago, seu papel nas relações com as pessoas que compartilham conosco nossas refeições e cujos acessos caracteriais repercutem emocionalmente sobre os outros.

Caso de Tony: pai psicossomático, criança hipocondríaca (ou histérica?)

Conheci um homem, chamemo-lo o pai de Tony, o caçula de uma família de cinco meninos. Ele tinha uma úlcera no estômago já há vários anos, e sofria de gastrite desde a idade de quatorze anos. Era o único de cinco irmãos a ter uma vida social e genital regular: era casado, e Tony era seu filho único. Seus quatro irmãos eram delinquentes que passavam a vida na prisão.

O pai deles, o avô paterno de Tony, portanto, criado pela Assistência pública assim como a mãe deles (a avó de Tony), tinha falecido em um acidente de trabalho quando o pai de Tony ainda era muito pequeno: ele não se recordava disto. Quanto à mãe, alcoólatra (ou será que se tornou alcoólatra após sua viuvez?), tinha falecido em virtude de um *delirium tremens* quando o pai de Tony tinha dez anos. Ele dizia que a mãe os tinha alimentado, a todos, ao seio. Ele tinha lágrimas nos olhos quando falava dela, que era tão boa, mas que vivia de uma maneira desorganizada e que tinha sido rejeitada pela sociedade em função de seu alcoolismo. Acrescentando-se a este fato, na ocasião de sua morte, ele, que tinha dez anos, e dois de seus irmãos, os mais próximos dele, tinham sido tomados aos cuidados da Assistência pública. Esta mãe, rejeitada por todos, tinha, portanto, induzido, em seus filhos quando eram bebês, sendo que todos a amavam, um conflito íntimo de amor desvairado, coração a coração, em

304 A IMAGEM INCONSCIENTE DO CORPO

relação a ela, e, mais tarde, de vergonha dela frente à sociedade. À medida que cresciam, permaneciam na miséria material. Os quatro outro filhos tinham construído sua estrutura libidinal conservando como único "Eu" Ideal a mãe amada de quando eram pequenos! Eles tinham sido sustentados apenas por esta identificação, sendo que o "trabalho" do pai o tinha "matado", em uma época onde não existia seguro social, não existiam abonos de família, nem indenizações por acidentes de trabalho para os operários mortalmente acidentados. Eles tinham, crescendo com ela, sem outra família, se tornado como ela, indivíduos inadaptados às leis, e objetos a serem rejeitados pela Sociedade. Eles tinham todos começado pela delinquência juvenil, a partir dos quatorze anos, na mesma idade em que o pai de Tony pagava, através de suas gastrites uma espécie de delinquência de seu tubo digestivo. Ele mantinha a mesma fixação em uma mãe que tinha sido tão boa alimentadora e que os amou tão ternamente, sendo tão doce em sua lembrança. Seus irmãos tinham começado por roubar, mais tarde beber, em seguida foi a prisão, mais tarde o assalto a mão armada. Dois dentre eles tinham se tornado assassinos ao longo de suas reincidências. Ele era um delinquente psicossomático: era seu estômago que ele atacava ou que o atacava, ou melhor, ele se autodevorava, a si mesmo, na falta do seio materno o qual ele tinha sido o último a mamar e que, em decorrência deste fato, o tinha alimentado por mais tempo que aos outros, como ele costumava dizer.

Observamos aqui, distribuída em uma família, a distinção de que falávamos, entre perturbações histéricas e perturbações psicossomáticas. Três dos irmãos, aqueles que tinham mais de quatro anos na ocasião da morte do pai, eram histéricos, delinquentes histéricos ativos, o quarto, um histérico passivo. O quinto era psicossomático, o pai de Tony.

A ocasião que me permitiu conhecer este homem e sua história não foi, como se poderia acreditar, um tratamento psicoterápico de sua úlcera. Eu o conheci em uma consulta de hospital, na ocasião de um pedido do serviço em que eu me encontrava, para o exame psicológico de um menino de dez anos, especificamente, Tony. *Tony, já há alguns meses, faltava à escola sob pretexto de dores agudas nos joelhos.* A observação no hospital e todos os exames e análises não permitiam compreender a causa deste sofrimento. Seria ele um simulador? Qual seria seu nível mental? Suas dores, diziam, o impedia realmente de dormir e perturbavam seu andar. Ao longo de um período prolongado de observação no hospital, Tony não pareceu nem como caracterial nem como escolarmente retardado. Seu QI era 105; em suma, seu caso confundia. Não, essa criança não era nem delinquente, nem retardada, nem tampouco caracterial, ela sofria. Era hipocondríaca. *Genoux? Je, nous**. (Joelhos? Eu, nós.) O que é de nós, meu pai e eu? Pode parecer um jogo de palavras (*mots*) ou males (*maux*)**. Mas é exatamente isto que sobressaía nas sessões em que eu o escutava. Ele colocava nitidamente o problema de sua família paterna, através de um chamado de socorro que tinha tomado forma linguageira através deste sintoma mediado pela dor nos joelhos. Na origem, existia o dizer de um médico de seu bairro chamado um dia em que ele efetivamente sofria com o joelho um pouco inchado e quente, para o qual o médico tinha orientado um repouso sem escola durante uma semana, e diagnosticado "dores de crescimento". Isto se passara alguns meses antes. Em seguida, Tony tinha festejado seus dez anos, idade em que seu pai tinha perdido a mãe e tinha sido recolhido pela Assistência pública. É provável que no aniversário de dez anos de seu filho, todas estas velhas lembranças deveriam ter retornado à memória do pai, porém ele não teria dito nada a respeito. Pois, nada da infância deste pai nem de sua família jamais havia sido dito, nem à sua esposa nem a seu filho. A mulher, também cuidada pela Assistência pública, tinha sido abandonada muito mais precocemente do que ele, e tinha uma boa recordação de uma ama de sua infância, infelizmente morta pouco após sua partida para uma pensão da Assistência. Ela sabia apenas, de seu marido, que ele tinha tido sua mãe até os dez anos e que a pobre mulher... Mas ela não conhecia a delinquência de um cunhado que tinha visto apenas de uma maneira muito vaga, em função de "papéis e cartas de advogado" que seu marido havia recebido certo dia. Ele dissera, então, que deveria falar com um advogado sobre as besteiras feitas por seu irmão, aquele mais próximo dele. Ela era discreta e amorosa, ela amava este marido, órfão como ela, e atingido pela desgraça. Nada do que se referia à origem, nem tampouco ao parentesco de Tony, de nenhum lado, nem paterno nem materno, era, portanto, conhecido pela criança. E foi este tratamento psicoterápico, psicanalítico, de um neto, que permitiu compreender o que é o destino libidinal em uma linhagem, quando o narcisismo é ferido ao longo da estruturação.

A ética do desejo tinha se enraizado no pai de Tony na época oral, nos problemas narcísicos de validade fálica de sua mãe; e, para seus irmãos, em torno dos problemas secundários, ligados

---

* *Genoux* e *Je-Nous* são homônimas homófonas. (N. da T.)
** *Mots* (palavras) e *Maux* (males) são homônimas homófonas. (N. da T.)

306 A IMAGEM INCONSCIENTE DO CORPO

ao desprezo e ao abandono de um pai derrotado por um acidente de trabalho.

Foi graças às perturbações hipocondríacas do menino que pude conhecer a história desta família e também, pela palavra e pelo retorno do dizer concernente a todo este não-dito, ajudar a criança a reencontrar a saúde. Os traumas do coração que não são falados podem, portanto, serem expressos pelo corpo, que se sente traumatizado, por intermédio da imagem do corpo, cruzada enquanto trama e urdidura no tecido de nosso narcisismo. Tratava-se, no caso deste joelho dolorido, do coração do pai de Tony e do seu, seu coração associado ao coração de seu pai, em suma, não de *genou* (joelho), mas de *Je-Nous* (Eu-Nós); estes dois corações no sentido do elo afetivo que liga um ser humano a seu genitor, àquele que ele ama no início de sua vida e que faz se amar a si mesmo, quero dizer, o pai ou aquele que ocupa o lugar deste. É este mesmo pai, responsável por seu filho, menina ou menino, que, a partir de três anos, o destaca da relação dual com sua mãe, para fazer dele um ser social sexuado e conforme a Lei. É por isso que todo o dizer ou não-dizer referente ao pai é tão traumático, no sentido de uma ausência de elementos estruturais na vida inconsciente; é por isso também que este trauma se reporta à geração seguinte, sendo esta uma das descobertas mais importantes da psicanálise: a herança de uma dívida inconsciente que "desdinamiza" um dos descendentes da segunda ou da terceira geração.

O pai de Tony, na época de seu desmame, não tendo conhecido seu pai, só podia ser educado tendo por referência aquilo que a sociedade lhe significava de sua mãe para desligá-lo dela. Ora, esta sociedade não ajudava tampouco seus irmãos mais velhos, os substitutos do pai para ele. Para uma criancinha, os irmãos mais velhos representam outros adultos em contato com mamãe, são, de certa forma, substitutos paternos. Bem, estes irmãos mais velhos eram incapazes de servir como referências da Lei, eles mesmos estando traumatizados pela decapitação da família e pela aflição na qual a mãe permaneceu com seus cinco filhos. O trauma devido ao abandono das crianças por um ou por outro dos pais é diferente segundo a idade do desenvolvimento, não físico, mas afetivo e sexual, de cada um em uma mesma família. Se, em consequência de um trauma que atingiu todas as crianças, e ainda a mãe (ou o pai) encarregada(o) sozinha(o) de seus filhos após o desaparecimento de seu cônjuge, cada um acaba por falar a respeito daquilo que está sofrendo a quem sabe ouvi-lo, ouvi-lo para ele mesmo, então, cada um pode chegar a assumir sua experiência, e a ultrapassá-la. E ainda sair até mesmo mais forte desta experiência, se pôde, a este respeito, expressar tudo o que um vivente na aflição tem a dizer deste acontecimento. Qualquer prova é uma experiência de sobrevivência do corpo e tudo se passa como se este tivesse por metáfora o psiquismo; mas, para que o psiquismo permaneça vivo, é preciso que exista linguagem permutada, expressiva, atual, com alguém que dê àquele que está ouvindo o valor de sujeito de sua própria história.

Toda prova é uma experiência na realidade que pode ser assumida psiquicamente, se o corpo sobrevive a ela. Mas para isso, é preciso um trabalho que se denomina o trabalho psicanalítico, e este trabalho só pode ser feito com alguém que, por sua escuta e sua própria formação, dê àquele que lhe fala uma castração Simbolígena, ou seja, a ajuda para se compreender com a simbolização aquilo que perdeu e que passa, então, a lhe pertencer, como próprio. Assim, quanto a este pai corajoso que tivera que abandonar o posto de chefe de família, em decorrência de um acidente mortal de trabalho, cada um de seus filhos teriam podido, para lhe fazer a honra, receber ajuda de uma outra pessoa, se sustentar nestas dificuldades, já que todos eram crianças inteligentes; mas teria sido necessário reabilitar tanto a pessoa do pai, de quem não tinham outra experiência que não o abandono em que se tinha encontrado a mãe, como o sofrimento da mãe para o qual a única solução tinha sido beber para deixar o alimento aos meninos, em uma época onde o vinho era muito barato nos botequins.

DE ENGENDRADORES A ENGENDRADOS:
O SOFRIMENTO. DE IMAGINÁRIO A REALIDADE:
AS DÍVIDAS E AS HERANÇAS

Colocar palavras sobre o sofrimento de uma prova, para quem pode ouvir as palavras e prestar sua atenção ao sujeito que fala confiando nele, isto apazigua a angústia. E, sem angústia, a vida, a sobrevivência, permitindo àquele que ultrapassou a agudez da prova de encontrar a solução por si mesmo. Isto quer dizer que as pulsões cuja satisfação é proibida provocam supertensões libidinais e, em consequência disto, da angústia, como tudo o que é supertensão em um ser humano. Uma subtensão libidinal provoca o ensimesmamento e o sono; a supertensão, provoca angústia. E a angústia por supertensão provoca um mal-estar, e o mal-ser é sentido como culpa já em primeiro grau; em seguida, como ele cristaliza as forças vivas no indivíduo, este se sente secundariamente culpado por não enfrentar, por faltar em dignidade ligada ao fato de assumir seu desejo, que está enraizada no ser humano desde sua origem. É por isso que a angústia tem necessidade de se expressar. Se ela não pode se expressar em palavras, é pelo comportamento ou pelo funcionamento corporal, pelo comportamento do corpo em sociedade ou pelo comportamento caracterial, ou por uma disfunção do corpo vegetativo, ou motor que a angústia se expressa. Tudo é linguagem no ser humano. O próprio corpo, pela saúde ou pela doença é linguagem. A saúde, é a linguagem do saudável; a doença é uma linguagem de quem está passando por uma prova e, por vezes, angustiado. Estar doente é sinal de luta contra um inimigo deste equilíbrio das trocas, que denominamos saúde. Qualquer energia é então focalizada para resistir à fraude ou para curar a fraude que um agente externo provocou diretamente (acidente, ferida, doença) ou, secundariamente, por reação de defesa. Tentei, nestas últimas páginas, decodificar a evolução da imagem do corpo ligada ao narcisismo primário, depois ao narcisismo secundário, após a resolução do Édipo. Afirmei que ela era tanto erógena quanto funcional, mas também, em sua origem, era aquilo que descrevi como uma imagem de base contra a integridade da qual qualquer ameaça é sentida como mortal. Ela liga o corpo à linguagem mais vegetativa, cardiorrespiratória-digestiva. A integridade desta imagem do corpo quanto ao cardiorrespiratório e ao digestivo, é isto que dá ao ser humano a segurança até durante seu sono; na falta de que, o sujeito do desejo não pode mais animar a carne, seguindo-se, então, graves perturbações psicorgânicas.

Se a *imagem de base* é atingida, ocorre a desvitalização parcial ou total, chegando a uma reação lesional. Se for a *imagem funcional* atingida por um acontecimento traumático que não é falado, ocorre reação funcional, humoral, neuromuscular. Efeitos desregradores da homeostase e do tônus, com ponto de partida inconsciente, alteram mais ou menos o "Eu" e a ordem das instâncias psíquicas e, a partir disto, o comportamento enquanto expressão linguageira global. Se for a *imagem erógena* que está em causa, pode ocorrer enfraquecimento, ou pelo contrário, superexcitação do desejo, de maneira que transborda aquilo que o sujeito é capaz de dominar, quanto à passagem de sua expressão no esquema corporal. Nos irmãos mais velhos do pai de Tony, por exemplo, o sofrimento experimentado na idade em que eram quase púberes, quando sua mãe ficou totalmente arruinada do ponto de vista social, não lhes permitiu que se construíssem através de uma ética de trabalhadores. Seu pai tinha sido menosprezado em seu valor de trabalhador, já que ele tinha desencarnado e que a sociedade não tinha levado em conta sua dignidade de chefe de família, ajudando seus filhos a sobreviverem, ainda que materialmente, e não apenas educativamente. Na ocasião da morte do pai, para os filhos mais velhos, os quais o pai tinha marcado pelo exemplo do trabalho, de uma vida honesta e ordenada, a castração que ele começara a lhes dar se estilhaçou (se é que posso dizer assim). Os freios pulsionais da nocividade e do assassinato também foram estilhaçados, carregando com eles a simbolização da sexualidade oral e anal, trampolim de uma libido utilizável na escolaridade e no trabalho. No mais, a mãe, terna e amada, estando à disposição dos filhos, fez com que, as emoções incestuosas fossem despertadas nestas crianças. Tudo isto no inconsciente; mas o resultado foi que o trabalho não tinha mais valor; além disto, o amor filial pela mãe era ridicularizado, já que seus filhos não podiam trabalhar, ganhar dinheiro para ajudá-la e não podiam fazer outra coisa que não assistir a maneira pela qual as pessoas, em torno deles, a censuravam por suportar não mais comer conforme sua fome, bebendo. Os irmãos mais velhos, atingidos até em sua dignidade humana, ou seja, na imagem de base de seu narcisismo, pela derrelição que herdavam referente a seu pai e à sua mãe na idade social edipiana, só puderam se tornar delinquentes graves, chegando, dois dentre eles, até o crime de sangue, por perseguições e prisões sucessivas, frequentando delinquentes talvez piores do que eles, que não tinham mantido de sua mãe uma imagem tão prestigiosa quanto aquela mantida por cada um dentre eles.

Aquele para quem o pai de Tony tinha sido convocado pelo advogado era o irmão que o precedia diretamente. Ele era abúlico, histérico passivo, não gostava de meninas, tinha sido, segundo o advogado, explorado por um bando, mas não tinha cometido, pessoalmente, nem roubo nem crime. Este irmão tinha sido companheiro de pensão do pai de Tony na Assistência pública, na ocasião da morte de sua mãe. Era aquele que a mãe tinha desmamado no momento em que ela estava grávida, exatamente, do pai de Tony.

Este último não trazia nenhum julgamento pejorativo concernente a seus irmãos. Ele estava chocado pela desgraça e falava com resignação de seus irmãos, mas expressava um amor indefectível e ardente por sua mãe e uma estima idealizada por um

310 A IMAGEM INCONSCIENTE DO CORPO

pai do qual ele não tinha nenhuma lembrança e de quem nada ouviu dizer que não a respeito de seu destino de criança da Assistência pública e de seu acidente de trabalho.

Os sintomas, quer sejam hipocondríacos como em Tony, o neto do acidentado de trabalho, histéricos como em seus tios, ou psicossomáticos como no pai de Tony, podem ser entendidos como a linguagem do "Eu" inconsciente enquanto solidário do corpo próprio, lugar do esquema corporal. Estes sintomas que endividam a liberdade de viver são também meios de expressar o sofrimento de um ser humano atingido em seu narcisismo: o qual é arrimado, de castração em castração, simbolígena ou não, ao longo de seu primeiro desenvolvimento, a uma ética inconsciente, assegurando a continuidade na coesão de estrutura psíquica e sexual.

Esta continuidade das estruturas psíquicas e sexuais, é isto que está incluído sob o termo de narcisismo, ligado ao cruzamento da imagem do corpo inconsciente, e do esquema corporal pré-consciente e consciente. É a condição da articulação do sujeito, que não é nem temporal nem espacial, ao contrário daquilo que se pode dizer de seu corpo, o qual participa do "Eu", pelo qual o sujeito se objetiva em suas motivações de comportamento; justificando-as na realidade através de fantasmas ou de racionalizações verbais que se manifestam através de trocas com o cosmos, se podemos dizer assim, ou seja, na saúde, em suas relações com os animais e com os humanos, em sua aparência caracterial.

Os outros corpos são também objetos pertencentes à realidade cruzada do tempo e do espaço. Cada corpo é representativo de um sujeito desejante, se for um humano; mas é percebido pelos outros sob sua forma de objeto oferecido a seu desejo, provocando-os a desejá-lo de uma maneira fílica ou fóbica; quero dizer, desejar para entrar com ele em uma relação de troca de prazer, ou para recusar uma relação de troca com ele que seria desprazer.

É o sujeito do desejo – enquanto não somente testemunha, mas também como ator de sua história, por intermédio do corpo – que assume carne neste corpo no dia da concepção de cada um, e que reconduz seu contrato de vivente, de inspiração em inspiração, depois que, de expiração em expiração, ele tenha arriscado, confiando, este contrato de vivente. Podemos dizer que é de segundo em segundo que o narcisismo de um sujeito reconduz o contrato do sujeito desejante com o seu corpo. Isto é viver, para um ser humano.

Este contrato que liga um sujeito a seu corpo é o misterioso enigma de cada ser humano. Quando ele fala, cada um fala dele mesmo, sob a cobertura da palavra "Eu" distinto de "Você" e "Eles", mas, ao mesmo tempo, este sujeito que fala com o nome de "eu", pode, seja, não reconhecer o Eu, ou tomá-lo em conta conscientemente (e talvez, além). E ainda, em seu sono, ele é este sujeito, a testemunha outra deste "Eu" imóvel, poderíamos dizer vegetativo; e, ao mesmo tempo, o trabalho do reassumir seu corpo se faz no sujeito, a quem o desejo, durante a vigília, tinha fatigado: é, portanto, que o narcisismo de base cuida de reconduzir cotidianamente, no vivente, seu contrato, a reconduzir este enigma. Este "eu" adormecido, que não poderia nem mesmo dizer "eu" gramatical de uma frase, este "eu" adormecido que vela, não se sabe onde, permitindo ao corpo o refazer de suas forças, este "eu" é testemunha do desejo de todos estes desejantes que remontam à noite dos tempos, de serem engendrados de mãe a filha, de pai a filho, desde que o mundo é mundo.

Este enigma, a criança humana o aborda em torno de seus três anos. Ela acredita, inocente, que o adulto, imagem dela concluída, irá lhe dar resposta a todas as perguntas que ela se faz; mas o adulto espera de seus filhos resposta para o enigma do sentido de sua vida, resposta para o enigma do sentido de sua vida, resposta para o enigma dos fracassos do "Eu" em relação aos desejos do "eu".

E são estas cartas mal dadas, esta má compreensão em que cada um espera do outro uma resposta que ninguém pode lhe dar, que constituem o problema das relações crianças-pais. Eles não podem aceitar facilmente sua impotência: a criança, a de seus pais, e os pais, a de seu filho (impotência em lhes dar a satisfação que seu desejo imaginário gostaria de achar na realidade).

Em todo caso, em Tony, que tinha dor nos joelhos, esta articulação de seus membros inferiores foi o enigma desta dor colocada aos médicos, que não tinham, com seu saber concernente ao corpo, solução para aquilo que se passava, que permitiu que o contato com o psicanalista esclarecesse o outro enigma que *"Je-Nous"* colocava ao pai no corpo de seu filho, e à criança em seu amor por sua família, às vésperas de ter que assumir sozinha seu desejo. Esta história permitiu, também, à jovem, analista que eu era, na época, compreender como o sofrimento não-falado de duas linhagens pode se expressar em uma criança de dez anos, seu herdeiro: Tony, proibido de vida normal e privado de sono por uma dor lancinante hipocondríaca, urrava um sofrimento que remontava a seu pai e a seu avô, e, talvez, ainda mais longe.

312 A IMAGEM INCONSCIENTE DO CORPO

Certamente nada mudou, para o pai, pelo fato de que, ao me falar, reativava nele, na idade que tinha, as emoções afetivas de sua infância. Mas ele não estava sozinho: ele podia, repensando o sentido de sua vida, falar a seu filho daquilo que não sabia, mas que lhe tinha constituído problema, ou daquilo que ele sabia, e que lhe causava aflição.

Tony não tinha feito perguntas diretas a seu pai; era por intermédio de seu corpo que as perguntas se faziam, sem resposta do lado do corpo enquanto objeto do saber médico. O enigma das mutações do crescimento e do destino dos seres humanos, nos diferentes períodos de sua história pessoal, recobre neles acontecimentos interiores passados, e até mesmo mortos. São acontecimentos que se passaram entre seus avós e seus genitores, como também acontecimentos que se passaram ao longo da vida do sujeito, mas que não puderam ser falados ao longo das mutações de sua vida. E o corpo de Tony que parecia impedi-lo de viver, e não era isto, mas sim o não-dito que este corpo representava. Tony permitiu que, enfim, seu pai pudesse colocar palavras, para um psicanalista que escutasse, a respeito de sua história, palavras de filho, de neto, que se tornou pai e engendrador de filho. Ele pôde, com estas palavras, falar de sua mulher e de seu filho, enquanto que ele nunca falava com ninguém; falar de sua mãe, de sua desgraça, da coragem desta mulher, de seus irmãos infelizes de quem ele nunca tinha falado com Tony, estes tios vencidos por sua força libidinal, que um pai, desaparecido precocemente, não pudera iniciar a uma outra lei que não a do trabalho e da coragem, lei que se tornou, ela própria, caduca e absurda em decorrência de sua morte, sem honra reconhecida, no trabalho.

E o que dizer desta aflição em que seu desaparecimento tinha deixado mulher e crianças em tenra idade, esta mesma aflição que tinha conhecido o pai do pai de Tony, abandonado à Assistência pública, esta aflição que tinha conhecido a mãe de Tony, ela também abandonada à Assistência pública? Mas é preciso, ainda, remontar mais além na história destes desejantes, é preciso remontar à aflição da bisavó materna e da bisavó paterna de Tony, na ocasião de suas gestações denegadas enquanto valorosas para a sociedade; mulheres" que tinham servido de objeto a um homem irresponsável e não tinham sido sustentadas por aquilo que é o assumir seu filho. É tudo isto que Tony resumia em seu corpo, em seus dois joelhos, cada um de seus membros inferiores representando seu alicerce na vida, seus dois pais, para quem o enigma era "*Je-Nous*".

À Guisa de Conclusão Deste Trabalho

O enigma de nossa vida – a todos e a cada um – em sua relação, através de nosso corpo, com o corpo dos outros, e, pela linguagem com outros sujeitos, através das mediações das coisas mais substanciais, até os mais sutis dos olhares e dos sons, este enigma permanece.

Imagem do corpo cruzada em cada microssegundo com o esquema corporal, substrato de nosso ser no mundo, elo dos sujeitos com seu corpo, em sua substancialidade palpitante, lugar de sua aparência: tal pode, também, se dizer, o desejo inconsciente. O enigma permanece, ligado ao peso da carne, sempre plural, com suas necessidades e seus desejos onde o "Eu" de cada um (com os dos outros) se esgota. E, ainda, o que se fazer com estes sujeitos em busca de sutil união com o outro sujeito? Desejo que se quer em harmonia com o outro pelo harmônico sutil do amor. O enigma *"Je-Nous"* (Eu-nós) permanece, de geração em geração, enquanto que eu, você, os outros, morrem, e a linguagem é o enigma que, separados como somos uns dos outros, nos une por aqui... por ali... por onde? Em quem? Seria, este desconhecido, o Sujeito do verbo Ser?

Casos Clínicos das Perturbações da Imagem do Corpo

Frédéric, 7 anos: surdo, instável, papel do nome perdido ... 35

Gilles, 7 anos: enurético, instável, com dificuldades escola
res, fóbico.. 40

Agnès, alguns dias: perda da imagem do corpo olfativa, se
deixa morrer 52

François, 13 anos: brilhante aluno de sétima série no colégio, tentativa de suicídio por esfaqueamento do ventre,
imagem do corpo não-masculina...................................... 92

Nicolas, 7 anos: psicótico por não identidade humana, imagem do corpo oral mortífera... 192

Sebastien, 8 anos: autista mudo, hospitalismo aos 5 meses 197

Pierre, 3 anos: fobo-histérico ("dor de cabeça") e obsessivo
verbal, aparência débil pré-psicótica............................... 204

Joel, 18 anos: gago desde a idade de 2 anos, castração primária mal vivenciada 210

Léon, 8 anos: lento, distônico motor, fobo-histérico, débil,
músico.. 240

Marc, 12 anos: superdotado, caracterial angustiado pré-de-
linquente, pós-edipiano descompensado 276

A IMAGEM INCONSCIENTE DO CORPO

Alex, 13 anos: paralisia histérica após fraturas repetitivas do braço, pós-edipiano ameaçado de descompensação e passagem ao ato incestuoso, angústia fóbica.................. 297

Tony, 11 anos: joelhos inválidos, dores agudas psicossomáticas, tornando-se hipocondríaco, neurose familiar 303

Não penso que seja um acaso, se a maior parte dos exemplos se refere a meninos. Meninos e meninas são carregados e educados por sua mãe (ou após o nascimento, por mulheres). A primeira identificação tem a mãe como modelo. Ao longo das sucessivas castrações, os meninos se separam de seu *Alter-Ego* primeiro amado, desejado, nas pulsões femininas da mãe e irmãs. As meninas reencontram nelas mesmas aquilo que elas deixam, o poder feminino de suas pulsões passivas representadas na mãe e nas mulheres. O papel do Pai e da Lei é dominante nos meninos.

Uma vez tornadas mães, muitas meninas retiram seus filhos das provas castradoras de seu pai e da Lei, desvalorizando assim a filiação simbólica humana em benefício da maternidade fisiológica e da parentalidade afetiva.

O narcisismo das meninas e dos meninos é diferente. A Lei, incontornável para os meninos.

Alguns Temas Anexos Abordados

Objetos transicionais.. 51,183

Continência esfincteriana... 100

O espelho... 120

A escola aos três anos, seu papel 148

Psicoses infantis.. 178

Fobias precoces psicotisantes... 180

Tempo escolar integral especializado (EMP e IMP): recuperação da saúde psicossocial em dificuldade, psicoterapia psicanalítica impossível; pleitear pelo tempo escolar parcial não-especializado, e o resto do tempo, em meio a cuidados e reeducação 265

Por uma prevenção hospitalar das perturbações psicossociais das crianças pequenas 274

Anorexia 290

Histeria e psicossomática 294

PSICOLOGIA E PSICANÁLISE NA PERSPECTIVA

Distúrbios Emocionais e Antissemitismo – N. W. Ackerman e M. Jahoda (D010)

LSD – John Cashman (D023)

Psiquiatria e Antipsiquiatria – David Cooper (D076)

Manicômios, Prisões e Conventos – Erving Goffman (D091)

Psicanalisar – Serge Leclaire (D125)

Escritos – Jacques Lacan (D132)

Lacan: Operadores da Leitura – Américo Vallejo e Ligia C. Magalhães (D169)

A Criança e a Febem – Marlene Guirado (D172)

O Pensamento Psicológico – Anatol Rosenfeld (D184)

Comportamento – Donald Broadbent (E007)

A Inteligência Humana – H. J. Butcher (E010)

Estampagem e Aprendizagem Inicial – W. Sluckin (E017)

Percepção e Experiência – M. D. Vernon (E028)

A Estrutura da Teoria Psicanalítica – David Rapaport (E075)

Freud: A Trama dos Conceitos – Renato Mezan (E081)

O Livro disso – Georg Groddeck (E083)

Melanie Klein I – Jean-Michel Petot (E095)

Melanie Klein II - Jean-Michel Petot (E096)

O Homem e seu Isso – Georg Groddeck (E099)

Um Outro Mundo: A Infância – Marie-José Chombart de Lauwe (E105)

A Imagem Inconsciente do Corpo – Françoise Dolto (E109)

A Revolução Psicanalítica – Marthe Robert (E116)

Estudos Psicanalíticos sobre Psicossomática – Georg Groddeck (E120)

Psicanálise, Estética e Ética do Desejo – Maria Inês França (E153)

O Freudismo – Mikhail Bakhtin (E169)

Psicanálise em Nova Chave – Isaias Melsohn (E174)

Freud e Édipo – Peter L. Rudnytsky (E178)

COLEÇÃO ESTUDOS
(últimos lançamentos)

316. *Entre o Ator e o Performer*, Matteo Bonfitto
317. *Holocausto: Vivências e Retransmissão*, Sofia Débora Levy
320. *Ritmo e Dinâmica no Espetáculo Teatral*, Jacyan Castilho
321. *Voz Articulada pelo Coração*, Meran Vargens
322. *Beckett e a Implosão da Cena*, Luiz Marfuz
323. *Teorias da Recepção*, Claudio Cajaiba
324. *Revolução Holandesa, A Origens e Projeção Oceânica*, Roberto Chacon de Albuquerque
325. *Psicanálise e Teoria Literária: O Tempo Lógico e as Rodas da Escritura e da Leitura*, Philippe Willemart
326. *Os Ensinamentos da Loucura: A Clínica de Dostoiévski*, Heitor O´Dwyer de Macedo
327. *A Mais Alemã das Artes*, Pamela Potter
328. *A Pessoa Humana e Singularidade em Edith Stein,* Francesco Allieri
329. *A Dança do Agit-Prop*, Eugenia Casini Ropa
330. *Luxo & Design,* Giovanni Cutolo
331. *Arte e Política no Brasil*, André Egg, Artur Freitas e Rosane Kaminski (orgs.)
332. *Teatro Hip-Hop*, Roberta Estrela D'Alva
333. *O Soldado Nu: Raízes da Dança Butō*, Éden Peretta
334. *Ética, Responsabilidade e Juízo em Hannah Arendt*, Bethania Assy
335. *Alegoria em Jogo: A Encenação Como Prática Pedagógica*, Joaquim Gama
336. *Jorge Andrade: Um Dramaturgo no Espaço Tempo*, Carlos Antônio Rahal
337. *Nova Economia Política dos Serviços*, Anita Kon
338. *Arqueologia da Política*, Paulo Butti de Lima
339. *Campo Feito de Sonhos*, Sônia Machado de Azevedo
340. *A Presença de Duns Escoto no Pensamento de Edith Stein: A Questão da Individualidade*, Francesco Alfieri
341. *Os Miseráveis Entram em Cena: Brasil, 1950-1970*, Marina de Oliveira
342. *Antígona, Intriga e Enigma*, Kathrin H. Rosenfield
343. *Teatro: A Redescoberta do Estilo e Outros Escritos*, Michel Saint-Denis
344. *Isto Não É um Ator*, Melissa Ferreira
345. *Música Errante*, Rogério Costa
346. *O Terceiro Tempo do Trauma*, Eugênio Canesin Dal Molin
347. *Machado e Shakespeare: Intertextualidade*, Adriana da Costa Teles

Este livro foi impresso na cidade de Cotia,
nas oficinas da Meta Brasil,
para a Editora Perspectiva.